HISTOIRE DE L'ACADIE

Nicolas Landry • Nicole Lang

HISTOIRE DE L'ACADIE

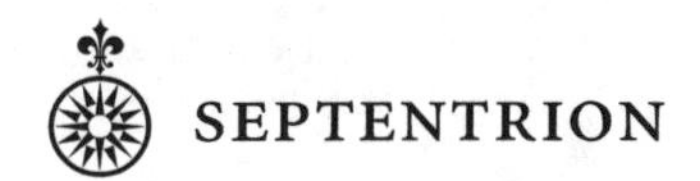

Les éditions du Septentrion remercient le Conseil des Arts du Canada et la Société de développement des entreprises culturelles du Québec (SODEC) pour le soutien accordé à leur programme d'édition, ainsi que le gouvernement du Québec pour son Programme de crédit d'impôt pour l'édition de livres. Nous reconnaissons également l'aide financière du gouvernement du Canada par l'entremise du Programme d'aide au développement de l'industrie de l'édition (PADIÉ) pour nos activités d'édition.

Photos de la couverture : Voir les pages 175, 180, 184, 219, 224 et 265.

Maquette de couverture : Bleu Outremer

Révision : Solange Deschênes

Mise en pages : Folio infographie

Si vous désirez être tenu au courant des publications
des ÉDITIONS DU SEPTENTRION
vous pouvez nous écrire au
1300, av. Maguire, Sillery (Québec) G1T 1Z3
ou par télécopieur (418) 527-4978
ou consultez notre catalogue sur Internet :
www.septentrion.qc.ca

1300, av. Maguire
Sillery (Québec)
G1T 1Z3

Dépôt légal – 2e trimestre 2001
Bibliothèque nationale du Québec
ISBN 2-89448-177-2

Diffusion au Canada :
Diffusion Dimedia
539, boul. Lebeau
Saint-Laurent (Québec)
H4N 1S2

Ventes en Europe :
Librairie du Québec
30, rue Gay-Lussac
75005 Paris

À propos des auteurs

L'ÉQUIPE DE RECHERCHE et de rédaction est composée de deux professeurs d'histoire des campus d'Edmundston et de Shippagan de l'Université de Moncton. Nicolas Landry, un spécialiste de l'histoire des pêches en Acadie, détient un doctorat de l'Université Laval et a déjà plusieurs publications scientifiques à son actif, dont *Les pêches dans la Péninsule acadienne, 1850-1900*, Moncton, Éditions d'Acadie, 1994 et « L'âge d'or de la pêche à la morue à Caraquet, 1874-1900 », dans J.P. Couturier et P. Leblanc (sous la direction de), *Économie et société en Acadie, 1850-1950. Nouvelles études d'histoire acadienne*, Moncton, Éditions d'Acadie, 1996. Récemment, il a publié « Sur les traces du *Maritime Rights Movement :* la relance du projet Chignectou 1930-1970 », *Revue de l'Université de Moncton*, vol. 30, n° 1, 1997 et « Niveaux de richesse chez les pêcheurs de Plaisance et de l'île Royale 1700-1758 », *Revue d'histoire de la culture matérielle*, n° 49, octobre 1998. Nicole Lang détient un doctorat de l'Université de Montréal et est spécialiste de l'histoire du travail et de l'industrie des pâtes et papiers au Nouveau-Brunswick. Elle a récemment publié, « Gestion et travail : le cas de l'usine Fraser d'Edmundston (N.-B.), 1918-1950 », dans Couturier et Leblanc, *Économie et société en Acadie, 1850-1950. Nouvelles études d'histoire acadienne*, « De l'entreprise familiale à la compagnie moderne : la Fraser Companies Limited, de 1918 à 1974 », *Acadiensis*, XXV, n° 2, 1996 et « Les conséquences des changements administratifs et technologiques sur l'organisation du travail à l'usine Fraser d'Edmundston au Nouveau-Brunswick, 1947-1974 » *Labour/Le travail*, n° 43, printemps 1999.

Remerciements

CETTE SYNTHÈSE A BÉNÉFICIÉ de la collaboration de plusieurs personnes. Les deux auteurs souhaitent souligner plus particulièrement la contribution des personnes suivantes.

Pour l'évaluation du manuscrit : Georges Arsenault, animateur de Radio-Canada à l'Île-du-Prince-Édouard et folkloriste ; Neil Boucher, historien, professeur et directeur de la Chaire d'études en civilisation acadienne à l'Université Sainte-Anne de Pointe-de-l'Église en Nouvelle-Écosse ; John Reid, historien, professeur à l'Université Saint-Mary's d'Halifax en Nouvelle-Écosse ; Léon Thériault, historien, professeur à l'Université de Moncton (campus de Moncton) ; Georges Arsenault, Neil Boucher, John Reid et Léon Thériault ont lu la première version de la synthèse et nous ont communiqué leurs commentaires et suggestions. Maurice Basque, historien et titulaire de la Chaire d'études acadiennes de l'Université de Moncton, s'est occupé de gérer le processus d'évaluation. Gracia Couturier a commenté une deuxième version de la synthèse ; Marcelle Cinq-Mars, responsable du projet aux éditions du Septentrion.

Pour leurs commentaires et l'appui qu'ils ont dispensé au projet : Raymond Léger, Danielle Picard, Samuel et Élizabeth Landry ; Jacques Paul Couturier, notre collègue historien du Campus d'Edmundston de l'Université de Moncton.

Pour la recherche de documents d'époque, d'illustrations et de photos : le personnel des bibliothèques des trois campus de l'Université de Moncton. Michel Thériault du Centre de documentation et d'études madawaskayennes (CEDEM), Michel Savard du Centre d'archives Nicolas Denys (Groupe Patrimoine Shippagan). Le directeur et le personnel du Centre d'études acadiennes de l'Université de Moncton, tout spécialement Ronnie-Gilles Leblanc et Emmanuel Doucet ; Cécile Gallant du Musée acadien de l'Île-du-Prince-Édouard ; Gérald Boudreau du Centre acadien de l'Université Sainte-Anne en Nouvelle-Écosse; Archives nationales du Canada ; Archives publiques du Nouveau-Brunswick ; Musée de la Nouvelle-Écosse ; Musée du Nouveau-Brunswick ; Parcs Canada, la Forteresse de Louisbourg.

Pour l'appui logistique accordé au projet : le Campus d'Edmundston de l'Université de Moncton ; le Campus de Shippagan de l'Université de Moncton.

Introduction

SELON LES CONNAISSANCES ACTUELLES, le terme Acadie est employé pour la première fois en 1524 par l'explorateur Verrazano lors d'une expédition en Amérique du Nord. Arrivé dans la région actuelle de Washington en avril, il trouve la végétation abondante et surnomme l'endroit Arcadie en souvenir d'une belle région mythique de la Grèce antique[1]. Plus tard, au XVIIe siècle, le terme sera orthographié sans la lettre *r* et désignera l'actuelle Nouvelle-Écosse continentale, l'île du Prince-Édouard et le Nouveau-Brunswick[2].

La première colonisation officielle de l'Acadie date de 1604 et c'est vers la fin des années 1680 que la colonie devient autonome tant économiquement qu'au point de vue démographique. Durant tout le XVIIe siècle, les frontières entre l'Acadie et la Nouvelle-Angleterre demeurent floues. La France et l'Angleterre, les deux pays colonisateurs qui se disputent le territoire, ne s'entendent jamais sur une délimitation claire. Les frontières se précisent en 1713 avec la signature du traité d'Utrecht alors que l'Acadie — la Nouvelle-Écosse péninsulaire — est cédée à l'Angleterre. Les frontières ne bougeront pas durant les décennies suivantes. Ce

1. Robert Rumilly souligne que cette interprétation ne fait pas l'unanimité parmi les chercheurs. Certains prétendent qu'il n'est pas sûr que le choix de ce nom par Verrazano ait entraîné l'usage postérieur. Cadie désignerait plutôt une terre fertile en dialecte micmac. Voir Robert RUMILLY, *L'Acadie française, 1497-1713*, Montréal, Fides, 1981, p. 9.

2. S. Alphonse Deveau et Sally Ross maintiennent que le *r* aurait été supprimé à mesure que les rapports avec les Micmacs se multiplièrent. Le territoire s'appela donc *la Cadie* puis ensuite *Acadie*. Voir J. Alphonse DEVEAU et Sally ROSS, *Les Acadiens de la Nouvelle-Écosse: hier et aujourd'hui*, Moncton, Éditions d'Acadie, 1995, p. 28.

sont plutôt des Acadiens et des Acadiennes qui décideront de quitter la Nouvelle-Écosse pour s'installer en territoire français : à l'île Royale ou encore à l'île Saint-Jean. D'autres iront fonder des établissements dans le sud du Nouveau-Brunswick actuel.

À la veille de la déportation de 1755, plusieurs milliers d'Acadiens et d'Acadiennes vivent toujours en Nouvelle-Écosse tandis que d'autres se sont déjà réfugiés en territoire français. La déportation, l'une des conséquences de la guerre que se livraient alors l'Angleterre et la France, affecte toutes ces populations. L'Acadie est vidée de sa population française. Des milliers d'Acadiens et d'Acadiennes sont déportés et dispersés en Nouvelle-Angleterre, en Angleterre et en France alors que certains réussissent à s'enfuir et à gagner le Canada. Avec la signature du traité de Paris en 1763, les autorités anglaises permettent officiellement aux déportés de regagner la Nouvelle-Écosse. Par contre, ces derniers ne peuvent pas s'installer sur leurs anciennes terres qui sont déjà occupées par des colons anglais. Les Acadiens et les Acadiennes fondent donc de nouveaux établissements et plusieurs optent pour le littoral des colonies anglaises ; c'est la période de la reconstruction d'une nouvelle Acadie qui s'étendra dans les différentes régions de la Nouvelle-Écosse, du Nouveau-Brunswick et de l'île du Prince-Édouard.

Plusieurs vagues de peuplement marqueront l'expérience acadienne de 1780 à 1930 dans ce qui est devenue l'Acadie des Maritimes. Au Nouveau-Brunswick, des villages acadiens sont fondés dans le sud-est, le nord-est et le nord-ouest. En Nouvelle-Écosse, les Acadiens et les Acadiennes s'installent principalement dans les régions de la baie Sainte-Marie, Pubnico, Chezzetcook, Pomquet, l'île Madame et Chéticamp tandis qu'à l'île du Prince-Édouard, on les retrouve, entre autres, dans les régions d'Abram-Village, Mont-Carmel, Baie Egmont, Wellington, Rustico et Tignish.

La notion de territoire est donc très importante dans le vécu du peuple acadien. Cette synthèse retrace l'évolution de l'occupation du territoire pour que le lecteur et la lectrice soient en mesure de saisir les grands mouvements qui ont marqué l'histoire de l'Acadie durant quatre siècles. Elle tente de répondre aux besoins et aux préoccupations des étudiantes et des étudiants du premier cycle universitaire et du public en général. Elle se penche donc sur l'histoire de l'Acadie des Maritimes, c'est-à-dire de la Nouvelle-Écosse, du Nouveau-Brunswick et de l'île du

Prince-Édouard, de 1604 à aujourd'hui. Elle présente les grands phénomènes socio-économiques de l'Acadie des Maritimes sans pour autant négliger le volet politique et institutionnel. Elle vise d'abord et avant tout à faire connaître le vécu de tout le peuple acadien et non seulement de son élite. Un accent spécial est mis sur la contribution et l'expérience des femmes et des Amérindiens, deux groupes trop souvent ignorés ou encore négligés dans les textes d'histoire acadienne.

L'ouvrage est divisé en sept chapitres qui correspondent à sept grandes périodes de l'histoire acadienne. Chaque chapitre présente un texte de base complet et analyse l'expérience acadienne sous trois grandes thématiques : le politique, le social et l'économique. Des cartes, des illustrations et de courts textes sont inclus tout au long du livre et développent certains éléments ou phénomènes jugés importants. À la fin du livre, le lecteur et la lectrice peuvent consulter une bibliographie des principales synthèses d'histoire de l'Acadie et une bibliographie sélective, ce qui leur permettra d'approfondir certains thèmes.

Les deux premiers chapitres du livre couvrent la période coloniale de 1604 à 1763. Il y est question de l'Acadie française (1604-1713) et de l'Acadie anglaise (1713-1763). Le chapitrc suivant traite de la fin du XVIIIe siècle et de la première demie du XIXe siècle. Il s'attarde au retour des Acadiens et des Acadiennes déportés dans les Maritimes et au phénomène de la reconstruction territoriale et sociale. Les chapitres quatre et cinq se penchent sur la deuxième moitié du XIXe siècle et le début du XXe siècle et ils analysent les grandes transformations économiques et politiques, et leurs effets en Acadie. Le chapitre six couvre la période de 1914 à 1950. Il présente les deux grandes guerres mondiales, la crise économique, le mouvement de coopération et bien d'autres grands bouleversements vécus par la population acadienne durant ces années. Finalement le dernier chapitre examine les nouveaux enjeux et les débats de la période contemporaine en Acadie, de 1950 à 1990.

À l'image des nouvelles synthèses canadiennes, celle-ci tente d'intégrer à la fois les études traditionnelles et les nouvelles contributions de chercheurs et de chercheuses s'intéressant à la thématique acadienne. Les auteurs souhaitent que cette synthèse permette au lecteur et à la lectrice de mieux comprendre l'expérience acadienne et de bien situer le cheminement de ce peuple dans le contexte de la francophonie canadienne.

CHAPITRE 1

L'Acadie française 1604-1713

La découverte de nouveaux mondes

L'Acadie voit le jour en 1604 avec la fondation du premier établissement français en Amérique du Nord, dans l'île Sainte-Croix. Néanmoins, l'Angleterre et la France s'intéressent aux territoires d'outre-Atlantique dès les XVe et XVIe siècles, bien avant l'arrivée des premiers colons. Elles ne sont pas les seuls pays européens à convoiter ces contrées inconnues et leurs ressources naturelles. En effet, quand la France et l'Angleterre commencent à s'implanter sur le continent, l'Espagne et le Portugal explorent et colonisent déjà les « nouveaux mondes » depuis au moins un siècle. Ces empires englobent un vaste territoire qui s'étend de la Floride jusqu'au Chili. La France et l'Angleterre ne peuvent guère songer à établir un foyer de colonisation au sud du 30e parallèle sans provoquer de sérieux conflits avec ces deux pays. Par conséquent, elles dirigent leurs efforts de peuplement plus au nord, depuis la Floride espagnole jusqu'à Terre-Neuve. Ainsi la colonisation anglaise se concentre dans la région côtière située au 37e parallèle, tandis que les efforts français gravitent autour du 45e parallèle. Ces deux régions sont cependant trop près l'une de l'autre sur le plan géographique pour permettre que deux mouvements de colonisation ennemis et concurrents puissent s'y côtoyer indéfiniment. Les conflits ne se font pas attendre, et l'Acadie se retrouve rapidement au cœur des territoires disputés par les deux empires.

L'Angleterre finance un premier voyage officiel en Amérique du Nord en 1497, mené par le Vénitien Jean Cabot. Parti de Bristol, Cabot franchit l'Atlantique Nord pour longer de nouvelles terres, probablement un segment de la côte du Labrador, la côte est de Terre-Neuve jusqu'au Cap-Breton. Cependant, les Anglais n'élaborent pas de projet de conquête territoriale avant l'expédition de Humphrey Gilbert. En 1583, celui-ci se rend à Terre-Neuve dans le but d'y fonder un établissement, mais l'emplacement choisi, trop au nord, voue son entreprise à l'échec. C'est Walter Raleigh, son successeur, qui assure le succès de l'Amérique anglaise. Dès 1584, Raleigh décide de fonder plus au sud, au 37e parallèle, une colonie qui devient la Virginie. Toutefois, le peuplement anglais permanent ne s'y concrétise qu'au siècle suivant, tout de suite après l'Acadie. C'est d'ailleurs de sa capitale, Jamestown, que vient la première agression contre Port-Royal.

La France accuse du retard dans le mouvement des découvertes. S'intéressant avant tout à la Méditerranée et constamment en guerre avec son voisin espagnol, elle est trop épuisée financièrement pour se lancer dans l'aventure atlantique. De plus, par le traité de Tordesillas de 1494, le pape a consenti à l'Espagne et au Portugal un partage du monde qui semble l'exclure. Ainsi, la France ne peut convoiter l'Amérique du Nord sans défier la communauté internationale et le pouvoir de la papauté. La présence française en Amérique au début du XVIe siècle semble donc relever davantage du hasard et de l'initiative privée que de l'intérêt du roi.

Les 2500 kilomètres de côte entre la Floride et le Cap-Breton ne sont pas explorés ni cartographiés avant 1524. C'est Giovanni da Verrazano qui établit la continuité du littoral et prouve l'appartenance de Terre-Neuve au continent américain. Il réalise en 1524 le premier grand voyage en Amérique commandité par la France. Verrazano peut être considéré comme le premier représentant du roi de France en Amérique du Nord, même si des Français, surtout des pêcheurs, sont venus avant lui. L'expédition à laquelle il prend part en 1524 a pour principal objectif de découvrir un passage vers la Chine. C'est lors de ce voyage que le terme *Acadie* est employé pour la première fois pour désigner le territoire. Arrivé dans la région de Washington en avril, Verrazano trouve la végétation si abondante qu'il surnomme l'endroit *Arcadie* en souvenir d'une région réputée fertile de la Grèce antique. Plus tard, au XVIIe siècle, le terme est orthographié sans la lettre *r* et désigne l'actuelle Nouvelle-Écosse continentale, l'île du Prince-Édouard et le Nouveau-Brunswick.

Dix ans après l'exploration de Verrazano, Jacques Cartier et Jean-François de La Rocque de Roberval entreprennent une série d'expéditions pour le compte de la France. Les trois expéditions effectuées entre 1534 et 1543 permettent des progrès énormes en ce qui concerne la connaissance de la région mais n'atteignent pas leur but immédiat : trouver un passage vers l'Asie. Tout d'abord, Cartier et ses hommes constatent l'insularité de Terre-Neuve et découvrent un nouveau passage vers l'intérieur, entre Terre-Neuve et le Cap-Breton. Ils longent les territoires qui se nomment aujourd'hui l'île du Prince-Édouard et le Nouveau-Brunswick et remontent le Saint-Laurent jusqu'aux rapides de Lachine. En plus de fournir une description détaillée des territoires explorés, Cartier démontre qu'il est possible de passer l'hiver au Canada et d'y établir une colonie permanente. De plus, il rapporte des preuves convaincantes de l'abondance des ressources naturelles, dont les fourrures, le bois et le poisson, et livre les premières observations écrites sur les cultures autochtones.

Les explorations financées par la France sont motivées par des intérêts commerciaux, l'esprit d'aventure et les progrès de la navigation. Ce n'est que plus tard que l'évangélisation devient un autre motif déterminant. De 1543 au début du siècle suivant, la France ne fait aucune tentative sérieuse pour fonder un établissement permanent dans cette partie du continent. Les guerres de religions qui la déchirent alors dissipent le rêve d'établir des colonies dans le Nouveau Monde. Ce n'est qu'à la fin du siècle, une fois la paix rétablie, que le roi Henri IV peut s'intéresser à la colonisation de ces territoires.

Entre-temps, les eaux du littoral et du golfe du Saint-Laurent continuent d'attirer des centaines de morutiers, et des relations se nouent entre pêcheurs et Amérindiens. Outre la morue, les fourrures deviennent un produit fort recherché en France et en Europe et acquièrent une grande valeur commerciale. Les fourrures sont alors un symbole de richesse et attestent du rang social élevé des personnes qui en portent. Les chapeaux en castor, en particulier, sont très populaires au milieu du XVIe siècle. Par contre, le castor est en voie de disparition en Russie, grand fournisseur pour les pays européens, ce qui explique l'attrait pour les fourrures du Nouveau Monde. À compter de 1550, les fourrures s'ajoutent donc aux cargaisons de poisson comme produit complémentaire. Elles prennent finalement une importance telle que, dans le dernier quart du XVIe siècle, leur commerce commence à se pratiquer indépendamment de la pêche. De nombreuses expéditions sont organisées dans l'unique but d'exploiter les pelleteries, de sorte qu'un lien solide, quoique non officiel, attache bientôt la France à l'Amérique laurentienne. Le nord-est du continent ne recèle pas d'or ni de passage vers la Chine, mais il regorge de fourrures. L'exploitation des richesses naturelles, et en particulier des fourrures, entraîne donc la pénétration à l'intérieur du continent, la création d'établissements permanents et la mise sur pied progressive d'une structure coloniale. La fondation de l'Acadie se situe dans le prolongement de ces années d'efforts français en Amérique du Nord, des années marquées par un enracinement commercial couvrant tout le front maritime.

Le politique

Le temps des monopoles

Deux stratégies de développement sont constamment en opposition et nuisent aux efforts de la France en Amérique. Les défenseurs des monopoles privés s'opposent rapidement à ceux qui privilégient le libre commerce. L'attribution d'un monopole consiste à accorder un privilège exclusif d'exploitation des ressources d'un territoire en échange de certaines obligations de la part du détenteur, comme celle de peupler le territoire. Quant au libre commerce, il s'est déjà développé en ce qui concerne la pêche et les fourrures mais ceux qui s'y livrent visent avant tout le profit. Ils érigent parfois des établissements provisoires tels que les installations pour sécher la morue ou encore des comptoirs de traite, mais il n'est pas question pour eux d'investir dans l'établissement de colons. Dans son projet de colonisation, la France se retrouve devant un grand dilemme : si elle abandonne les territoires découverts et leurs ressources au libre commerce, elle renonce pour longtemps à un effort systématique de peuplement. Par ailleurs, si elle confie le peuplement à une organisation monopolistique, elle paralyse le libre commerce, risque de détruire une très vieille tradition et d'engendrer de nombreux conflits internes.

La France n'est pas en mesure d'élaborer une politique coloniale bien définie avant le troisième quart du XVIIe siècle car elle demeure aux prises avec de nombreux problèmes internes découlant de ses efforts de centraliser l'administration du royaume. Elle ne peut détourner une importante partie de ses ressources vers des projets qui se situent dans des lieux éloignés et qui semblent peu rentables dans l'immédiat. Il en résulte que la France consacre à la colonisation un effort médiocre, mal articulé et sporadique. Qui plus est, elle a recours à la concession de monopoles des compagnies comme mécanisme choisi pour assurer cette tâche. Toutefois, le résultat s'avère presque nul en Acadie : le commerce se limite essentiellement aux pelleteries et à la morue ; les commerçants exclus s'opposent aux monopoles privés ; et les détenteurs de monopole luttent entre eux.

En plus de nombreuses luttes internes engendrées par l'attribution de monopoles, une autre constante dominante se dégage de l'expérience acadienne durant la période française : l'Acadie est l'objet de vives tensions et de dévastations provoquées par les affrontements fréquents entre la France et l'Angleterre. En effet, dès les XVe et XVIe siècles, les zones de pêche exploitées par les deux pays se recoupent. Avec le temps, l'Acadie émerge comme le foyer des tensions commerciales et des rivalités relatives à la circulation maritime. Elle devient rapidement le théâtre d'affrontements entre les deux puissances européennes.

Les premiers établissements en Acadie

Bien que la guerre fait rage en France jusqu'en 1598, cela n'empêche pas Henri IV de renouveler les lettres patentes de Troilus De LaRoche de MesGouez. Celui-ci se rend à l'île de Sable, à 150 kilomètres au sud du cap Canceau en Nouvelle-Écosse, pour y fonder une colonie. L'expérience se termine par un désastre en 1603 alors qu'une douzaine d'hommes seulement survivent à l'aventure. Pierre Chauvin De Tonnetuit amorce une tentative semblable à Tadoussac en 1600, qui est aussi vouée à l'échec trois ans plus tard. Toujours en 1603, Aymar de Chaste obtient le monopole commercial de la Nouvelle-France[1] et confie à

1. La Nouvelle-France existe durant les XVIIe et XVIIIe siècles. Elle est fondée en raison du désir de la France de participer à la course aux colonies. Elle est façonnée par les réalités nord-américaines, par l'absolutisme français, par les rivalités franco-anglaises et par les enjeux politiques européens. Elle disparaît après 1763 lorsque la France, défaite en Amérique du Nord et sur le continent européen, se départit de ses possessions d'Amérique du Nord.

Samuel de Champlain (v. 1570-1635) : cartographe et explorateur français, il fait partie de l'expédition de Pierre du Gua de Monts en 1604. Il fondera l'établissement de Québec en 1608. ANC - C-6643

François Gravé Du Pont le commandement d'une expédition destinée à y installer des colons français en permanence. Cette expédition, dont fait partie Samuel de Champlain, dessinateur, géographe et explorateur, ne donne lieu à la fondation d'aucun établissement mais se rend tout de même jusqu'à Hochelaga (Montréal).

À l'automne de 1603, Pierre du Gua de Monts, un marchand protestant, obtient pour 10 ans le monopole du commerce en Nouvelle-France. Le roi lui accorde le droit de concéder des seigneuries et de faire la traite des fourrures avec les *Sauvages*, contre l'obligation d'y établir au moins 60 colons dès la première saison. D'autres obligations s'ajoutent à celle de coloniser. Le détenteur du monopole doit également voir à la christianisation des indigènes et à la poursuite des explorations dans le but surtout de découvrir des métaux précieux.

Après s'être associé à des négociants de Rouen, de Saint-Malo et de La Rochelle pour constituer une compagnie de traite, Pierre du Gua de Monts s'embarque au printemps 1604 avec une soixantaine de colons. À part de Monts, l'expédition comprend François Gravé Du Pont, Jean de Biencourt de Poutrincourt et Champlain, qui est en bonne partie responsable du choix de l'Acadie comme destination. Ceux-ci sont les personnages les plus connus de l'expédition qui prend la mer en mars sous le double mandat de colonisation et de commerce. Les autres passagers sont des membres d'équipage, des artisans et des engagés. Séparés de longues semaines, éprouvés par les glaces et la tempête, les vaisseaux touchent la terre à des points éloignés l'un de l'autre, et ne se rejoignent qu'en juin, à Port-au-Mouton sur le littoral est de l'Acadie.

La première priorité est alors de trouver l'endroit idéal pour s'installer, c'est-à-dire celui qui présente un climat favorable, des richesses naturelles, de même qu'une voie de communication et de pénétration vers l'ouest. Ils contournent le cap Sable, à la pointe ouest de la péninsule néo-écossaise, puis poursuivent vers le nord. Le site de la baie Sainte-Marie n'est pas retenu, non plus celui de Port-Royal. Mais les possibilités de ce dernier endroit pour la colonisation n'échappent ni à Champlain ni à Poutrincourt. Ce dernier se le fait accorder par de Monts avec l'intention de s'y retirer plus tard avec sa famille. Les membres de l'expédition procèdent ensuite à une exploration du bassin des Mines et, plus à l'ouest, ils reconnaissent la baie de Chignectou. Longeant la côte du Nouveau-Brunswick actuel, ils examinent l'embouchure de la rivière Saint-Jean, puis arrêtent finalement leur choix sur un îlot situé dans l'embouchure de la rivière Sainte-Croix. Ils décident donc de s'installer sur cet emplacement qui présente plusieurs avantages. Le site semble entre autres posséder un potentiel de défense idéal contre les attaques anglaises ou amérindiennes. Une petite forteresse entourée d'une palissade est d'abord érigée sur le point le plus élevé de l'île et en amont. Par la suite, un entrepôt est construit ainsi que la maison de De Monts et quelques autres bâtiments, résidences et ateliers. Deux bateaux chargés de fourrures sont renvoyés en France avec Poutrincourt tandis que de Monts et Champlain hivernent avec 80 hommes.

Champlain continue d'explorer le territoire avant l'arrivée de l'hiver. Il retourne dans la baie de Chignectou, mais n'y découvre aucune mine. Il repart pour Sainte-Croix le 2 septembre et explore la côte, vers la rivière Pentagouët n'y trouvant ni richesses ni passage merveilleux; il revient déçu de l'expédition. La Pentagouët s'inscrit alors dans l'espace géographique acadien. Pour longtemps elle demeure la frontière entre l'Acadie et la colonisation anglaise.

L'hiver frappe le petit établissement de Sainte-Croix dès octobre 1604. Au cours des mois suivants, le scorbut emporte près de 50 % du contingent de 80 hommes. Peu restent en bonne santé, et il apparaît vite que le choix d'un lieu aussi étroit et isolé des réserves de l'arrière-pays constitue une erreur. Le navire de Gravé Du Pont ne paraît qu'à la mi-juin 1605 avec des vivres et 36 hommes. Il devient urgent de trouver un site plus propice à la colonisation. Les hommes reprennent donc l'exploration où Champlain l'a abandonnée l'automne précédent. L'expédition remonte sur environ 35 km la Kennebec, et se rend jusqu'au cap Cod, où elle rebrousse chemin, à bout de vivres. L'équipage a visité les terres qui deviennent bientôt les colonies de Plymouth et de Boston.

De retour à Sainte-Croix, les habitations sont démontées par pièces et transportées à Port-Royal. De Monts retourne en France tandis que Gravé Du Pont prend la tête du petit poste de traite de 40 hommes. Pour sa part, Champlain reste afin de poursuivre l'exploration. L'hiver à Port-Royal est moins rigoureux que le précédent à Sainte-Croix. Les hommes

Samuel de Champlain supervise la construction de l'habitation de Port-Royal en 1605. ANC - C-147846

Lors du troisième hiver passé en Amérique, Champlain crée l'Ordre du bon temps afin « d'entretenir » la joie parmi les résidants. Comme le démontre la toile de C.W. Jefferys, les hommes doivent tour à tour garnir la table avec des produits de la chasse et de la pêche. ANC - C-013986

obtiennent des fourrures et de la chair de gibier des Amérindiens. Le scorbut emporte toutefois une douzaine d'entre eux. Les ravitaillements n'arrivent de France qu'en juillet. À bord du bateau se trouvent Poutrincourt, l'apothicaire Louis Hébert, l'avocat et écrivain Marc Lescarbot, Claude de La Tour et son fils Charles. Dès qu'il est possible, les hommes labourent et sèment le froment, le seigle, le chanvre et autres grains. Les semailles terminées, Poutrincourt et Champlain appareillent le 5 septembre pour aller découvrir un lieu plus habitable au-delà du cap Cod. Quelques kilomètres à peine sont ajoutés à l'exploration initiale et ils rentrent à Port-Royal le 14 novembre.

Le troisième hiver, celui de 1607, est assez joyeux, car la température est agréable et il y a suffisamment de nourriture. Lescarbot présente la première pièce de théâtre en Amérique du Nord, le *Théâtre de Neptune* et Champlain crée l'Ordre du bon temps où, tour à tour, les hommes doivent garnir la table avec des produits de la chasse et de la pêche et *entretenir la joie*. Les Français s'acclimatent rapidement, d'autant plus que les rendements agricoles sont bons. La preuve est faite qu'un établissement commercial peut désormais envisager une relative autosuffisance alimentaire.

Jusque-là, de Monts a porté toute son énergie sur le peuplement et la colonisation, au détriment du commerce des fourrures. Ses associés s'impatientent, tandis que d'autres marchands français, écartés du commerce lucratif des fourrures par le monopole accordé à de Monts, mènent une campagne contre lui en France. Finalement, le roi lui enlève en 1607, avant échéance, son monopole et, du même coup, son droit exclusif de traite. De Monts ramène la plupart des colons en France, car il est incapable de soutenir financièrement sa colonie. Au moment où les Français abandonnent le territoire, les Anglais débarquent à Jamestown en Virginie. Les plantations de tabac assurent très vite le succès de cette colonie. Les États-Unis[2] sont donc nés dans la baie de Chesapeake en 1607 et Jamestown, non Port-Royal, représente la première colonie articulée à voir le jour en Amérique du Nord puisque les bâtiments vides de Port-Royal ne constituent pas une colonie.

En 1608, l'Acadie n'est encore qu'un vaste champ de traite abandonné aux Amérindiens et où il ne se passe à peu près rien avant 1610. Pour leur part, De Monts et Champlain optent pour le fleuve Saint-Laurent où l'alliance avec les Amérindiens est mieux structurée, les ressources en fourrures sont plus abondantes et la région est plus sécuritaire. Avec la fondation de Québec en 1608, les efforts de colonisation française se concentrent dorénavant dans cette partie du continent. Alors que la vallée du Saint-Laurent devient la plaque tournante de l'Empire français d'Amérique, l'Acadie connaît un développement distinct, même si elle demeure en théorie une composante de la Nouvelle-France. En réalité, l'Acadie subit les contrecoups de sa position stratégique, près des grands bancs de pêche de l'Atlantique Nord, de l'embouchure du Saint-Laurent et à proximité des colonies anglaises au sud. Son développement

2. Jusqu'en 1783 et la signature du traité de Paris qui consacre l'indépendance des États-Unis, on appelle ce territoire les 13 colonies anglaises.

Le Théâtre de Neptune (extraits)

Arrête, **Sagamos**, arrête-toi ici,
[...].
Puisque si constamment tu as eu le courage,
De venir de si loin rechercher ce rivage,
Pour établir ici un royaume français,
Et y faire garder mes statuts et mes lois.
Par mon sacré trident, par mon sceptre je jure
Que de favoriser ton projet, j'aurai cure,
Et oncques je n'aurai en moi-même repos
Qu'en tout cet environ je ne voye mes flots
Ahanner sous le faix de dix mille navires
Qui fassent d'un clin d'œil tout ce que tu désires.
Va donc heureusement, et poursuis ton chemin
Où le sort te conduit : car je vois le destin
Préparer à la France un florissant Empire
En ce monde nouveau, qui bien loin fera bruire
Le renom immortel de De Monts et de toi
Sous le règne puissant de Henry votre roi.
[...].
Ainsi ton nom (grand **Sagamos**)
Retentira dessus les flots
D'or-en-avant, quand dessus l'onde
Tu découvres ce nouveau monde,
Et y plantes le nom français,
Et la Majesté de tes rois.
[...].
Voici la main, l'arc et la flèche
Qui ont fait la mortelle brèche
En l'animal de qui la peau
Pourra servir d'un bon manteau
(Grand **Sagamos**) à ta hautesse.
Reçois donc de ma petitesse
Cette offrande qu'à ta grandeur
J'offre du meilleur de mon cœur.
[...].
Vrai Neptune donne-nous
Contre tes flots assurance
Et fais que nous puissions tous
Un jour nous revoir en France.

Source : *Les Muses de la Nouvelle-France*, éd. Grant, 3, p. 473-479. (Édition originale : Paris, chez Jean Millot, 1609.)

s'en trouve perturbé et résulte d'initiatives individuelles plutôt que d'engagement de la part des autorités françaises. La colonie acadienne doit souvent compter sur ses propres moyens et subvenir seule à ses besoins. Elle n'a pas donné de mines, ni livré de fameux passage vers l'ouest. Ses côtes sont ouvertes à toutes les rivalités d'autant plus que les Anglais réclament tout ce littoral, depuis le Cap-Breton jusqu'à la Floride. D'ailleurs, la charte royale de 1606 prolonge la Virginie jusqu'au 45e parallèle, incluant ainsi la baie Française et Port-Royal.

Poutrincourt, qui a obtenu la concession de Port-Royal et le titre de gouverneur de l'Acadie, reparaît en son domaine les premiers jours de juin 1610 avec un groupe de colons et d'artisans dont son fils Charles, les La Tour père et fils, le prêtre Jessé Fléché et l'apothicaire Louis Hébert. Durant les trois années suivantes, rien n'est ajouté à l'infrastructure et à la surface cultivable de son domaine. Les hivers sont de longues attentes et le ravitaillement annuel est nettement insuffisant pour assurer le développement de l'établissement. La rivalité commerciale entre Port-Royal et les postes de traite de la rivière Saint-Jean se dessine de plus en plus. Pour pallier les difficultés financières et économiques de l'établissement, Poutrincourt cède à la demande du roi et à certaines dames de la Cour, dont madame Antoinette de Pons, marquise de Guercheville, et leur propose de faire venir deux jésuites pour seconder le prêtre séculier Jessé Fléché dans la colonie. Une soixantaine de colons, dont les deux jésuites et Jeanne Salazar, peut-être la première femme à migrer au pays, arrivent en Acadie en 1611. Sur place, les jésuites Pierre Biard et Énemond Massé accusent Fléché d'avoir baptisé précipitamment les Micmacs sans leur avoir inculqué l'instruction religieuse nécessaire. Il semble que l'abbé Fléché ait cédé aux pressions de Poutrincourt qui comptait sur le nombre de baptêmes effectués pour faire sa propagande en Europe et obtenir des fonds. Le conflit dégénère entre Poutrincourt et les jésuites et la colonie se voit divisée en deux camps. Le père Biard considère alors la colonie comme excommuniée et Poutrincourt est provisoirement mis hors de course en 1612. Madame de Guercheville, une bailleresse de fonds de la colonie, lui retire son appui, et ordonne de fonder une autre colonie dans l'embouchure de la Pentagouët, à Saint-Sauveur dans le Maine actuel.

Les premières frictions avec l'Angleterre et la Virginie

L'installation de Saint-Sauveur est à peine fonctionnelle lorsqu'elle est attaquée par Samuel Argall et 60 soldats en 1613. Les quelque 30 Français qui se préparent à hiverner sont faits prisonniers et plusieurs sont emmenés en Virginie qui compte alors plus de 200 habitants. Argall est responsable, depuis 1609, des routes de navigation sur l'Atlantique et il est initiateur de la ligne directe entre la Virginie et l'Angleterre. Son rôle est de parcourir les côtes, d'établir des relations commerciales avec les indigènes et de chercher des sources de revenus pour la jeune colonie virginienne. Après avoir rasé la colonie de Saint-Sauveur, il retourne à Jamestown d'où il reçoit l'ordre de retourner en Acadie et d'y démolir toute habitation française jusqu'au Cap-Breton. En octobre, il détruit ce qui reste de Saint-Sauveur et de Sainte-Croix et, au début novembre, il se présente devant Port-Royal. Neuf jours plus tard, il ne subsiste plus de l'habitation qu'un moulin en amont de la rivière. Des colons sont rapatriés en France tandis que d'autres décident de demeurer en Acadie. Les quelques Français qui vont y vivre sont associés à des marchands de La Rochelle qui affrètent, presque chaque année, un bateau qui apporte les produits nécessaires à leur subsistance. L'Acadie retourne donc à sa vocation naturelle : elle sera pour des années encore un poste de traite.

Poutrincourt revient à Port-Royal en 1614 pour constater l'ampleur des problèmes de reconstruction, ce qui l'incite d'ailleurs à ne laisser en place qu'une petite structure de comptoir avant de rentrer en France. Donc, sous le sieur de Monts, l'Acadie ne franchit guère le stade de pied-à-terre temporaire et, sous Poutrincourt, elle est avant tout un comptoir à fourrures. Quoique le peuplement réel ne commence qu'en 1632, les trois pôles de l'activité économique acadienne sont fixés : la pêche, la traite et l'agriculture. Il ne manque plus que des émigrants français qui deviendraient des Acadiens et des Acadiennes.

Après 1613, les Écossais réclament ce qui représente alors le territoire acadien, et Jacques VI l'octroie en fief à William Alexander. En 1629, une petite colonie écossaise, nommée Fort Charles, est installée près des ruines de Port-Royal. De 50 à 75 colons écossais y vivent durant quelques années, mais les Écossais puis les Anglais sont impuissants à coloniser ce segment de littoral. L'insuccès de William Alexander ne doit pas faire oublier que la Nouvelle-Écosse s'inscrit dans l'histoire dès les années 1620. Son espace recoupe et va au-delà de celui qui est revendiqué par les Français.

William Alexander (vers 1602-1638). Jacques VI lui octroie le territoire acadien en 1621. ANC - C-028555

Les compagnies de monopoles et les premiers enracinements

Bien que la France soit théoriquement absente de l'Acadie depuis 1613, il n'en demeure pas moins qu'elle prépare une grande stratégie colonisatrice à compter de 1627. C'est alors que le cardinal de Richelieu fonde la Compagnie de la Nouvelle-France ou Compagnie des Cent-Associés, une structure à monopole de longue portée. Par un heureux concours de circonstances diplomatiques, l'Angleterre remet les territoires conquis à la France en 1632 lors de la signature du traité de Saint-Germain-en-Laye. La Compagnie des Cent-Associés peut donc exercer son monopole en Acadie et c'est à Isaac de Razilly, nommé gouverneur de l'Acadie, qu'elle confie la lourde tâche de relancer la colonie. Avec 300 hommes à leur bord, les navires de Razilly jettent l'ancre à La Hève, sur le littoral atlantique de la péninsule néo-écossaise actuelle, le 8 septembre 1632. Pendant que les recrues s'installent pour l'hiver, Razilly et quelques hommes ratissent Port-Royal et les environs, et délogent quelque 50 Écossais, des survivants de ceux qui avaient été envoyés par Alexander en 1629. En plus des marins et des soldats, la plupart des arrivants sont des journaliers et des artisans célibataires, sans oublier les 12 à 15 familles de colons qui font aussi partie de l'expédition. Razilly distribue une quarantaine de concessions, et le peuplement de l'Acadie peut ainsi reprendre un souffle nouveau avec l'appui de la mère-patrie. Durant cette même période, la Virginie compte plus de 2000 habitants et le Massachusetts plus de 10 000.

En 1635, le territoire longeant la rivière Pentagouët, limite extrême de l'occupation française, est repris. L'empire canadien de la fourrure est ainsi reconstitué et l'autorité des Cent-Associés s'applique alors par une partition systématique du territoire. L'île Royale (Cap-Breton) va à la compagnie Desportes, l'île de Sable, Port-Royal, La Hève et Sainte-Croix vont à la compagnie Razilly tandis que le cap Sable et la rivière Saint-Jean sont remis à Charles de La Tour.

Charles de La Tour n'est pas un nouveau venu puisqu'il connaît à fond le réseau de traite et est familier avec le pays. Razilly et La Tour représentent donc, dans un système dédoublé, l'autorité centrale des Cent-Associés. L'un et l'autre colonisent comme ils peuvent, le premier à La Hève et le second à la rivière Saint-Jean bien que La Tour reste essentiellement un traitant. Un autre grand domaine passe progressivement sous le contrôle de Nicolas Denys qui vient en Acadie avec Razilly en 1632 et s'établit à La Hève où il entreprend d'exploiter, pour les exporter en France, les chênes blancs de la région. Des différends l'opposent au successeur de Razilly, Charles de Menou d'Aulnay, en 1635. En 1653, après plusieurs années de revendications, Denys reçoit une concession longeant le littoral, depuis Canceau jusqu'à la baie des Chaleurs, avec les dépendances insulaires de Terre-Neuve, de l'île Royale et de l'île Saint-Jean.

Sous Razilly, la colonie de La Hève se développe assez rapidement. Les colons se mettent au défrichement des lots et, en trois ans, deviennent relativement autonomes grâce aux bénéfices complémentaires de la fourrure, des pêches et du bois ouvré. Un noyau plus petit évolue à Port-Royal où l'agriculture est nettement prédominante. Razilly décède en 1635, et son successeur, son cousin Charles d'Aulnay, décide de transporter le centre de la colonie à Port-Royal entre 1635 et 1640. Le motif de la supériorité agricole est évoqué, mais il est probable que sous le prétexte agricole se cache une autre raison. Charles d'Aulnay, autant que La Tour, veut sans tarder tirer profit du commerce des pelleteries ; or, les

Charles de Menou d'Aulnay (v.1604-1605). Il succède à Razilly en 1635 et décide de transporter le centre de la colonie à Port-Royal. En dépit de la lutte de pouvoir qui l'oppose à Charles de Saint-Étienne de La Tour, d'Aulnay dirige l'Acadie jusqu'à sa mort en 1650. Musée du Nouveau-Brunswick à Saint-Jean. Collection Webster Canadiana, W987

sources de la fourrure s'épuisent, d'où la nécessité de se diriger vers l'intérieur du continent et vers l'ouest. D'Aulnay poursuit le recrutement en France et, en 1640, 25 hommes arrivent à Port-Royal tandis qu'en 1642 on note l'arrivée de cinq femmes.

Dès 1635 donc, La Tour est installé en son fief du fleuve Saint-Jean et détient là, avec la région de cap Sable, des réserves importantes. Pour sa part, d'Aulnay, à partir du site de Port-Royal, grâce à une superbe position sur la baie Française, possède une capacité d'intervention supérieure à celle de La Hève et contrôle également la région de la Pentagouët. Au cours des années suivantes, plusieurs démêlés surgissent entre les deux hommes. Cette *guerre civile* occupe les énergies, et ces querelles internes, marquées par des assauts sur les fortifications, des prises et des reprises de postes, retardent le développement de la colonie. La situation se comprend facilement puisqu'en France on connaît mal les réalités coloniales et les titres seigneuriaux manquent de précision, les aires d'exploitation se recoupent. Conséquemment, les nouveaux droits sont spécifiés sans qu'on songe à annuler les droits antérieurs.

Madame de La Tour assume le commandement du fort Saint-Jean lors de l'attaque de Charles d'Aulnay et ses hommes. Le combat dure trois jours et se termine avec la victoire de Charles de Menou d'Aulnay. ANC - C-070239

D'Aulnay et La Tour doivent donc se partager à la fois les responsabilités et les profits, ce qui, vu le caractère des deux hommes, ne peut conduire qu'à l'affrontement. Les deux rivaux vont même jusqu'à conclure des ententes avec le Massachusetts afin d'obtenir de l'argent et des troupes. Quoi qu'il en soit, c'est d'Aulnay qui triomphe, mais ce n'est qu'en 1645 qu'il neutralise son rival, en attaquant le fort Saint-Jean en l'absence de ce dernier. Madame de La Tour, Françoise-Marie Jacquelin, assume alors le commandement du fort et elle est résolue à se battre s'il le faut. Le combat fait rage pendant trois jours. D'Aulnay, qui est accompagné de 200 hommes, est nettement avantagé. Le quatrième jour du siège, une partie du parapet du fort est détruit, et d'Aulnay peut débarquer avec un détachement armé. À cause des pertes subies par sa petite garnison de 45 hommes, des grands dégâts causés au fort et du manque de vivres et de munitions, Madame de La Tour ordonne à ses hommes de se rendre. D'Aulnay peut dès lors compter sur les ressources de la rivière Saint-Jean. Deux ans plus tard, de nouvelles lettres royales le constituent gouverneur général et seigneur de l'Acadie.

Françoise-Marie Jacquelin - Madame La Tour (1602-1645)

Épouse de Charles de Saint-Étienne de La Tour, Françoise-Marie Jacquelin est née en France en 1602. On ne sait rien de précis de son milieu, mais on estime qu'elle est issue de la petite noblesse. En 1640, elle accepte la demande en mariage de Charles de La Tour et se rend à Port-Royal où la cérémonie a lieu durant cette même année. Le couple s'établit ensuite au fort La Tour à l'embouchure de la rivière Saint-Jean où Marie donne naissance à un fils.

Après son mariage et jusqu'à sa mort en 1645, Françoise-Marie soutient son mari dans sa lutte contre Charles d'Aulnay. En 1642, elle force même un blocus de d'Aulnay sur la rivière Saint-Jean pour se rendre ensuite en France et en appeler avec succès de l'ordre du roi d'après lequel son mari devait être accusé d'infidélité. On lui permet alors de ramener un bâtiment de guerre chargé d'approvisionnement pour le fort La Tour.

Françoise-Marie se rend de nouveau en France en 1644 et découvre alors que son mari est discrédité à la Cour à la suite d'accusations portées par Charles d'Aulnay. On lui défend de quitter la France, mais elle réussit à amasser suffisamment d'argent pour s'enfuir en Angleterre où elle achète des vivres et frète un navire pour se rendre à la rivière Saint-Jean. Le voyage dure six mois, le capitaine s'étant arrêté sur le Grand Banc pour pêcher. Lorsque le navire arrive à Boston, Françoise-Marie intente un procès au commandant pour le retard injustifié et pour son refus de la conduire à la rivière Saint-Jean, tel que convenu avant le départ d'Angleterre. Elle obtient 2000 livres en compensation, ce qui lui permet de fréter trois navires. Elle réussit ensuite à forcer le blocus de Charles d'Aulnay dans le port de Saint-Jean et arrive chez elle à la fin de l'année 1644. Au début de 1645, elle doit défendre le fort La Tour des attaques de d'Aulnay. Ce dernier l'emporte en avril et Madame de La Tour doit s'avouer vaincue étant donné les pertes subies par sa garnison, les dégâts causés au fort et l'épuisement des vivres et des munitions [voir page 14 dans le texte]. Madame de La Tour va mourir quelques semaines plus tard.

Françoise-Marie Jacquelin a la distinction d'être la première Européenne à vivre, à établir un foyer et élever une famille en Acadie [Nouveau-Brunswick]. Elle est considérée comme une femme courageuse, une véritable héroïne qui marque les débuts de l'histoire acadienne.

Source : George MacBeath, « Françoise-Marie Jacquelin - Madame La Tour (1602-1645) », dans *Dictionnaire biographique du Canada*, volume I (1600-1700), p. 394-395.

Rencontre entre le colonisateur français, Charles de La Tour (1593-1666), et Françoise-Marie Jacquelin (1602-1645). Ceux-ci se marieront en 1640. ANC - C-073429

D'Aulnay ne jouit pas très longtemps de son statut de gouverneur puisqu'il meurt d'une noyade en 1650. À ce moment, entre 45 et 50 familles dont plusieurs sont issues de la seigneurie d'Aulnay en France, une soixantaine d'hommes, engagés et soldats vivent en ses domaines. Son rival, Charles de La Tour, se fait laver des accusations portées contre lui et revient en Acadie en 1651 avec le titre de gouverneur et lieutenant général. Pour régler les litiges qui l'ont opposé à d'Aulnay, il épouse la veuve de celui-ci, Jeanne Motin. Les trois années suivantes sont marquées par des contestations de droits et de successions. Le conflit oppose trois personnes qui ont des intérêts dans la succession de Charles d'Aulnay : Emmanuel Le Borgne, commerçant et principal créancier de la famille d'Aulnay, Charles de La Tour et Nicolas Denys. Leurs démêlés nuisent à la colonie et au flot migratoire.

Jeanne Motin - Madame d'Aulnay puis Madame La Tour (1615-vers 1666)

Jeanne Motin est née en France en 1615. Elle est la fille de Louis Motin de Co[u]rcelles, un des associés de la compagnie de commerce Razilly-Condonnier. Elle vient en Acadie en 1636 avec ses deux sœurs et son beau-frère, Nicolas Le Creux Du Breuil. Elle épouse Charles de Menou d'Aulnay au cours de cette même année. Le couple aura quatre fils, qui s'engagent tous dans l'armée et meurent au combat, de même que quatre filles, qui entrent dans des congrégations religieuses.

À la mort de Charles d'Aulnay en 1650, Jeanne demeure à Port-Royal où elle apprend que la succession de son mari est criblée de dettes. Les créanciers deviennent pressants au point d'envahir et de piller ses domaines. Après bien des efforts infructueux pour régler ses problèmes financiers, Jeanne contracte un mariage de convenance en juillet 1653 avec Charles de Saint-Étienne de La Tour, rival et ennemi juré de son défunt mari.

Jeanne s'installe avec son deuxième mari à l'embouchure de la rivière Saint-Jean jusque vers 1656, alors qu'ils déménagent à cap Sable. Elle lui donne cinq enfants dont Marie [voir page 27 dans le texte] qui épouse Alexandre Le Borgne. Jeanne décède vers 1666 à cap Sable.

Source : George MacBeath, « Jeanne Motin (1615- vers 1666) » dans *Dictionnaire biographique du Canada*, vol. I (1600-1700), p. 525.

Conquête anglaise et traité de Bréda

Comme si les conflits internes ne nuisent pas assez à l'essor de la colonie, les Anglais s'emparent de l'Acadie à nouveau en 1654. S'ensuit une période confuse où les Anglais occupent militairement les postes clés en Acadie, tandis que La Tour, Denys et Le Borgne s'entre-déchirent pour la propriété de divers monopoles de commerce de fourrures et de pêche. Deux ans plus tard, en 1656, La Tour décide de vendre ses biens aux Anglais et il se retire ensuite à cap Sable où il meurt en 1663. Le roi de France met fin à la discorde entre Denys et Le Borgne lorsqu'il accorde au premier une vaste concession dans le golfe du Saint-Laurent. Pour sa part, Le Borgne est nommé gouverneur d'Acadie et reçoit la concession de toute la côte atlantique de l'Acadie, du détroit de Canceau jusqu'à la Nouvelle-Angleterre. Cette mise au point administrative n'a pas pour conséquence de mettre un terme au désordre qui continue de régner en Acadie.

La France et l'Angleterre ne sont pas en guerre en 1654 quand Robert Sedgewick, un marchand et soldat anglais, prend l'initiative d'attaquer le poste de La Tour à la rivière Saint-Jean ainsi que Port-Royal. Sedgewick, qui est alors général de la flotte et commandant en chef de tout le littoral de la Nouvelle-Angleterre, veut user de ses pouvoirs pour assurer à ses concitoyens les riches ressources qu'offre l'Acadie pour la pêche et le commerce des fourrures. Les Anglais ne se préoccupent pas d'une occupation systématique de l'Acadie et n'y installent aucun colon. Seul Thomas Temple, nommé gouverneur, s'intéresse directement à l'exploitation de la fourrure. La petite population de Port-Royal s'éloigne toutefois du fort et va se disperser vers les amonts de la rivière, pour se soustraire au contrôle de l'autorité anglaise. Plusieurs vont même jusqu'à émigrer vers Québec ou en France. Le conflit avec la Nouvelle-Angleterre est provisoirement interrompu, et les marchands bostonnais prennent alors l'habitude de venir échanger avec les Acadiens. Le traité de Bréda de 1667 remet l'Acadie à la France bien qu'il n'est mis en vigueur qu'en 1670, car Temple répugne à remettre une possession qu'il croit rentable et d'une grande importance stratégique.

Le régime des gouverneurs

Entre-temps, la Compagnie des Cent-Associés, écrasée de dettes, est liquidée et remplacée par la Compagnie des Indes occidentales en 1664. Son vaste champ d'exploitation comprend, entre autres, le Canada, l'Acadie, Terre-Neuve, la terre ferme de l'Amérique, de la Virginie à la Floride. On envoie une trentaine de soldats et environ 60 colons en Acadie. Avec ces moyens, Grandfontaine, qui sera gouverneur de 1670 à 1673, reprend possession du territoire en 1671 et se fixe sur la Pentagouët. Dès qu'il reconnaît la supériorité de Port-Royal, il se résout à y concentrer ses efforts en retirant ses engagés de Pentagouët. Une tâche immense l'attend puisqu'il doit rétablir l'autorité française auprès de 400 habitants qui vivent de façon indépendante depuis longtemps. Il doit aussi empêcher les Anglais des colonies britanniques de poursuivre leurs activités de commerce et de pêche en territoire français. Ces deux objectifs sont essentiels pour contrôler le territoire, mais ils ne seront pas atteints par Grandfontaine et ses successeurs.

La Compagnie des Indes occidentales est dissoute en 1674, et l'Acadie ainsi que le Canada sont rattachés au domaine de la Couronne. C'est donc la fin des vastes monopoles, et la pêche autant que les pelleteries deviennent accessibles à tous les sujets de Sa Majesté, inaugurant alors un régime d'administration directe qui change les conditions d'exploitation française de l'Acadie. Les gouverneurs sont maintenant des fonctionnaires nommés par le roi, révocables à son plaisir, sans autres droits que ceux qui découlent de leur fonction. Le droit fait des gouverneurs acadiens les subalternes des gouverneurs de la Nouvelle-France et les soumet à leur suprématie. La commission de Frontenac en 1672 est claire : l'Acadie est une division administrative de la Nouvelle-France, tout comme Montréal et Trois-Rivières quoiqu'une grande distance sépare les colonies. Il est impensable que, pour le détail de son administration, le titulaire de l'Acadie s'en remette constamment à l'autorité de Québec. Par conséquent, les gouverneurs acadiens reçoivent leurs directives à la fois de la métropole et de Québec. D'ailleurs, après François-Marie Perrot, qui est nommé en Acadie en 1684 grâce à des relations à la cour, les gouverneurs d'Acadie sont désignés par Paris quoique la dépendance juridique par rapport à la Nouvelle-France persiste. En temps de guerre, le commandement suprême est à Québec puisqu'en ce qui concerne les institutions et l'organisation militaire on ne peut parler de deux colonies. Durant cette période, l'Acadie est un gouvernement subalterne à l'intérieur de la Nouvelle-France et elle dispose donc d'un appareil administratif léger et peu développé, composé d'un gouverneur et de quelques fonctionnaires. Le gouverneur, principal responsable de l'administration de la colonie, s'acquitte des mêmes obligations que celui de la Nouvelle-France. Il est secondé par un commissaire.

Les années 1689 à 1713 sont marquées par 20 ans de guerre en Europe. Deux grandes alliances de peuples attaquent successivement la France épuisée de Louis XIV, ce qui explique que la mobilisation des réserves est concentrée en Europe. L'Acadie reçoit seulement des subsides, des forces militaires insuffisantes et quelques navires. Les nombreux gouverneurs qui se succèdent en Acadie sont abandonnés à eux-mêmes et installent alternativement leur capitale à Pentagouët, Port-Royal, Beaubassin, Jemseg, Nashouat, et au fort Saint-Jean. Cette instabilité traduit l'insécurité et la détresse. Ces gouverneurs sont désemparés, mal payés et livrés à toutes les tentations, à tel point que quelques-uns n'hésitent pas à prendre part au commerce de contrebande avec la Nouvelle-Angleterre. Il faut dire qu'ils ne sont pas pires que leurs collègues de Plaisance, de Québec ou de Montréal.

La guerre et le traité de Ryswick

Les faibles effectifs militaires de l'Acadie sont d'ailleurs fort sollicités puisque l'état de guerre est fréquent durant les années 1670 et 1680. En 1675, Jurriaen Aernoutsz, un officier de la marine hollandaise, payé par Boston, attaque Pentagouët et Jemseg. Le gouverneur Jacques de Chambly capitule après deux heures de combat, son lieutenant à Jemseg est fait prisonnier et les territoires sont pillés. Pentagouët est repris en 1679 par Bernard-Anselme d'Abbadie de Saint-Castin, un officier français. Ces événements démontrent aux Acadiens que la France n'a toujours pas réussi à assurer leur sécurité et il ne faut pas se surprendre de voir ici les habitants de Port-Royal émigrer vers d'autres aires de colonisation de la baie Française tels Beaubassin ; plus tard, le village des Mines sera fondé.

Tableau 1

Gouverneurs et administrateurs d'Acadie, 1604-1710

Pierre du Gua de Monts (1603-07) - gouverneur
Jean de Biencourt de Poutrincourt (1607-14) - gouverneur
Charles de Biencourt (1614-24) - gouverneur
Charles de Saint-Étienne de La Tour (1624-31) - gouverneur
Isaac de Razilly (1632-35) - gouverneur
Charles de Menou d'Aulnay (1635-50) - gouverneur
Charles de La Tour (1650-57) - lieutenant et gouverneur
Emmanuel Le Borgne (1657-67) - gouverneur
Hector de Grandfontaine (1670-73) - gouverneur
Jacques de Chambly (1673-77) - gouverneur
Pierre de Joybert de Soulanges (1677-78) - administrateur
Michel de La Vallière (1678-84) - administrateur
François-Marie Perrot (1684-87) - gouverneur
Robineau de Menneval (1687-90) - gouverneur
Robineau de Villebon (1691-1700) - administrateur
Sébastien de Villieu (1700-01) - administrateur
Jacques-François de Brouillan (1701-05) - gouverneur
Simon-Pierre Denys de Bonaventure (1704-06) - administrateur
Auger de Subercase (1706-10) - gouverneur

Le désintéressement de la France envers l'Acadie se poursuit durant toute la fin du XVIIe siècle et la mort du commandant Joybert de Soulanges, en juillet 1678, laisse l'Acadie sans dirigeant. Frontenac, gouverneur de la Nouvelle-France, qui veut étendre son influence en Acadie, nomme alors Leneuf de La Vallière commandant; cette nomination ne sera jamais entérinée par le roi. La Vallière vient avec sa famille et quelques habitants de la vallée laurentienne. Critiqué par certains, il est rappelé en 1684 et remplacé par l'ex-gouverneur de Montréal, François-Marie Perrot.

En Europe, une ligue puissante, dite d'Augsbourg, se noue contre la France en 1689. Cette stratégie vise à contrer Louis XIV qui, en 1681, annexe Strasbourg et occupe les villes impériales alsaciennes. Les autres puissances, dont l'Angleterre, réagissent lorsque les Français envahissent l'Allemagne du Sud. Il faut donc lutter contre la France qui poursuit sa politique d'annexion afin de garantir un meilleur équilibre en Europe. Le conflit se transporte en Amérique dès 1689 lorsque Frontenac organise des expéditions qui dévastent les établissements sur les frontières de la Nouvelle-Angleterre. Ces expéditions fouettent les colons anglais qui exercent des représailles contre l'Acadie. Des Friches de Menneval, le successeur de Perrot, n'a qu'une armée de 100 soldats à opposer aux 700 hommes commandés par William Phips. C'est la conquête de Port-Royal et, encore une fois, les lieux sont pillés. Après avoir forcé les habitants à jurer fidélité au roi d'Angleterre, Phips rentre à Boston avec les fruits du pillage. L'Acadie, par décision de l'Angleterre, est rattachée au Massachusetts en 1691.

En 1692, presque toute l'Acadie est redevenue française et Joseph Robineau de Villebon obtient facilement un serment d'allégeance de la population acadienne en échange de vivres et de produits de toutes sortes. Réfugié à Jemseg avec quelques soldats, Villebon maintient un gouvernement fantôme en Acadie jusqu'au moment où, se trouvant trop menacé à Jemseg, il fait construire un autre fort en amont de la rivière Saint-Jean, le fort Nashouat. Est-il utile de rappeler qu'il reçoit peu d'aide militaire de la France ou de la Nouvelle-France? Par la suite, la conquête française se poursuit en 1696 lorsque Pierre Le Moyne d'Iberville reprend la baie d'Hudson et Terre-Neuve et détruit le fort Pemaquid (Maine). Les Bostonnais se vengent aussitôt sur Beaubassin qui est entièrement ravagée. L'enjeu est maintenant global: on veut atteindre la colonie rivale, détruire les réserves et désorganiser l'adversaire.

La divergence entre les visées métropolitaines et les intérêts coloniaux est bien démontrée par le traité de Ryswick de 1697 qui rend aux bélligérants toutes les conquêtes effectuées de part et d'autre. La paix de 1697 n'empêche pas les Anglais de se croire chez eux en Nouvelle-Écosse et libres de frapper à leur convenance. Les Acadiens se savent impuissants devant la situation et les attaques fréquentes contre leur territoire confirment et renforcent la stratégie d'accommodement qu'ils appliquent sans distinction aux Français et aux Anglais. S'adapter leur permet d'aspirer à un peu de sécurité et d'assurer leur permanence en terre d'Amérique.

La reprise des hostilités: les dernières années du régime français

Les espoirs des Acadiens et des Acadiennes à l'endroit d'une plus grande stabilité politique sont rapidement éteints puisque les hostilités reprennent rapidement en Europe en 1701. Un plan de conquête de la Nouvelle-France est soumis à la reine Anne d'Angleterre par le colonel Samuel Vetch qui convainc celle-ci d'autoriser cette *glorieuse entreprise* afin de réduire le Canada, surtout depuis l'établissement de la Louisiane en 1699. Les hostilités se transportent en Amérique et, en 1703, les Abénaquis et les Français ravagent le littoral anglais, de Canceau à Wells, entraînant une réplique anglaise qui saccage toute l'Acadie. Port-Royal est attaqué en 1704 et deux fois en 1707 alors qu'il est conquis par l'expédition du colonel John March. Il est repris tout de suite par Saint-Castin et Daniel d'Auger de Subercase. Malgré les demandes de ce dernier, Versailles n'accorde que peu d'aide, car la Cour est trop préoccupée par la situation militaire en Europe. Pendant ce temps, le Massachusetts n'a pas de difficulté à obtenir de Londres des vaisseaux de guerre et des troupes. En plus d'une armée de 1000 hommes, le Massachusetts s'adjoint des régiments de miliciens levés par les colonies du Rhode Island, du Connecticut et du New Hampshire. La flotte anglaise, commandée par le général Francis Nicholson, se présente devant Port-Royal à la fin de septembre 1710 et Subercase, qui n'a alors que 300 soldats, doit s'avouer vaincu et capitule le 12 octobre.

Cette capitulation avec les *honneurs de la guerre*[3] implique que le gouverneur peut conserver six canons et deux mortiers. En ce qui a trait

3. Selon le dictionnaire *Le Petit Robert*, l'expression *honneurs de la guerre* veut dire bénéficier, pour les vaincus, dans une capitulation, de conditions stipulant que la

aux habitants, ils peuvent garder leurs biens et demeurer à Port-Royal, en prêtant serment d'allégeance à la Couronne britannique ; sinon ils ont deux ans pour se retirer. Le colonel Vetch assume le commandement de Port-Royal, rebaptisé Annapolis Royal, avec une garnison de 450 hommes. La garnison française, les officiers civils et quelques familles s'embarquent pour la France sur trois navires. Du côté anglais, on songe déjà à déporter la population. L'année de la chute de Port-Royal, il y a environ 1700 à 1800 habitants en Acadie, 16 000 en Nouvelle-France et 357 000 dans les colonies anglaises. La paix intervient en 1713 et, par le traité d'Utrecht, l'Acadie est livrée à l'Angleterre pour de bon. Pour la Couronne anglaise, la conquête représente une question complexe, car pour la première fois l'Angleterre administre une large population homogène d'origine française et de religion catholique en temps de paix. Il sera très difficile pour les Anglais d'évaluer la loyauté des Acadiens qui demeurent des sujets sur lesquels ils ne peuvent compter.

Le social

Le peuplement

C'est surtout à partir de 1632 que la véritable colonisation de l'Acadie démarre grâce à Razilly. Ce dernier et D'Aulnay ont le mérite d'avoir amené les premières familles françaises en Acadie. La population acadienne est donc issue majoritairement des 50 familles venues sous leur administration et elles constituent la souche principale du peuplement. En 1671, 70 familles sont présentes sur le territoire ; peu de familles sont venues après, même si on note une certaine immigration jusqu'en 1710. Quelques nouveaux colons sont recrutés parmi les soldats et les engagés et l'apport migratoire compte pour une faible part dans l'accroissement de la population acadienne avant 1713.

Les recensements, qui sont effectués par les autorités civiles françaises à partir de 1671, nous renseignent davantage sur l'état du peuplement. Ces dénombrements fournissent des données parfois pour l'ensemble du territoire, tantôt pour les seules régions où les habitants sont concentrés, ou encore pour les postes de traite, les installations militaires

---

garnison qui se rend se retirera libre de la place, avec armes et bagages. *Le Petit Robert*, Paris, Le Robert, 1989.

ou les ports de pêche et d'expédition situés en périphérie. Les recensements complets étant plutôt rares, les chiffres de la population totale sont généralement le résultat de l'addition d'effectifs recensés dans les établissements les plus importants et des estimations pour les populations des autres lieux. Si l'on s'attarde à l'évolution générale de la population (tableau 2), on remarque que les effectifs, selon les données de recensements, passent de près de 400 en 1671 à 1 947 en 1714. Pour sa part, la démographe Roy estime que la population initiale s'est multipliée par 6,6 en 43 ans, et le taux annuel moyen de croissance est de 4,5 % au cours de la période. Cette expansion n'est pas suffisante pour égaler les effectifs humains dans les colonies anglaises qui, en 1689, comptent plus de 200 000 habitants et près de 357 000 habitants en 1710.

L'implantation première des habitants se fait d'abord autour de Port-Royal. L'occupation du territoire — des marais — longeant la rivière Dauphin assure l'enracinement relativement permanent des familles puisque ces terres sont propices à l'agriculture. Avec le temps, les habitants sont attirés par les régions au fond de la baie Française. Des familles de Port-Royal sont venues s'établir autour de Beaubassin à partir de 1670

Tableau 2

Croissance de la population acadienne, 1671-1714 suivant diverses sources

Année du recensement	*Recensement officiel*	*Estimations Clark*	*Rameau*	*Raymond Roy*
1671	392	500	440	440
1686	894	900	920	932
1689	813		925	904
1693	1 018	1 200	1 068	1 169
1698	814	1 488		
1701	1 134	1 200	1 450	1 436
1703	1 242	1 400-1 500	1 300	1 575
1707	1 508	1 700-1 800	1 807	1 907
1714	1 947	2 500	2 628	2 908

Source : Muriel Roy, « Peuplement et croissance démographique en Acadie », dans Jean Daigle (sous la direction de), *Les Acadiens des Maritimes : études thématiques*, Moncton, CEA, 1980, p. 144. Les divergences observées dans les quatre séries de données résultent de recensements partiels mis en parallèle avec des estimations de la population totale.

et autour du bassin des Mines où les terres offrent un riche potentiel agricole, à partir de 1682 (tableau 3). Les deux nouveaux établissements, qui sont initialement alimentés par Port-Royal, connaissent un essor démographique considérable. Quand les terres autour du bassin des Mines seront occupées, les nouveaux arrivants iront plus à l'intérieur pour s'établir autour de la rivière Pisiquid et au fond de la baie de Cobequid. D'autres migrants formeront des établissements à Chipoudy, Petitcodiac et Memramcook au-delà de Beaubassin.

Les établissements de Port-Royal, Beaubassin et des Mines sont le noyau principal où s'est formé le peuple acadien. Port-Royal connaît cependant un ralentissement de sa croissance durant les premières décennies du XVIIIe siècle. Dès 1701, il est dépassé par la région des Mines. Au début, Port-Royal alimente les effectifs humains des autres paroisses, mais le climat d'insécurité qui règne dans la vieille capitale à la suite des nombreuses attaques et pillages avant 1713 ne favorise pas son essor démographique. L'occupation de la ville par les autorités anglaises après 1713 incite des Acadiens à s'éloigner. Pour sa part, la région des Mines voit sa population augmenter considérablement au cours de la première décennie du XVIIIe siècle, passant de 487 habitants en 1701 à 677 en 1707. Quant à Beaubassin, le développement démographique est plus lent puisque, de 188 habitants en 1701, on atteint à peine 326 personnes en 1707. L'expansion du peuplement dans cette région s'accélère lorsque l'Acadie passe aux mains des Anglais en 1713.

Tableau 3

Population des principales régions de peuplement en Acadie, 1671-1707

Année	*Port-Royal*	*Les Mines*	*Beaubassin*
1671	340-350		
1686	583	57	127
1693	499	305	119
1698	575		174
1701	456	487	188
1703	504	527	246
1707	570	677	326

Source : A.H. CLARK, *Acadia : The Geography of Early Nova Scotia to 1760*, Madison, University of Wisconsin, 1968, p. 121-123-128-129-143 et 150.

La population vivant dans les autres lieux est peu nombreuse. Il s'agit surtout des coureurs de bois, des négociants, des engagés, des matelots et des militaires puisque peu de familles constituées vivent hors des principaux établissements. Ces individus, qui vivent de la pêche et du commerce des fourrures se retrouvent dans des établissements longeant la côte atlantique de la péninsule acadienne de la Nouvelle-Écosse, sur l'île Royale et le long du littoral du golfe du Saint-Laurent, autour de la baie Française dans les anciennes concessions de La Tour à cap Sable ou encore le long de la rivière Saint-Jean.

Deux caractéristiques importantes ressortent lorsqu'on étudie le peuplement de l'Acadie durant le régime français. Les taux de mortalité sont relativement faibles tandis que les taux de fertilité sont élevés. L'étude de Gisa Hynes sur l'évolution démographique à Port-Royal de 1702 à 1755 permet de bien illustrer ces phénomènes. Cette dernière utilise les registres paroissiaux de Port-Royal, les recensements du temps et des études généalogiques. Son étude révèle que les taux de mortalité sont assez bas en raison du peu de pertes humaines dues aux guerres et de l'absence de famines et d'épidémies comme c'était souvent le cas en France à la même époque. L'absence des trois fléaux, comme on les appelle en France, se reflète dans le peu de fluctuations du nombre annuel de naissances, de décès et de mariages. Les Acadiens participent peu aux combats opposant la France à l'Angleterre, et ne connaissent pas de famines puisque les récoltes et le bétail sont abondants. Durant la période française, une seule épidémie est signalée et celle-ci entraîne la mort de 50 personnes — surtout des prisonniers anglais et des membres de la garnison française — en 1709. Le nombre de décès n'excède jamais le nombre de naissances dans une année et le taux de mortalité infantile est aussi plus faible qu'en Europe. Des 414 décès relevés à Port-Royal de 1702 à 1755, moins du quart sont des enfants. Les trois quarts des nouveau-nés de Port-Royal atteignent l'âge adulte alors qu'en France, à la même époque, seulement la moitié survivent jusqu'à 20 ans.

Lorsqu'on observe les taux de fécondité, on remarque que les femmes maintiennent une fécondité élevée jusqu'à l'âge de 40 ans. Une femme acadienne mariée avant l'âge de 20 ans et sans rupture de sa vie fertile a en moyenne 10,5 enfants, une femme mariée entre 20 et 24 ans en a 9 et une femme mariée entre 25 et 29 ans a environ 7,5 enfants. La moyenne de l'ensemble des couples mariés en Acadie a 6,75 enfants. Les familles nombreuses sont la règle plutôt que l'exception. Trois cinquièmes des familles ont au moins 6 enfants, et 3 familles sur 10 ont entre 8 et 10 enfants. La contraception ne semble pas avoir fait son apparition dans les mœurs relatives à la procréation. Le taux de naissances illégitimes est cependant très bas : 0,6 % au début du XVIIIe siècle, et il semble que la plupart de ces naissances ont lieu avant 1710 et sont probablement reliées à la présence de soldats français.

La majorité des jeunes se marient et la norme sociale du temps est l'union régulière, sacramentelle, sous l'égide exclusive de l'Église catholique. Le célibat n'est pas un sort enviable en Acadie aux XVIIe et XVIIIe siècles. L'âge moyen au mariage pour les jeunes filles est 21 ans, et 26 ans pour les garçons. L'abondance des terres fertiles et les bas taux de taxes encouragent sans doute le mariage en bas âge. De plus, les remariages des veufs et des veuves sont fréquents et la durée du veuvage est d'environ 4 ans pour les hommes et 3,5 ans pour les femmes. Donc, tout contribue à une forte natalité : des mariages en jeune âge, un faible célibat, une fécondité élevée, l'absence de contraception et une mortalité modérée.

Malgré une croissance naturelle importante chez sa population, l'Acadie demeure peu peuplée durant le XVIIe siècle. À peine une soixantaine de familles viennent en Acadie et entre 100 et 200 célibataires, dont beaucoup ne restent pas. On est loin des nombres atteints dans les colonies britanniques ou, à un moindre degré, au Canada. La baisse de l'immigration après les années 1630 représente la faiblesse la plus caractérisée en territoire français bien que plusieurs facteurs peuvent aider à comprendre cette réalité. Tout d'abord, l'Acadie n'est jamais au centre des préoccupations métropolitaines et, de plus, le système des monopoles n'aide pas la situation. Ces grandes machines à exploiter des matières premières trouvent peu d'avantages à peupler l'espace de colons dont beaucoup peuvent se transformer en concurrents farouches. Le système de gouvernement direct instauré en 1670 ne fait guère mieux en ce qui concerne le peuplement du territoire. Qui plus est, il ne faut pas oublier qu'à plusieurs reprises, de 1604 à 1713, l'Acadie est occupée par des forces rivales. Sa proximité de la Nouvelle-Angleterre rend la société acadienne de l'époque très vulnérable. Étant donné sa position charnière entre les systèmes rivaux et la fragilité de son peuplement, elle est doublement exposée.

Les femmes dans la société coloniale

Malgré le fait qu'elles sont peu nombreuses à vivre sur le territoire, de 1604 à 1713, les femmes ont un grand rôle à jouer dans l'organisation sociale et économique de l'Acadie coloniale. Elles se trouvent au cœur des activités de subsistance. Elles ont de nombreuses grossesses qui les forcent à consacrer une bonne partie de leur temps au soin des enfants et de la maison. Elles doivent accomplir une grande quantité de filage, de tissage, de découpage, de couture et de tricot afin de pourvoir à l'habillement de leur famille dans une communauté qui importe peu de produits manufacturés. Elles doivent aussi voir à la préparation nécessaire pour mettre de la nourriture sur la table, c'est-à-dire préparer la viande, nettoyer le poisson et ramasser les légumes. La vie que mènent ces femmes exige un travail continu et laborieux puisqu'elles participent à certaines activités économiques, aux travaux des champs et à l'entretien d'un potager.

Quelques femmes, surtout des membres de la petite bourgeoisie issue des familles qui possèdent des domaines ou qui sont responsables de l'administration civile française, sont actives dans la sphère publique en France, en Nouvelle-France et aussi en Acadie. Marie de Saint-Étienne de La Tour, épouse d'Alexandre Le Borgne de Bellisle, seigneur de Port-Royal est un bel exemple[4]. Cette dernière s'adonne à des activités qui dépassent les limites de la sphère domestique et qui englobent les champs d'action traditionnellement réservés aux hommes, telle la gestion des biens et des terres, du commerce, etc.

Aux XVIIe et XVIIIe siècles en France comme dans ses colonies, le mariage est défini comme étant la destinée naturelle de la femme et la sphère domestique comme son principal domaine d'activité. Les femmes n'ont pas accès aux fonctions publiques, et leur statut légal en Acadie comme en France est défini selon les principes de la Coutume de Paris. Les épouses, y affirme-t-on, sont soumises juridiquement à l'autorité du mari. Elles doivent être autorisées par ce dernier pour administrer leurs biens, s'engager par contrat, se lancer en affaires ou soutenir une action en justice. Les célibataires majeures — 25 ans et plus — et les veuves en ont cependant le droit. C'est le cas de Marie de Saint-Étienne de La Tour

4. Voir l'étude de Josette Brun, « Marie de Saint-Étienne de La Tour », *Les Cahiers de la Société historique acadienne*, vol. 25, n° 4, 1994, p. 244-262.

qui devient veuve et succède à son mari comme seigneuresse de Port-Royal après la mort de ce dernier vers 1691. Également, de 1693 à 1710, le nom de Marie apparaît dans 8 des 16 actes notariés de Port-Royal où il est question de ventes, de concessions ou de donations de terres. Comme seigneuresse de Port-Royal, elle concède et vend des terres, perçoit et gère les revenus que lui procure sa seigneurie et revendique constamment les droits de sa famille. L'exemple de Marie permet de remettre en question la conception traditionnelle du rôle des femmes en Acadie coloniale.

Les missionnaires et la vie religieuse

Bien que les femmes et les hommes qui colonisent le territoire au XVIIe siècle accordent de l'importance à la pratique de la religion catholique, l'Acadie n'est pas pour autant desservie adéquatement. Il y a bien des missionnaires sur le territoire mais ils sont peu nombreux et, en plus de répondre aux besoins des colons européens, ils doivent aussi travailler à la conversion de la population amérindienne. En effet, malgré les troubles administratifs, politiques et commerciaux, on garde pour l'Acadie naissante un but évangélisateur. De 1604 à 1700, plus de 30 missionnaires, des jésuites, des capucins, des récollets et des sulpiciens sont présents de manière intermittente en Acadie et exercent leur ministère auprès des Français et des Amérindiens. L'œuvre d'évangélisation n'a véritablement commencé qu'en 1610 avec l'épisode Fléché, dont nous avons déjà parlé. Quand les jésuites Biard et Massé s'amènent en 1611, ils sont stupéfaits de constater que les Amérindiens baptisés ignorent les préceptes de la religion. Comme en fait foi une lettre du père Biard, l'évangélisation est à reprendre et les jésuites se montrent beaucoup plus exigeants sur les aptitudes au christianisme. Ce qui explique qu'au bout de deux ans ils n'ont baptisé qu'une vingtaine d'indigènes. Nous sommes peu renseignés sur la vie religieuse à cette époque, mais il semble que, sous les jésuites, on fait en public les prières du matin et du soir, il y a une messe quotidienne sur semaine, et une grand-messe les dimanches et les jours de fête.

À la suite de la conquête anglaise de 1613, l'Acadie redevient un pays sans prêtre jusque vers la fin de la décennie lorsque les récollets de la province religieuse d'Aquitaine viennent y pratiquer leur ministère jusqu'en 1624. De 1632 à 1654, des capucins et des récollets sont présents

Lettre du P. Biard, au R.P. Christophe Balthazar, Provincial de France à Paris

[...] Or maintenant il est temps qu'arrivés par la grâce de Dieu en santé nous jettions les yeux sur le pays, et y considerions un peu l'estat de la chrestienté que nous y trouvons. Tout son fondement consiste après Dieu en cette petite habitation d'une famille d'environ vingt personnes. Messire Iessé Flesche, vulgairement dict le Patriarche, en a eu la charge, et, dans un an qu'il a demeuré, a baptizé quelque cent ou tant des Sauvages. Le mal a esté qu'il ne les a pu instruire comme il eust bien désiré, faute de sçavoir la langue, et avoir de quoy les entretenir ; car celui qui leur nourrit l'âme faut quand et quand qu'il se delibere de sustenter leur corps. [...] Estant dernièrement au port Saint-Jean, je fus adverty qu'entre les autres Sauvages, il y en avoit cinq jà chrestiens. Ie prends de là occasion de leur donner des images, et planter une croix devant leur cabane, chantant un Salve Regina. Ie leur fis faire le signe de la croix ; mais je me trouvois bien esbahy, car autant quasi y entendoient les non-baptizés, que les chrestiens. Ie demandois à un chacun son nom de baptesme ; quelques-uns ne le sçavoient pas, et ceux-là s'appeloient Patriarches ; et la cause est parce que c'est le Patriarche qui leur impose le nom ; car ils concluent ainsy, il faut qu'ils s'appellent Patriarches, quand ils ont oublié leur vray nom. [...] Aussi ne voit-on gueres de changement en eux après le baptesme. La mesme sauvagine et les mesmes mœurs demeurent, ou peu s'en faut, mesmes coutumes, ceremonies, us, façons et vices, au moins à ce qu'on peut sçavoir, sans point observer aucune distinction de temps, jours, offices, exercices, prieres, debvoirs, vertus ou remedes spirituels. [...] La nation est sauvage, vagabonde, mal habituée, rare et d'assez peu de gens. Elle est, dis-je, sauvage, courant les bois, sans lettres, sans police, sans bonnes mœurs ; elle est vagabonde, sans aucun arrest, ni des maisons ni de parenté, ni de possessions ni de patrie ; elle est mal habituée, gens extremement paresseux, gourmans, irreligieux, traitres, cruels en vengeance, et adonnés à toute luxure [...] On tient qu'ils sont ainsi diminués depuis que les François ont commencé à y hanter : car, depuis ce temps-là, ils ne font tout l'esté que manger ; d'où vient que, prenant une tout autre habitude, et amassant de humeurs, l'automne et l'hyver ils payent leurs intemperies par pleurésies, esquinances, flux de sang, qui les font mourir. [...] Pour conclusion, nous esperons avec le temps les rendre susceptible de la doctrine de la foy et religion chrestienne et catholique. [...] Du Port-Royal en la Nouvelle-France, ce dixiesme juin mil six cents onze.

Source : *Les Relations des jésuites*, vol. 1, 1610-1613, p. 160, 162, 164, 172, 176 et 182.

sur le territoire, et en 1676 on note l'arrivée des sulpiciens. Dans cette même foulée, un événement religieux important survient le 30 octobre 1678 alors que Port-Royal est érigé en paroisse ecclésiastique par Mgr de Laval, évêque de Québec. L'abbé Louis Petit, prêtre des Missions étrangères, le premier séculier à revenir en Acadie depuis le départ de Jessé Fléché en juin 1612, est nommé le même jour curé de la paroisse. Le missionnaire avait pris charge de la desserte de Port-Royal et d'autres missions d'Acadie à l'automne 1676. Il avait ses lettres de grand vicaire pour Port-Royal, Pentagouët, la rivière Saint-Jean et les côtes de l'Acadie.

Le même automne, le père Claude Moireau, récollet, reçoit aussi des pouvoirs de Mgr de Laval pour la mission de la rivière Saint-Jean. Il demeure en Acadie jusqu'à l'été 1686, desservant non seulement les Amérindiens, mais aussi les populations acadiennes échelonnées le long de la Saint-Jean ainsi que celles des nouveaux établissements de Beaubassin et des Mines. Moireau fait deux missions aux Mines : une en 1684 et l'autre en 1686 durant lesquelles il baptise 12 personnes. Il est rappelé à Québec à l'été 1686.

Un autre prêtre, l'abbé Louis Geoffroy, inaugure des missions sulpiciennes en Acadie où il dessert Port-Royal et ses environs de même que la Pentagouët. En 1687, il va s'installer au bassin des Mines où, en 1689, il bâtit la première église paroissiale — Saint-Charles — et fonde la première école. Une autre grande figure missionnaire marque l'Acadie de l'époque, l'abbé Louis-Pierre Thury. Ce prêtre des Missions étrangères vient en 1684 partager, pour 15 ans, les travaux apostoliques des prêtres Petit et Moireau. Thury travaille auprès des Amérindiens de la Restigouche et de Miramichi durant l'hiver 1684-1685. Il demeure dans la Miramichi durant les deux années suivantes et, en 1687, il est transféré à la mission de Pentagouët.

Bien que Port-Royal détienne le statut de paroisse ecclésiastique depuis 1678, il faut attendre jusqu'à avril 1686 pour que Mgr de Saint-Vallier, évêque de Québec, visite l'Acadie. Les habitants de Beaubassin et des Mines reçoivent leur premier prêtre résidant à la suite de son séjour. Les représentants de l'Église catholique exercent alors toujours un rôle d'encadrement auprès de la population d'origine européenne et un rôle de conversion auprès des Amérindiens. Peu à peu, donc, de modestes chapelles et des églises sont construites à mesure que les Acadiens fondent de nouvelles communautés sur le littoral de la baie Française. En

1710, il y a quatre églises dans la seule région du bassin des Mines, sans compter des chapelles dans des établissements de moindre importance comme au cap Sable où les missionnaires qui travaillent auprès des Micmacs desservent aussi les Acadiens.

L'éducation

Plusieurs missionnaires et quelques laïcs ne ménagent pas les efforts pour dispenser l'enseignement aux Amérindiens et aux enfants des colons européens durant le régime français.

Dans un premier temps, en 1606, Poutrincourt ramène de France de nouveaux colons et, parmi ceux-ci, il y a le jeune avocat et écrivain de Paris, Marc Lescarbot, qui serait le premier instituteur français en Acadie. En plus de dispenser un enseignement chrétien aux colons européens, il s'occupe de convertir les Amérindiens, apprend leur langue et observe leurs mœurs. Dans un deuxième temps, en 1611, les deux jésuites, les pères Biard et Massé qui débarquent à Port-Royal, dispensent eux aussi de l'enseignement. Leur premier souci est de construire une chapelle, d'apprendre la langue du pays et d'instruire les Amérindiens. Ils ne se contentent pas de leur apprendre à parler le français mais insistent pour leur apprendre à lire et à écrire. La destruction de Port-Royal et de Saint-Sauveur en 1613 interrompt les efforts en ce sens. Des missionnaires reviennent en Acadie après 1618, mais les récollets se retirent de l'Acadie en 1628 et la première période se termine ainsi, sans succès apparent en matière d'éducation.

Quand, en 1632, Razilly se voit concéder l'Acadie, il reçoit en même temps l'obligation d'assurer l'enseignement de la religion et de la langue française. Avec la fondation de l'établissement de La Hève, une nouvelle ère commence pour l'instruction et elle s'annonce prometteuse. Les enfants des colons venus avec leur famille peuvent donc commencer ou continuer leurs études avec les capucins. À la mort de Razilly en 1635, La Hève perd son titre de capitale au profit de Port-Royal et devient un port commercial. Les capucins dispensent l'instruction morale et intellectuelle pour les Blancs et les Micmacs à Port-Royal. En effet, la première école — alors appelée séminaire — à voir le jour en Acadie est celle de Port-Royal. Celle-ci est fondée par les capucins entre 1642 et 1643 dans le but d'enseigner aux jeunes Amérindiens. L'enseignement des filles amérindiennes et blanches n'est pas négligé puisque Madame de Brice, gouvernante des enfants du sieur d'Aulnay, dirige une seconde école destinée à cette fin. Il y a aussi des efforts éducatifs des missionnaires capucins en dehors de Port-Royal : au fort Pentagouët de 1632 à 1654, à La Hève de 1632 à 1654, au fort Saint-Jean de 1645 à 1654, à Canceau et Nepisiguit de 1648 à 1655. Durant l'occupation anglaise de 1654 à 1667, les capucins sont chassés, et les enfants sont privés d'enseignement.

La preuve existe que l'enseignement n'est pas complètement délaissé en Acadie durant la dernière période du régime français. Le curé de Port-Royal, le père Louis Petit, est un promoteur de l'instruction des Acadiens. Il entretient un instituteur, Pierre Chenet Dubreuil, pour faire les classes aux garçons. À la demande du père Petit, Mgr de Saint-Vallier envoie, en 1685, une sœur de la Congrégation Notre-Dame qui prend la direction d'un pensionnat pour jeunes filles et, en 1701, sœur Chausson de la Congrégation des Filles de la croix rejoint celle-ci. Mgr de Saint-Vallier, à la suite de sa visite pastorale en Acadie en 1686, envoie aussi un jeune sulpicien, le père Geoffroy qui joue un rôle de conseiller en pédagogie et de responsable de la construction des écoles. Certains maintiennent que le père Geoffroy a jeté les bases de l'enseignement primaire dans cette colonie et qu'il a même fait construire plusieurs écoles à ses propres frais. Malheureusement, une grande partie de son œuvre est anéantie en 1690 lorsque l'envahisseur anglais brûle l'établissement de Port-Royal, y compris l'église et les écoles. À la suite de cette attaque, plusieurs religieux déploient des efforts pour relancer l'instruction dans la colonie. L'abbé Mandoux, vicaire de Port-Royal de 1690 à 1695 et curé de 1695 à 1701, le sulpicien Claude Tronson, les récollets Félix Pain et Patrice René consacrent leurs énergies à construire une nouvelle école dans la capitale de l'Acadie. Puis, c'est au tour des communautés de Beaubassin et des Mines de construire leurs écoles.

Il existe peu de sources pour nous renseigner sur le programme d'enseignement dispensé dans ces écoles. On peut toutefois se faire une idée du contenu, en observant la situation en Nouvelle-France laurentienne et en France durant la même période. Les matières enseignées sont l'écriture, la lecture, latine et française, et l'arithmétique. Puisque l'enseignement est contrôlé par l'Église, le catéchisme occupe une place prépondérante. L'instruction dispensée dans les écoles acadiennes doit se comparer favorablement à celle de la Nouvelle-France et de la France puisque certains élèves ont pu y parfaire leurs études. Il ne faut pas exagérer l'importance de la transmission d'un savoir lettré, du moins pour la période d'avant 1670, puisqu'à cette époque la jeune colonie acadienne est embryonnaire. La priorité n'est pas accordée à l'éducation des enfants mais bien à la participation de ces derniers aux travaux des champs, à la construction et à l'entretien des aboiteaux et, pour les filles, à la participation aux travaux domestiques. Par contre, des documents notariés attestent que plusieurs Acadiens et Acadiennes peuvent au moins signer leur nom. Les familles acadiennes ne sont donc pas toutes illettrées et certaines d'entre elles privilégient au moins la transmission de la lecture et de l'écriture à leurs enfants.

Les relations avec les Amérindiens : les premiers contacts

Durant tout le XVIIe siècle, les missionnaires déploient bien des efforts pour instruire les Amérindiens et apprendre leur langue, surtout que l'implantation définitive des Français en Acadie entraîne des contacts plus soutenus avec cette population autochtone. D'ailleurs, la collaboration entre les Micmacs et les Français devient rapidement un trait marquant de l'histoire de l'Acadie coloniale. À l'arrivée des Français, les Micmacs occupent un territoire étendu, c'est-à-dire la Nouvelle-Écosse — y compris l'île Royale —, l'île du Prince-Édouard, le Nouveau-Brunswick, sauf la vallée de la rivière Saint-Jean habitée par les Malécites qui entretiennent aussi de bons rapports avec les Français, et le sud de la péninsule de Gaspé. Ce ne sont pas des établissements permanents puisque les Amérindiens se déplacent constamment sur le territoire en fonction de leur mode de vie. Ils font la pêche, la chasse et la cueillette des fruits. Ils confectionnent aussi tout ce dont ils ont besoin à partir des ressources de la forêt, soit des canots, des raquettes, des vêtements, etc.

Des études archéologiques et ethnographiques récentes confirment qu'au début du XVIIe siècle la population micmaque est déjà en déclin. De nombreux décès résultent de nouvelles maladies contractées après l'arrivée des Européens. Les données varient quant au nombre exact d'Amérindiens vivant sur le territoire qui se nomme bientôt Acadie. Certains chercheurs parlent de quelques milliers tandis que d'autres évaluent à plus de 100 000 le nombre total d'Amérindiens. Les Micmacs et les Malécites vivent et meurent alors dans leur monde et aucun effort n'est déployé pour changer *l'ordre naturel* des choses. Ils chassent en fonction de leurs besoins et ont un grand respect de la nature.

Par contre, avec la venue des Français — et plus tard des Anglais —, les Micmacs et les Malécites entrent dans un processus d'acculturation. Le rapprochement avec les Européens ne donne pas toujours des résultats bénéfiques pour les autochtones. Les premiers contacts se font avec les pêcheurs et les trappeurs français et ce, dès le XVIe siècle. Peu à peu, les Micmacs incorporent l'arrivée saisonnière des pêcheurs dans leur cycle annuel de vie et ils échangent de nombreux biens avec ces derniers. Ils deviennent graduellement moins dépendants de la cueillette de nourriture, mais développent une dépendance progressive envers la diète étrangère. Les contacts avec les trappeurs entraînent aussi des changements dans la vie des autochtones. L'introduction du fusil — qui remplace l'arc et les flèches — change par exemple leur façon de chasser. Avec les années, les Micmacs perdent leur relation spéciale avec la faune et adoptent le concept d'un environnement plus matérialiste. De plus, ce qui, auparavant, était considéré comme les ressources de tout un peuple est maintenant convoité par les plus agressifs, dont les chasseurs. Le cycle de vie des Micmacs se transforme et les conséquences sont désastreuses. Ils se nourrissent et se vêtent moins bien et sont plus vulnérables aux maladies.

Tel que mentionné plus haut, les Micmacs et les Malécites ont aussi des contacts avec les missionnaires depuis 1611 environ. Ces derniers considèrent que l'âme vierge de l'Amérindien a un potentiel extraordinaire qu'on se doit de mettre en valeur. Ils croient qu'ils ont le devoir de *civiliser* l'autochtone, c'est-à-dire de l'amener à la *normalité*. Ces missionnaires, tout comme les autres Français présents sur le territoire, adoptent une attitude paternaliste sur le plan matériel et culturel. Cette attitude ne peut faire autrement que d'amener les Français à considérer l'Amérindien comme un être à part, qu'il est nécessaire d'intégrer, d'assimiler à la culture européenne chrétienne.

Au début, les contacts des autochtones avec les missionnaires sont marqués d'une grande prudence. Les missionnaires tentent en vain de les convertir et d'en faire de bons chrétiens. Les rites étant par tradition très importants dans la vie des Amérindiens, les missionnaires savent en profiter et en tirer parti. Mais les Micmacs, tout comme les Malécites, choisissent ce qu'ils veulent bien dans le christianisme et surtout ce qu'ils peuvent transposer dans leur langue et leur culture. Par exemple, ils vont associer Jésus au soleil, les saints aux esprits gardiens, etc. En raison de la barrière de la langue, le travail des missionnaires chez les Micmacs et les Malécites ne résulte qu'en quelques rares succès durant tout le XVIIe siècle. Il est donc juste de dire qu'un siècle après les premiers contacts avec les missionnaires français la connaissance des Amérindiens de la *nouvelle* religion est toujours rudimentaire et imprégnée de traditions amérindiennes.

Finalement, les Micmacs ont des contacts avec les colons français qui s'établissent de façon permanente sur le territoire. Au début, les Amérindiens fournissent de la nourriture à certains colons, permettant ainsi à ces derniers de survivre lors des hivers rigoureux. La fréquence des contacts n'a pas pour effet d'amener ces colons à dominer les Amérindiens puisque, pour survivre sur le territoire, ils comprennent qu'il faut vivre en harmonie avec les premiers habitants. Plusieurs colons prennent des habitudes et méthodes des Micmacs, que ce soit dans l'habillement ou encore pour la fabrication des canots. C'est aussi à cette époque que le métissage entre les colons blancs et les Amérindiens s'intensifie. Ce phénomène socioculturel est accepté difficilement par les missionnaires d'alors.

En général, les Micmacs et les Malécites accueillent les Français comme des amis et des alliés. Mais l'idée que ces Blancs puissent, au nom du roi de France, revendiquer la moindre portion de territoire ou que les Amérindiens doivent plus d'allégeance au roi de France qu'à leurs propres chefs reste insensée pour eux. Ils rappellent périodiquement aux Français qu'ils ne leur accordent qu'un droit d'usage et d'usufruit de leurs terres dont la propriété demeure toujours micmaque. La France ne reconnaît pas la souveraineté amérindienne, mais elle est alors dépendante de ses alliés autochtones. Elle s'assure donc que ceux-ci ne soient pas dérangés sur les terres qu'ils occupent ou dont ils se servent.

Les mariages mixtes

Tout au long de l'histoire de l'Acadie et de la Nouvelle-France, la politique française à l'égard des Amérindiens reste cohérente : il faut les traiter avec considération, éviter la violence et les transformer en Français. Pour ce faire, la collaboration avec les Amérindiens est essentielle aux Français s'ils veulent fonder une colonie viable. Ainsi, pour celui qui le souhaite, choisir une partenaire amérindienne peut lui procurer des avantages indéniables. Officiellement, 120 de ces unions sont célébrées pendant le régime français — pour toute la Nouvelle-France. Même si le droit canonique interdit à l'époque le mariage entre catholiques et païens, les missionnaires considèrent que c'est un mal moindre que le concubinage. Ainsi, il vaut mieux régulariser ces unions que risquer le mauvais exemple et le scandale. Malgré le peu de données sur ces mariages, des preuves indirectes fournissent des indications sur leur fréquence. En 1710, par exemple, le colonel Samuel Vetch, alors commandant anglais de Port-Royal, note que, parce qu'ils ont contracté des mariages avec des Amérindiennes converties, les Acadiens exercent une forte influence sur eux.

La plupart de ces mariages mixtes originent de la traite des fourrures dont les manières de faire encouragent cette mixité. Quant à la société amérindienne, elle met l'accent sur la parenté et préfère de beaucoup ce type de relations pour servir d'assise à ses alliances commerciales avec les Blancs. En raison de la conception qu'ils s'en font, les Amérindiens voient dans ces unions une source d'honneur pour leurs gens. Ils ne considèrent pas que le mariage doit être nécessairement permanent, surtout si aucun enfant n'en est issu.

Par contre, à la fin du régime français, l'opposition aux mariages mixtes est croissante et on se dirige vers l'interdiction de telles unions surtout parce que les effets socioculturels engendrés par ce mélange d'ethnies déçoivent les autorités et sont considérés comme nocifs pour les Français et dangereux pour le maintien de l'ordre dans la société. Alors qu'il devait y avoir sédentarisation et conversion de l'Amérindienne, le conjoint blanc semble davantage s'intégrer à la société amérindienne que l'inverse. Ceci est inacceptable pour les Français qui, tout comme les Anglais, dénient la validité des civilisations amérindiennes. Ils les classent parmi les *Sauvages* et ne leur reconnaissent aucun droit à la souveraineté.

L'économie

Le système seigneurial

L'économie de l'Acadie sous le régime français est basée sur l'agriculture, la pêche, le commerce, quelques petites industries locales et, à un degré moindre, sur la traite des fourrures. Toutes ces activités permettent à la population acadienne d'avoir de bonnes conditions de vie. Le système seigneurial, tel que défini en France, a de la difficulté à prendre racine dans ce contexte nord-américain où les familles disposent d'une grande liberté de décision et de mouvement.

Selon la Coutume de Paris, instituée aux Xe et XIe siècles et révisée au XVIe siècle, le système seigneurial prévoit que le seigneur possède des terres qu'il concède à des censitaires. Ceux-ci doivent lui payer les cens et rentes, les taxes portant sur les terres ainsi que les lots et ventes[5]. Les censitaires doivent aussi faire moudre leur grain au moulin du seigneur et lui laisser une partie du grain moulu. De plus, le seigneur peut aussi exiger de ses censitaires trois ou quatre jours de travail gratuit par année. Il va sans dire que les Français veulent appliquer ce système en Acadie.

Coloniser sur une échelle extensive exige une structure efficace pour concéder et exploiter les terres. Ce n'est pas surprenant que les structures européennes traditionnelles soient choisies avec le principe de « nulle terre sans seigneur ». La métropole tient simplement pour acquis que le sol de la colonie appartient au roi et que la seigneurie est la façon normale pour la Couronne, par l'intermédiaire de ses représentants, de concéder la terre à ses sujets. Par contre, le paysage socio-économique de l'Acadie demeure peu modifié par l'instauration du système seigneurial. En opérant les divisions des terres, l'État confie aux seigneurs-concessionnaires la tâche d'en assurer la mise en valeur en y installant des colons. Pourtant, peu de concessionnaires se soucient d'exploiter le territoire qui leur est confié, sans doute en raison de la trop grande étendue des seigneuries et du peu d'emprise des autorités métropolitaines. De plus, loin de se soucier de développer leurs seigneuries en stimulant l'immigration, plusieurs seigneurs préfèrent s'adonner à la spéculation ou se consacrer à la traite des fourrures.

Les nombreux conflits internes dans la colonie et le fait que le système soit mal défini expliquent en bonne partie pourquoi les Acadiens sont rarement enclins à payer les cens, excepté lorsque la pression est trop intense et, encore là, les montants versés sont minimes. En effet, à cette époque, le montant des cens, les devoirs à exécuter et même l'identité du seigneur sont vaguement établis. Les habitants prennent donc le système à la légère car en ne remplissant pas son rôle d'encadrement, de soutien

5. Une taxe que doit acquitter celui qui achète une terre déjà concédée – le douzième du prix de cette terre.

et d'organisation, le régime seigneurial n'incite pas les censitaires à s'acquitter de leurs obligations.

Quelques seigneuries connaissent toutefois un certain peuplement. À Port-Royal, aux Mines et à Beaubassin, le système seigneurial implante ses racines les plus solides quoique le rôle du seigneur s'y réduit à celui de percepteur des cens et des rentes. C'est par lui qu'on tient le droit de propriété foncière, auquel chacun doit recourir pour identifier son lot, le transmettre, l'échanger ou l'aliéner. Peu à peu, les Acadiens deviennent plus indépendants des structures initiales. Les querelles entre propriétaires et censitaires se multiplient et l'occupation anglaise de 1654 à 1670 contribue à affaiblir le système. Quand Alexandre LeBorgne s'installe à Port-Royal après le retrait des Anglais en 1670, par exemple, il essaie de réimposer l'autorité seigneuriale mais il provoque des conflits et des divisions dans cette communauté où le système seigneurial est vu comme un fardeau plutôt qu'une institution sociale.

Le concept féodal n'a donc jamais constitué en Acadie une mesure d'organisation contraignante. Ainsi, on ne peut pas considérer le régime seigneurial en Acadie comme une réplique du modèle européen. Plusieurs composantes du système tels le droit de chasse réservé au seigneur, le droit de coupe de bois, le droit de pêche, le champart[6], les corvées arbitraires, etc., n'ont pas de sens en Acadie et sont abolies. Des historiens maintiennent que les seigneuries n'existent en réalité que sur papier et que le seigneur est, d'abord et avant tout, un agent de colonisation. Des recherches récentes se penchent sur l'analyse du système seigneurial en Acadie et confirment que ce système très complexe mérite un deuxième regard[7]. Certaines études démontrent que, pour évaluer les retombées du régime seigneurial en Acadie, il ne faut pas seulement prendre en considération l'aspect des redevances seigneuriales mais également considérer les obligations du seigneur envers ses colons. Le seigneur peut jouer un rôle de premier plan quant au développement de sa seigneurie et c'est à son avantage de remplir ses obligations. Ainsi, un seigneur qui tente

---

6. Droit féodal qu'ont les seigneurs de lever une partie de la récolte de leurs tenanciers.

7. Voir l'étude de Stephen RICHARD intitulée « Coureurs des bois, militaires ou colonisateurs ? L'impact des frères Damours sur le développement de leurs seigneuries à la rivière Saint-Jean à la fin du XVIIe siècle, 1684-1704 », mémoire de B.A., Université de Moncton, Campus de Moncton, mai 1995, 69 pages.

activement de développer sa seigneurie en y incluant des colons, en y apportant des infrastructures, par exemple la construction d'un moulin, et en y développant l'agriculture prouve que le système seigneurial est mis en pratique. C'est le cas pour les seigneuries des frères Damours à la rivière Saint-Jean dont l'effort de développement seigneurial dans cette région est confirmé par les données du recensement de 1695. Louis de Chauffours et Mathieu de Freneuse exploitent alors les seigneuries de Nashwaak, Jemseg et de Freneuse. Ils habitent ces terres, les peuplent en y installant des colons, pratiquent l'agriculture et tentent de construire un moulin.

L'agriculture

Assise économique par excellence du système seigneurial, l'agriculture est pratiquée en Acadie par les Européens dès le début de la période française. Des tentatives de cultures sont faites à l'île Sainte-Croix, puis en 1606 à Port-Royal on laboure, on sème le froment, le seigle, le chanvre et d'autres grains. Des moutons et des porcs sont aussi emmenés dans la colonie et on construit un moulin pour moudre le grain. Dès lors, la preuve est faite que le rendement agricole peut assurer l'autosuffisance alimentaire dans la colonie et qu'il est possible d'envisager des établissements français permanents en Amérique.

Il n'y a pas d'information sur le nombre d'arpents cultivés et sur les résultats des récoltes durant les premières années du régime français. On sait que sous Razilly, dans l'établissement de La Hève, une quarantaine de concessions sont accordées, le bétail réparti, les denrées distribuées et on entreprend le défrichement des lots. Sous d'Aulnay, après 1635, des gens s'établissent à Port-Royal qui compte éventuellement deux grandes fermes pour son propre usage et celui de ses engagés. Tout laisse croire qu'il a probablement restauré le vieux moulin construit au tout début de la colonie. Il subsiste peu d'information sur le genre et la condition des bâtiments ainsi que sur les récoltes pour la période de 1635 à 1654.

Les données sont aussi très rares en ce qui a trait aux conditions des établissements et de l'agriculture en Acadie de 1654 à 1670, c'est-à-dire sous l'occupation anglaise. On estime que les Français qui demeurent en Acadie continuent à défricher les terres et que la production agricole ainsi que le nombre de bêtes augmentent. L'activité agricole acadienne gravite alors principalement autour de la culture des marais grâce à la

La toile d'Azor Vienneau démontre bien que la construction des digues et des aboiteaux était un travail collectif. Musée de la Nouvelle-Écosse à Halifax.

construction de digues. Il est difficile de déterminer avec exactitude comment et à quel moment se développe en Acadie la technique complexe des aboiteaux. Les premiers sont probablement construits entre 1640 et 1650. Il est fort possible que certains colons français, qui connaissent déjà la technique d'endiguement utilisée pour assécher les marais dans le sud-ouest du Poitou, amènent cette tradition en Acadie. Quoique le terme aboiteau désigne principalement le clapet de bois contrôlant le flux de l'eau salée dans les marais, sa définition peut aussi englober la jetée ou la digue érigée pour contenir les eaux.

Ainsi, plutôt que de défricher les terres hautes, les Acadiens préfèrent cultiver les terres d'alluvions près de la mer. Dans la baie Française, les Acadiens viennent à bout des fortes marées par ces puissantes digues dont la porte basculante et le clapet permettent l'écoulement de l'eau douce et interdit l'entrée de l'eau salée. Cette méthode permet aux Acadiens de mettre en culture rapidement et avec succès les terres agricoles très fertiles qui donnent des rendements supérieurs. À la fin du régime français en 1710, des digues et des aboiteaux existent déjà dans toutes les grandes régions de marais situés sur le littoral de la baie Française.

L'aspect technologique est certes important, mais il faut souligner que l'endiguement des terres basses influence aussi les rapports sociaux puisque le travail sur les digues se fait en commun. En fait, la construction et l'entretien des digues ou des levées ne peut se faire sans la coopération de plusieurs familles voisines ou encore par deux ou trois générations d'une même famille. L'érection de digues exige de longues journées de travail car la construction doit se faire pendant une période de temps limitée aux journées d'été où les marées sont peu élevées. L'entretien des digues nécessite aussi la collaboration de tous. Chaque propriétaire d'un lot situé sur un marais doit entretenir le tronçon de digue longeant sa propriété. Une personne choisie par la communauté, le *sourd des marais*, a la responsabilité d'examiner régulièrement les digues et, au besoin, de réunir la main-d'œuvre nécessaire pour la réparation des bris. Ce travail a pour effet de renforcer la cohésion de la population acadienne.

La population de ces régions favorise un type d'habitat dispersé où des groupes d'individus se rassemblent en unités familiales. Par exemple, près de Port-Royal, des hameaux sont répartis des deux côtés de la rivière au Dauphin et regroupent sous le nom du patriarche — Melanson, Gaudet, Thibodeau — un certain nombre d'habitations. Celles-ci font face aux terres d'alluvions tandis qu'à l'arrière on retrouve le pâturage et les terres à bois qui donnent sur la forêt.

Même s'il subsiste peu de données sur l'agriculture, le recensement de 1671 nous éclaire quelque peu à cet effet. À ce moment, il y a environ 380 arpents de terres cultivées desquelles on récolte 500 barriques de grain. Quant au cheptel, il se chiffre à 866 bêtes à cornes, 106 moutons et 37 chèvres. Il y a environ 60 à 70 « fermes » enregistrées vers 1686 pour une population d'un peu moins de 600 personnes. Les principales récoltes durant la période sont le blé et les pois bien qu'à compter des années 1680 on rapporte aussi la culture des pommes, des cerises, l'avoine, l'orge, le seigle de même que les choux. En ce qui a trait au cheptel, on se concentre surtout sur les vaches et les bœufs, sur les moutons et les porcs.

À la fin du XVIIe siècle, on estime qu'à Port-Royal la plupart des fermes exploitent au-dessus de 10 arpents de terres labourées, dont plusieurs de 20 à 30 arpents, et quelques-unes dépassant la quarantaine. Presque toutes les cultures européennes y sont pratiquées. Le blé et une variété de pois sont à la base de l'alimentation végétale tandis que l'orge, l'avoine et le seigle sont d'utilisation courante. En 1699, Villebon note dans les potagers la présence des choux, des betteraves, des oignons, des carottes, des échalotes, des navets, des panais et de la laitue. Il y a aussi plusieurs références au tissage du lin de culture locale.

Il semble qu'avec le temps l'établissement de Beaubassin soit celui qui favorise le plus l'élevage, surtout celui des bovins. En 1686, 79 % des vaches et bœufs énumérés dans la colonie sont à Beaubassin et cette proportion passe à plus de 80 % en 1698. La production dépasse même les besoins de consommation et les Acadiens peuvent tirer avantage de la situation en commercialisant les surplus. Ces chiffres font dire aux historiens que l'autosuffisance alimentaire est assurée vers la fin du XVIIe siècle. Les famines et les épidémies sont rares et une seule année de disette est signalée, 1709, et elle touche alors uniquement la région de Port-Royal. De plus, les Acadiens n'ont pas à payer de taxes excessives et il n'y a pas de pénurie de terres agricoles. En général, leurs conditions de vie sont meilleures que celles des paysans français à la même époque.

Les autres activités économiques

En plus de pratiquer l'agriculture, les Acadiens tirent des revenus d'autres activités économiques tels la traite des fourrure, la pêche et le commerce. La traite des fourrures est en grande partie à l'origine de la venue des Européens et de la fondation d'établissements en Acadie. D'abord considérée comme un produit exotique, la demande pour la fourrure augmente progressivement en Europe. Dès 1581, des marchands français de Rouen, de Dieppe et de Saint-Malo commencent à financer des expéditions sur le Saint-Laurent, destinées exclusivement au commerce des fourrures. Avec les années le territoire visé englobe l'Acadie, et on multiplie le nombre de bateaux pour les chargements de peaux. Contrairement aux voyages d'exploration, le commerce des fourrures représente une source de profits rapide. Rien d'étonnant que la traite des pelleteries soit étroitement associée à la colonisation du territoire acadien.

Peu à peu, on accorde sur de vastes territoires des monopoles du commerce des fourrures, doublés des obligations de coloniser. Les Français qui viennent en Acadie sont plutôt attirés par le fructueux commerce que par l'établissement de colons. Très tôt, ils se rendent compte qu'ils ont tout intérêt à entretenir des rapports amicaux avec les peuples autochtones dont les fourrures assurent la survie économique de la colonie. Étant donné leur connaissance du territoire de même que leur nombre, ils demeurent en position de force pour plusieurs années.

Mais, en dépit de la place qu'elles occupent dans les exportations, les fourrures ont peu de retombées favorables dans l'économie de la colonie. Ce commerce crée peu d'emplois car il ne nécessite pas une main-d'œuvre considérable. Il ne suscite pas non plus la fondation d'entreprises de transformation des fourrures, et la majorité des profits retournent aux financiers européens au lieu d'être réinvestis dans la colonie. Parmi les engagés, certains en font un métier, mais une bonne moitié de ces individus ne s'engagent que pendant une ou deux saisons, le temps d'amasser un petit montant pour favoriser leur établissement sur une terre. De plus, ce commerce engendre des querelles entre les postes de traite et entre les individus qui les contrôlent. Les La Tour et d'Aulnay, par exemple, déploient bien des efforts pour prendre le contrôle de la traite des pelleteries en Acadie.

Ce secteur d'activité économique permet toutefois à la population d'en tirer certains bénéfices complémentaires. On se rend compte rapidement que l'exploitation de la fourrure s'avère une entreprise quasi impossible tant qu'une certaine autosuffisance agricole n'est pas atteinte. Avec les années, la traite des fourrures s'avère un secteur économique important parmi d'autres activités telle l'agriculture. Les Acadiens échangent aussi des fourrures contre des produits manufacturés qu'ils se procurent auprès des marchands de Boston.

Autre secteur complémentaire, la pêche joue un rôle important en Acadie. Elle est rattachée aux intérêts commerciaux en France, c'est-à-dire à ceux des bailleurs de fonds et des protecteurs de la colonie. Des chargements de morue leur sont donc destinés annuellement. L'importance des pêcheries s'explique par les besoins alimentaires de l'Europe, accentués par les 150 jours de l'année où les catholiques ne doivent pas manger de viande. La morue est très recherchée puisque sa chair est riche et gélatineuse, et qu'elle s'apprête de multiples façons. On la trouve en abondance et elle est facile à capturer parce qu'elle se tient habituellement en bandes et en eau peu profonde. Il faut dire que cette activité de pêche à grande échelle reste extérieure à la colonie. En général, l'exploitation se gère et s'organise de la métropole.

Par contre, la pêche permet avant tout aux Acadiens de subvenir à leurs propres besoins alimentaires. Le poisson fournit des protéines fraîches quand s'épuisent les stocks salés de l'hiver. Ils pêchent des poissons de mer tels la morue, l'esturgeon, l'éperlan, la plie ou encore des poissons de rivière tels l'anguille, la truite, le saumon. Très tôt, la pêche assure des revenus complémentaires et considérables pour l'Acadie et ses habitants.

Les Anglais s'intéressent également à ce secteur d'activité économique. Ils n'attendent pas que se replie toute autorité française avant de monter à l'assaut des zones de pêche acadiennes et de s'introduire au cœur même du circuit des échanges. Ils parcourent les côtes de l'Acadie, de Terre-Neuve jusqu'à la rivière Pentagouët. En 1686, l'intendant Jacques de Meulles note la présence de 800 bâtiments anglais dans ces parages, et, dans un rapport daté de 1708, le gouverneur Subercase signale la présence de 300 bateaux bostonnais. Les Français, à une période où ils sont privés de moyens les plus élémentaires, sont impuissants à faire respecter les droits de pêche.

La seule tentative connue d'implanter la pêche commerciale de la morue en Acadie survient en 1682 avec la formation de la Compagnie de pêche sédentaire de l'Acadie ou Compagnie d'Acadie. La mise sur pied de cette compagnie, en plus de répondre aux grandes visées mercantilistes, a pour but d'assurer une présence française sur les bancs d'Acadie. L'établissement d'un concessionnaire, en plus de relancer la pêche française, peut permettre, croit-on, de chasser les pêcheurs du Massachusetts qui viennent de plus en plus nombreux. La Compagnie d'Acadie se fait concéder d'immenses territoires en plus d'obtenir des privilèges fiscaux et commerciaux. Le roi lui accorde des concessions à Chédabouctou (Halifax actuel), puis à La Hève et dans la région de Canceau. De plus, la compagnie reçoit le droit de négocier « du poisson, huile de leur pêche, bois à bâtir et autres marchandises » sans avoir à payer les taxes d'entrée en France. Les vues de la compagnie ne vont pas dans le même sens que les habitudes et les intentions des Acadiens notamment en ce qui regarde le commerce qu'ils entretiennent alors avec le Massachusetts. Malgré les interdictions de commercer avec les Anglais, la compagnie ne réussit pas à renverser cet état de fait. D'ailleurs, comme les prix payés aux comptoirs de la compagnie sont trop élevés, les habitants n'hésitent pas à continuer de s'approvisionner auprès des marchands anglais.

Les activités de police pratiquées par la Compagnie d'Acadie ont des conséquences désastreuses pour les Acadiens. À plusieurs reprises, la compagnie procède à l'arrestation et à la saisie de barques de pêche du Massachusetts, ce qui entraîne des représailles envers des entrepreneurs et les commerçants acadiens qui voient également leurs embarcations saisies. Exposée aux plaintes des habitants et aux destructions répétées des corsaires et des forces navales de la Nouvelle-Angleterre, la Compagnie d'Acadie cesse ses activités au début du XVIIIe siècle. Cette compagnie ne réussit pas à diversifier l'économie de la colonie et à exploiter de façon rentable les pêcheries acadiennes. Les administrateurs envoyés en Acadie pour diriger les opérations de cette compagnie s'avèrent incapables de comprendre la situation acadienne, car ils s'intéressent d'abord aux occasions de profit et d'avancement que la compagnie leur offre. Une grande faiblesse de la compagnie réside dans le fait qu'elle n'encadre pas les entrepreneurs acadiens ainsi que la population dans ses activités économiques.

Depuis la fondation de la colonie acadienne, la morue et les fourrures sont expédiées annuellement en France en échange du ravitaillement de la métropole. L'isolement, le nombre restreint de colons et le peu d'industries dans la colonie rendent l'Acadie dépendante de l'extérieur pour des produits manufacturés. Face à l'incapacité de la France de subvenir à leurs besoins et en raison des difficultés de communications avec la Nouvelle-France, les Acadiens doivent alors se tourner vers un territoire ennemi, le Massachusetts. Grâce à leur proximité, les Acadiens font appel aux marchands bostonnais afin d'échanger du poisson, des surplus agricoles et des fourrures contre des produits recherchés tels que des couteaux, des aiguilles, de la vaisselle, du sucre, de la mélasse et du rhum.

Ce commerce s'intensifie surtout après 1670 quand les marchands bostonnais prennent l'habitude de venir échanger avec les Acadiens. Ces marchands construisent des entrepôts et de grands magasins à Port-Royal où ils mènent des opérations profitables. Peu à peu, l'axe Port-Royal–Boston se dessine, et c'est un jeu pour les marchands bostonnais d'intégrer à leur circuit commercial ce petit peuple français d'Acadie souvent coupé du ravitaillement européen.

Disposant de nombreux produits, de navires, de fortes lignes de crédit et d'un vaste marché intérieur, les marchands anglais dominent facilement les Acadiens dans le besoin. Les besoins de la jeune colonie française sont si grands et les possibilités de profits si attrayantes, que même les officiers du gouvernement français se lancent dans le commerce illégal. Mais les relations que les Acadiens entretiennent avec leurs homologues du Massachusetts se tissent sous le signe de l'endettement et de la subordination économique. La colonie apparaît, à bien des égards, comme un satellite économique de Boston qui en retire tout le bénéfice aux dépens de l'Acadie.

Les Acadiens ne sont donc, tout au plus, que des intermédiaires tolérés dans le système commercial anglais. Les marchands acadiens sont à la remorque des événements politiques et à la merci de l'antagonisme des autorités du Massachusetts puisqu'ils sont dépourvus de capitaux, d'expertise et de leviers de commande. Par contre, selon l'historien Jean Daigle, « [...] leur connaissance du milieu et des besoins locaux ainsi que leurs contacts commerciaux à Boston firent d'eux les pourvoyeurs de la société acadienne[8] [...] ». Grâce à leur activité, la population ne connaît pas trop de problèmes d'approvisionnement ou de rareté de produits manufacturés à la fin du XVIIe siècle.

D'autres secteurs économiques se développent à compter de 1670 en Acadie, dont la transformation et le commerce du bois. Ce type d'industrie locale en attire quelques-uns. Grâce au moulin à sciage, les Acadiens peuvent faire des planches de pin de différentes longueurs ou épaisseurs. Ils utilisent le bois de cerisier qui est lourd mais durable. Le chêne est rare, mais il y a suffisamment de matériaux pour la construction de bateaux. L'importation d'outils, de voiles et d'équipements pour les petits bateaux permet aux Acadiens de construire des bateaux dont ils ont tant besoin pour la pêche et le cabotage. On produit aussi des mâts pour la marine, du merrain[9] et du bardeau.

Des moulins sont établis tôt durant le siècle à Port-Royal. On sait que deux moulins à moudre, un à eau et un à vent, et un deuxième moulin à eau utilisé pour moudre le grain et faire du sciage de bois, sont en fonction à la fin des années 1680. Le moulin à vent est utile, car s'il y a une sécheresse l'été, comme c'est le cas en 1707, les moulins à eau ne peuvent pas fonctionner. Ces moulins produisent beaucoup de farine

---

8. Jean DAIGLE, « Nos amis les ennemis : les marchands acadiens et le Massachusetts à la fin du XVIIe siècle », *Les Cahiers de la Société historique acadienne*, vol. VII, n° 4, décembre 1976, p. 170.

9. Bois de chêne débité en planches destinées surtout à la tonnellerie.

pour nourrir la garnison, les équipages des navires en transit et pour le commerce. En plus des moulins de Port-Royal, il y a sans doute eu des moulins dans d'autres établissements de la colonie.

Quelques Acadiens sont des artisans ou exercent d'autres métiers. Parmi les occupations listées pour les chefs de famille au recensement de 1671, on note, entre autres : quatre tonneliers, deux armuriers, deux charpentiers, un maçon, un tailleur, un fabricant d'outils, un maréchal-ferrant, un tisserand. Mais on manque parfois d'artisans pour répondre aux besoins des Acadiens et des Acadiennes vivant dans la colonie. En 1688, par exemple, le gouverneur Menneval fait une liste des artisans en demande et celle-ci inclut des charpentiers, un charron, un menuisier, des scieurs de long pour faire des planches, des fabricants de bardeaux, des forgerons, un serrurier, un cloutier, un maçon, un fabricant de briques, un boulanger, des gens pour travailler aux fortifications, des travailleurs du textile, des cordonniers et des fabricants de bas.

Conclusion

L'Acadie française connaît des débuts difficiles. La survie des premiers établissements est précaire, car les détenteurs de monopoles s'affrontent en divers lieux et à plusieurs reprises sur le territoire, et la région devient rapidement un terrain privilégié d'affrontement entre la France et l'Angleterre. Lieu de haute tension et de dévastations fréquentes, l'Acadie connaît toutefois un développement important. Le peuplement réel ne commence qu'en 1632 grâce aux efforts colonisateurs de Razilly, et se poursuit de façon significative surtout après 1670. À la fin de la période française, près de 2000 Acadiens et Acadiennes vivent sur le territoire et une majorité d'entre eux habitent les établissements de Port-Royal, des Mines ou de Beaubassin. Comparativement aux populations paysannes européennes, les Acadiens et les Acadiennes ont de bonnes conditions de vie grâce à une économie basée sur l'agriculture, la pêche, le commerce et à certaines petites industries locales.

À la suite de la cession définitive de l'Acadie à la Grande-Bretagne en 1713, les Britanniques doivent, pour la première fois dans leur cheminement impérial, administrer une population d'origine française et catholique. Pour leur part, les Acadiens et les Acadiennes ont à choisir entre habiter en territoire anglais ou émigrer vers les établissements français de l'île Royale ou de l'île Saint-Jean.

CHAPITRE II

L'Acadie anglaise 1713-1763

Les problèmes de transition

La succession d'Espagne relance la guerre en Europe au début du XVIIIe siècle puisque le continent ne veut pas voir l'influence française s'étendre sur la monarchie espagnole. Il faut dire que, depuis 1679, Louis XIV tente de faire de la France la première nation d'Europe et poursuit ainsi une dangereuse politique d'annexion. Une coalition se forme en 1701 incluant l'Angleterre et les Provinces unies. En 1713, après plusieurs années de guerre, la défaite de la France épuisée de Louis XIV est confirmée par le traité d'Utrecht qui met fin à la guerre de la Succession d'Espagne. En Amérique, la baie d'Hudson, Terre-Neuve et l'Acadie sont cédées à la Grande-Bretagne alors que la France conserve l'île Royale, qui remplace Plaisance[1] à titre de colonie de pêche et de commerce dans le golfe du Saint-Laurent. En France, les stratèges sont conscients de ce que signifie la perte de l'Acadie, ce territoire aux grandes vertus stratégiques. Ils s'entendent sur la planification à privilégier pour le développement de l'île Royale, c'est-à-dire peupler ce territoire qui reste français et l'équiper d'une infrastructure militaire pour protéger la Nouvelle-France.

Pour leur part, les Anglais doivent gouverner et administrer une colonie peuplée d'habitants d'origine française et de religion catholique.

---

1. Plaisance avait le statut de colonie française depuis 1666. Ses habitants vivaient principalement de la pêche. Avec la signature du traité d'Utrecht et la perte de Terre-Neuve en 1713, la majorité des habitants de Plaisance ont décidé de se diriger vers l'île Royale ou de retourner en France.

N'empêche que le traité d'Utrecht autorise les Acadiens et les Acadiennes à quitter le territoire occupé dans un délai d'un an « avec tous leurs effets mobiliers qu'ils pourront transporter où il leur plaira[2] ». Une lettre de la reine Anne d'Angleterre au général Francis Nicholson adoucit les termes du traité qui, dorénavant, n'impose pas de limite de temps pour le départ et permet à ceux qui veulent devenir ses sujets de « retenir et posséder » leurs terres.

Au début, la France exerce de grandes pressions envers les Acadiens et les Acadiennes pour provoquer leur départ et orienter leur déplacement vers l'île Royale. Plusieurs s'y rendent en éclaireurs mais en reviennent déçus. Dans une lettre datée du 23 septembre 1713, le curé des Mines, le père Félix Pain, fait allusion aux « [...] terres brutes et nouvelles dont il faut arracher le bois qui est debout, sans avance ni secours[3] ». Le sol rocailleux de l'île et ses brouillards fréquents n'impressionnent pas les hommes des marais. Les missionnaires sont toutefois prêts à coopérer avec les autorités françaises pour encourager la population acadienne à émigrer mais ils veulent plus que des promesses. La France doit leur fournir les ressources nécessaires, c'est-à-dire des vaisseaux et des fonds. Toutefois, contrairement à ce qu'elle offre aux habitants-pêcheurs de Plaisance, les Acadiens n'ont droit qu'à peu de compensation et peu de moyens pour faciliter les déplacements.

Malgré un contexte pas très attrayant, quelques Acadiens et Acadiennes amorcent un premier mouvement d'émigration. Certains posent des gestes positifs indiquant leur volonté de partir dont, entre autres, en construisant des barques ou en n'ensemençant pas leur terre au printemps de 1715, ne voulant pas prendre de retard. Mais ces Acadiens et Acadiennes exigent que la lettre de la reine Anne soit respectée, car ils ne veulent pas partir sans leurs biens, et veulent que la France leur fournisse les vivres nécessaires. Puisque les deux puissances ne répondent pas favorablement à leurs demandes, la plupart décident enfin de rester, espérant, comme ce fut le cas à plusieurs reprises dans le passé, que la France reprenne le contrôle du territoire.

---

2. Naomi E.S. Griffiths, *L'Acadie de 1686 à 1784. Contexte d'une histoire*, Moncton, Éditions d'Acadie, 1997, p. 33.

3. Michel Roy, *L'Acadie des origines à nos jours: essai de synthèse historique*, Montréal, Québec/Amérique, 1981, p. 92.

Dès 1720, il est évident que la politique française visant à attirer la population acadienne vers l'île Royale est vouée à l'échec. Seulement 67 familles sur 500 environ émigrent dans cette colonie française entre 1713 et 1734. De même, peu d'Acadiens et d'Acadiennes se déplacent vers l'île Saint-Jean où la France encourage l'établissement d'une colonie agricole afin d'approvisionner l'île Royale. Les Acadiens et les Acadiennes hésitent à se rendre dans cette colonie qui a peu de prairies naturelles et qui est souvent victime de fléaux qui détruisent les récoltes. Ces facteurs ne sont pas de nature à les encourager à s'y installer et le recensement de l'île Saint-Jean de 1735 confirme que, cette année-là, seulement 162 des 432 colons — 35,5 % — sont d'origine acadienne.

Par contre, les autorités françaises comprennent vite qu'il vaut peut-être mieux que les Acadiens et les Acadiennes demeurent en Nouvelle-Écosse. S'ils quittent, ils ouvrent la porte à la colonisation anglaise, nuisant ainsi aux plans de reconquête du territoire. Du côté anglais, on remet aussi en question le projet de les laisser partir en imposant plusieurs obstacles tels retarder la décision jusqu'à échéance du délai officiel ou encore nuire à la construction des barques ainsi qu'à la vente des biens. Les Anglais agissent ainsi pour plusieurs raisons, sachant très bien que les Acadiens et les Acadiennes peuvent emmener avec eux le réseau des relations et du commerce indigène et aider l'île Royale à devenir une colonie très puissante. Bref, la Nouvelle-Écosse devient privée d'une population utile puisque la garnison ne peut pas subsister sans eux. On n'a pas encore de colons anglais pour occuper les terres et les cultiver. Jusqu'à la fin des années 1740, ce rapport de dépendance à l'égard des conquis oblige les Anglais à se montrer conciliants dans l'exercice de leur pouvoir.

Le politique

Les structures politiques

L'administration anglaise dispose de peu de moyens pour resserrer son contrôle sur la majorité acadienne puisque la métropole anglaise est alors en période de restrictions financières et n'accorde aucun crédit pour la colonisation de l'Acadie, devenue Nouvelle-Écosse. La garnison est restreinte et les fortifications sont à peine reconstruites. Les gouverneurs nommés au cours des années suivantes ne viennent que rarement dans la colonie et préfèrent déléguer leurs pouvoirs à des lieutenants-gouverneurs. Les militaires Vetch et Nicholson sont remplacés, en 1717, par le colonel Richard Philipps qui gouverne jusqu'à ce qu'il soit remplacé par Edward Cornwallis en mai 1749.

Le choix d'un nouveau gouverneur pour succéder à Vetch fait partie du projet du gouvernement britannique de régler le désordre dans lequel se trouvent les affaires de la Nouvelle-Écosse. Depuis la prise de Port-Royal en 1710 et la ratification du traité d'Utrecht en 1713, les Anglais n'exercent sur la Nouvelle-Écosse qu'un contrôle irrégulier et inefficace. Il faut maintenant un officier supérieur à Annapolis Royal pour que celui-ci gouverne la colonie, obtienne de la population acadienne un serment de fidélité et maintienne son autorité. Ces objectifs ne sont cependant pas atteints puisque, de 1719 — année de l'annonce officielle de sa nomination — à 1749, Philipps passe à peine cinq ans en Nouvelle-Écosse, soit de 1720 à 1723 et de 1729 à 1731. Les Acadiens doivent donc négocier avec ses principaux subordonnés : le capitaine John Doucett (1717-1726), le major Lawrence Armstrong (1725-1739) et le major Paul Mascarène (1740-1749).

Deux types de gouvernements se succèdent en Acadie anglaise. De 1713 à 1720, un gouvernement de type militaire, ne comprenant aucun civil, règne sur la colonie. Les décisions sont prises par un conseil composé de militaires et les cas de justice sont soumis à un tribunal militaire. En 1720, on instaure une structure civile calquée, en grande partie, sur le modèle des autres colonies anglaises. Un gouverneur, qui a les pleins pouvoirs civils et militaires, est assisté d'un lieutenant-gouverneur et d'un conseil de 12 membres. Une *General Court* est constituée et s'occupe, tous les trois mois, des affaires de justice. Bien qu'il ne peut être question d'une Chambre d'assemblée, puisque la population est majoritairement française, une sorte de représentation acadienne est cependant organisée, pour permettre aux Anglais de faire connaître les politiques adoptées. Chaque district acadien est représenté par un député — d'abord nommé puis élu chaque année. En 1748, par exemple, il y a 24 députés acadiens issus des quatre régions : Annapolis, Cobequid, les Mines et Beaubassin. Ceux-ci doivent voir au maintien de l'ordre, à l'entretien des routes, des ponts et des digues. De façon générale, cet appareil sert d'intermédiaire entre la population acadienne et le gouvernement anglais. Les députés informent leur population des mesures et des lois anglaises et font valoir leur position au gouvernement et aux *Lords* du commerce. Ces représentants acadiens sont choisis, la plupart du temps, parmi ceux qui jouissent d'une certaine influence dans leur milieu et sont convoqués périodiquement par les autorités anglaises pour toutes sortes de questions. Ce sont eux qui, à plusieurs reprises, refusent au nom de la population de prêter un serment d'allégeance inconditionnel à la Couronne britannique.

Le serment de fidélité

Dans leur correspondance officielle, les autorités anglaises font souvent allusion à l'esprit d'indépendance et à l'indiscipline du peuple acadien. En 1720, par exemple, le major Mascarène, parlant des habitants des Mines, affirme: « All the orders sent to them if not suiting to their humors, are scoffed and laughed at, and they put themselves upon the footing of obeying no Governement[4]. »

Cela devient évident dans le débat entourant le serment d'allégeance à la Couronne britannique. La principale préoccupation de l'administration anglaise de l'époque est de faire des Acadiens de fidèles sujets britanniques en leur faisant prêter un serment d'allégeance. À cause des problèmes politiques et religieux que connut l'Angleterre, les souverains, à différentes époques de leur règne, surtout à leur accession au trône, exigent ce serment par lequel la population jure fidélité au monarque. Cette pratique est aussi courante dans d'autres pays européens où, avec le temps, le serment d'allégeance et le droit de propriété deviennent étroitement liés. Ainsi, seulement les fidèles sujets peuvent acquérir et exploiter une terre en Angleterre et les Britanniques veulent donc étendre cette pratique à la Nouvelle-Écosse.

Le commandant Vetch, de 1710 à 1713, tente de faire prêter le serment d'allégeance à la Couronne britannique. Les Acadiens refusent, préférant y inclure des réserves dont le respect de la religion et la neutralité dans tout conflit impliquant les Français et les Amérindiens. Cette attitude est perçue, par les autorités anglaises, comme étant incompatible avec les lois et les traditions britanniques. Pour eux, il est impensable

4. Tel que cité par Michel Roy, *op. cit.*, p. 96. L'extrait traduit se lit comme suit: « Toutes les consignes qui leur sont envoyées, si elles ne conviennent pas à leurs caprices, provoquent des moqueries, des rires et ils refusent d'obéir à tout gouvernement. »

qu'un sujet britannique refuse de prendre les armes pour soutenir les intérêts de l'empire et prétende se prévaloir en même temps de tous les droits et privilèges qui s'attachent au concept de loyauté. Tel est le dilemme que les administrateurs anglais ne peuvent pas résoudre pacifiquement, comme le confirment les échecs du lieutenant-gouverneur Armstrong et du gouverneur Philipps.

Armstrong réunit des Acadiens d'Annapolis au fort le 25 septembre 1726 pour leur présenter un serment de fidélité où on leur demande d'être des sujets *sincères* de l'Angleterre, de jurer « obéissance et soumission » et d'affirmer que « nul espoir d'obtenir l'absolution de la part du clergé » ne puisse leur faire renier leur serment. Les Acadiens demandent à être exemptés de tout service militaire et, après discussion, Armstrong accepte d'inscrire l'exemption en marge du document, espérant ainsi surmonter petit à petit la répulsion des Acadiens.

Il fait une nouvelle tentative pour imposer un serment sans conditions en septembre 1727. Cette fois les Acadiens d'Annapolis Royal y mettent plusieurs conditions, y compris l'exemption du service armé et la permission d'avoir plus de prêtres. Armstrong et le Conseil manifestent leur mécontentement en arrêtant quatre délégués acadiens, dont trois font un bref séjour en prison. Les chances d'Armstrong d'imposer un serment sans conditions sont anéanties en 1728 lorsqu'il traite brutalement le père René-Charles de Breslay. Armstrong croit que ce prêtre se mêle des questions civiles et, dans sa colère, ordonne le pillage de sa maison, l'obligeant à se réfugier dans la forêt. Cette façon d'agir offusque la population locale.

Philipps croit être parvenu à faire prêter le serment inconditionnel vers 1730. Sa stratégie vise alors à profiter de l'oppression créée par Armstrong et à imposer le serment après avoir calmé les habitants. Il rétablit donc le père Breslay dans sa paroisse et assure les Acadiens que le gouverneur se prépare à leur confirmer la possession de leurs terres. La condition de neutralité est acceptée verbalement et la formule se lit comme suit : « I promise and swear on the faith of a Christian that I will be truly faithfull and will submit myself to his Majesty King George the Second, whom I acknowledge as the Lord and Sovereign of Nova Scotia or Acadia. So help me God[5]. » Mais Philipps n'envoie pas en Angleterre

5. *Ibid.*, p. 98. Le serment traduit se lit comme suit à l'époque : « Je promets et jure sincerement en foi de chrétien que je serai entièrement fidele, et obeirai vraiment sa

la copie française du texte du serment où l'on a notarié la promesse verbale que : « [...] les habitants lorsqu'ils ont prêté le serment ci-contre, qu'ils ne seroient point obligés de prendre les armes contre la France ni contre les Sauvages, et les dits habitants ont promis, de plus, qu'ils ne prendroient point les armes contre le Roi d'Angleterre ni contre son gouvernement[6] ».

Philipps accorde alors le serment avec réserve puisque les Britanniques ne sont toujours pas en mesure de faire respecter un serment sans réserve. Dans ce contexte, la meilleure chose à espérer des Acadiens est qu'ils restent neutres. En général, les autorités anglaises acceptent cette formule mitoyenne dans le but de retenir les Acadiens qui leur sont toujours indispensables. Ce n'est qu'à partir de 1749, quand le potentiel militaire et la situation démographique des Anglais s'améliorent — à la suite de la fondation d'Halifax et de l'arrivée de colons protestants —, que des dirigeants anglais, Edward Cornwallis et Charles Lawrence, réitèrent la demande de prestation d'un serment inconditionnel.

Durant toutes ces années, les Acadiens ne veulent pas assumer les responsabilités militaires de l'occupant, et ce, pour plusieurs raisons. Tout d'abord, les Amérindiens, alliés des Français, leur tiennent le couteau sur la gorge et les forces anglaises sont, selon eux, incapables d'assurer leur sécurité. Ensuite, prendre les armes risque de les conduire à un affrontement avec certains des leurs c'est-à-dire avec les Acadiens de l'île Royale et ceux qui vivent dans d'autres établissements français. L'issue du conflit est inconnue, de sorte que les Acadiens n'excluent pas la possibilité d'une reprise du territoire par les forces françaises. Et finalement, les Acadiens sont des paysans, non des militaires. Ainsi, au grand dam des Français et au soulagement des Britanniques, la majorité des Acadiens demeurent neutres quoiqu'il soit évident que quelques-uns collaborent activement avec l'un ou l'autre des camps.

Majesté le roy George le Second, qui je reconnoi pour le souvrain seigneur de l'Accadie ou Nouvelle Écosse. Ainsi Dieu me soit en aide ».

6. Le texte de la promesse est reproduit dans Naomi E.S. Griffiths, *The Acadians: Creation of a People*, Montréal, McGraw-Hill Ryerson, 1973, p. 26.

La forteresse de Louisbourg

Pendant que les Britanniques tentent de resserrer leur contrôle sur la Nouvelle-Écosse et d'imposer le serment d'allégeance à la population acadienne, les Français déploient des efforts pour peupler l'île Royale et l'équiper d'une infrastructure militaire en y construisant une forteresse. Même si peu d'Acadiens émigrent à l'île Royale, un fort courant migratoire de France et de Terre-Neuve se produit à cet endroit. La population de l'île passe de 700 habitants en 1715 à 4122 en 1752. Malgré le fait que Louisbourg soit le principal établissement, d'autres villages connaissent une activité économique, comme Saint-Pierre avec l'exploitation des mines d'ardoise et Niganiche avec son port de pêche important.

L'érection d'une forteresse à un endroit stratégique vise à défendre l'entrée du golfe du Saint-Laurent, à protéger la colonie de la Nouvelle-France et à préparer un retour offensif pour la reconquête de la Nouvelle-Écosse. La construction débute en 1720. Les principaux obstacles qui se présentent avec le site choisi sont les glaces au printemps et les brumes qui se lèvent souvent entre avril et la fin de juillet. En dépit des problèmes, Louisbourg figure au premier plan de la politique française qui vise à contenir l'expansion des colonies anglaises.

La forteresse coûte plusieurs millions de livres françaises à l'époque — sans compter les frais de fonctionnement — et fournit du travail à de nombreux ouvriers en plus de créer une demande importante pour des matériaux de construction tels le bois, la pierre et l'ardoise. Ces dépenses favorisent l'économie de l'île Royale jusqu'à la fin de la période française. Des ingénieurs militaires français supervisent les travaux de construction et la main-d'œuvre est recrutée en France. Les soldats servent de manœuvres. La forteresse est conforme en tous points à la tradition architecturale militaire française ayant deux flancs et deux faces, avec les bastions servant d'ouvrages défensifs faisant saillie sur le mur d'enceinte de la ville. Louisbourg ressemble donc à une ville coloniale française de l'époque et elle devient rapidement une ville commerciale importante.

Le gouverneur et le commissaire-ordonnateur régissent la vie de la colonie et correspondent directement avec le ministre de la Marine, également responsable des colonies françaises d'outre-mer. Le poste de gouverneur, le principal représentant du roi, est toujours confié à des officiers supérieurs de l'armée ou de la marine, nés en France. Le détenteur de ce poste, qui est commandant en chef de l'armée et responsable des relations extérieures, doit consulter le commissaire-ordonnateur pour les questions financières, l'ordre public et la justice. Ces dirigeants doivent aussi voir à l'administration de l'île Saint-Jean, qui demeure, de 1720 à 1758, une dépendance du gouvernement de Louisbourg.

Louisbourg est pratiquement un chantier permanent à cause des modifications des plans initiaux et des lacunes de l'emplacement, y compris la mauvaise qualité des matériaux. Certains ont aussi fait allusion à la corruption des administrateurs qui empochent une partie des sommes allouées à la construction. Malgré ces difficultés, Louisbourg maintient pendant longtemps encore la réputation d'être imprenable, grâce à ses redoutables fortifications. En effet, les dirigeants français considèrent alors Louisbourg comme le *rempart* du Canada et l'estiment capable de résister à une attaque de la Nouvelle-Angleterre et même de décourager une telle tentative.

La guerre de Succession d'Autriche : les étapes principales en Acadie

Les années 1740 donnent l'occasion aux dirigeants français de vérifier la puissance de l'île Royale et de sa forteresse puisque cette décennie est marquée par la guerre de Succession d'Autriche. L'Angleterre lutte alors aux côtés de l'Autriche pour la défense des droits de l'impératrice Marie-Thérèse contre la France et la Prusse. De par leurs liens avec leur métropole respective, les colons vivant en Amérique du Nord se lancent eux aussi dans la guerre. Les autorités de Louisbourg croient que les Acadiens désirent se joindre aux troupes françaises pour déloger les Anglais et, de leur côté, les autorités d'Annapolis Royal craignent que les Acadiens se soulèvent en masse. Le comportement de la population acadienne déjoue toutes les prévisions. À cause de leur passé et en vertu du serment qu'ils prêtent en 1730, les colons acadiens optent pour la neutralité. Il est certain que quelques-uns collaborent d'un côté comme de l'autre mais, dans l'ensemble, la majorité demeure neutre.

La guerre entre la France et la Grande-Bretagne est déclarée le 15 mars 1744. À l'ouverture des hostilités, la population acadienne dépasse 10 000 habitants ; celle de la Nouvelle-France, 45 000. Dans les colonies anglaises, la population atteint le million. Les autorités françaises de Louisbourg sont les premières à apprendre la nouvelle en Amérique, et en 1744 lancent une attaque surprise sur le poste de pêche de Canceau. Au mois d'août, une expédition de la forteresse échoue dans ses tentatives de prendre Annapolis Royal. L'année suivante, c'est au tour de la Nouvelle-France de mener une offensive en Nouvelle-Écosse. Elle envoie le sieur Marin de La Malgue accompagné de 100 miliciens et 400 Amérindiens qui, en plein hiver, se rendent à Beaubassin par voie de terre. Traversant tous les établissements acadiens pour y trouver des recrues, la troupe se présente devant Annapolis Royal en mai. Le siège doit être levé à la fin du mois car le commandant de La Malgue reçoit l'ordre de se rendre de toute urgence à Louisbourg qui est attaquée par des troupes de la Nouvelle-Angleterre.

Depuis le début de la guerre en Europe, les colons anglais de la Nouvelle-Angleterre cherchent l'occasion de faire disparaître la présence française en Amérique. Avant d'y arriver, il faut attaquer Louisbourg, le centre de défense à l'entrée du golfe du Saint-Laurent. Les colons de la Nouvelle-Angleterre y tiennent puisque la présence de Louisbourg dans le circuit commercial de l'Atlantique fait mal à l'économie de la Nouvelle-Angleterre. Le gouverneur William Shirley du Massachusetts parvient à vaincre les résistances formulées contre une attaque de la forteresse et à mettre sur pied un contingent de 4000 miliciens venant surtout de sa colonie. Ces volontaires sont commandés par William Pepperell, un officier des troupes coloniales, et sont accompagnés d'une flotte britannique composée de dix vaisseaux de guerre.

Après un siège de 45 jours, le gouverneur de Louisbourg, Louis du Pont du Chambon, doit capituler, évoquant le piètre moral et le manque de discipline des troupes françaises ainsi que la difficulté de trouver du ravitaillement. Les troupes françaises sont aussi moins nombreuses que les troupes ennemies puisque ce gouverneur ne dispose que de 590 soldats et de 900 miliciens. Les termes de la capitulation ne sont pas respectés, et les miliciens anglais se livrent à un pillage de la forteresse tandis que la population française est renvoyée en France. Louisbourg se révèle cependant plus meurtrier pour les miliciens anglais qui y sont laissés en garnison. En effet, plus de 1200 d'entre eux périssent durant la période d'occupation, de 1745 à 1749, à cause des mauvaises conditions sanitaires et climatiques ainsi que des difficultés de ravitaillement. Des établissements de l'île Saint-Jean sont aussi attaqués par les troupes de Pepperell en 1745 alors que les installations de Trois-Rivières sont détruites et le fort et les bâtiments de Port-Lajoie sont incendiés. Dans l'accord signé à Louisbourg, les autorités anglaises promettent de ne pas ennuyer les habitants de l'île Saint-Jean et leur donnent une année pour la quitter.

La nouvelle de la prise de Louisbourg cause beaucoup de consternation et la France se doit maintenant de frapper un grand coup. Elle prévoit donc, avec l'aide de la Nouvelle-France, une attaque pour reprendre à la fois l'île Royale et la Nouvelle-Écosse.

Jean-Baptiste-Louis-Frédéric de La Rochefoucauld de Roye, duc d'Anville et lieutenant-général des armées navales, est chargé du commandement d'une flotte de 72 bateaux et d'environ 7000 hommes. Un officier de la Nouvelle-France, Jean-Baptiste-Nicolas-Roch de Ramezay, avec ses 750 soldats, doit, par voie de terre, lancer une attaque contre la capitale de la Nouvelle-Écosse. Mais, une fois rendu à Annapolis Royal durant l'été de 1746, Ramezay apprend que la flotte française a été décimée par une terrible tempête sur mer qui a fait périr près de la moitié de ses effectifs et a dispersé les bateaux. Il doit donc retourner à Beaubassin. Le commandant d'Anville meurt en arrivant en Nouvelle-Écosse, ce qui incite les survivants à retourner en France, constatant que l'expédition est un échec total.

Afin de stabiliser la situation dans sa colonie, le lieutenant-gouverneur Mascarène décide d'envoyer une garnison aux Mines durant l'hiver 1746-1747. Cette garnison est attaquée par les troupes de Ramezay en janvier 1747 et, au terme de plusieurs heures de combats acharnés, les soldats anglais doivent se rendre. C'est une victoire française mais la guerre est loin d'être gagnée puisque les Anglais se réintroduisent dans la région durant les mois suivants et la milice de la Nouvelle-France est rappelée à Québec.

Les Acadiens, qui se félicitent d'être demeurés neutres durant la guerre, ne se doutent pas que les autorités anglaises commencent à envisager plus précisément l'avenir de la Nouvelle-Écosse ainsi que le sort de sa population française et catholique qui ne cesse de croître à un rythme accéléré. Le démographe Raymond Roy estime que la population est passée de 2296 habitants en 1714 à 13 000 en 1755. Parmi ceux-ci, plus de 10 000 vivent en territoire acadien, sous contrôle anglais, et leurs principaux centres de peuplement hors des îles françaises sont Les Mines, Annapolis Royal, Chignectou, Pisiquid, Memramcook-Petitcodiac-Shepody et Cobequid-Tatamigouche. L'avenir des Acadiens est constamment au centre des préoccupations du gouvernement anglais et surtout du gouverneur Shirley du Massachusetts qui propose une politique à double volet: faire partir la population acadienne et encourager une immigration anglaise.

Le rétablissement de la paix en 1748 par le traité d'Aix-la-Chapelle ramène le *statu quo ante*, ce qui déplaît beaucoup aux colons anglais car la France se fait remettre Louisbourg et l'île Saint-Jean. Le Board of Trade — ministère des Colonies de la Grande-Bretagne — est alors soumis à de nombreuses critiques. Pour la Nouvelle-Angleterre, et surtout le Massachusetts, le traité est un affront et une grande source de frustration. Le gouverneur Shirley n'a-t-il pas joué un rôle prépondérant dans l'organisation de l'expédition contre Louisbourg ? Devant l'ampleur des protestations, le gouvernement britannique indemnise cette colonie pour les pertes encourues.

La décision de fonder Halifax, du nom de lord Halifax, président du Board of Trade, en 1749 marque un tournant dans la politique anglaise. Alors qu'auparavant les Anglais visaient surtout à conquérir de nouveaux marchés et des matières premières, ils tendent maintenant vers la possession de territoires. Trois objectifs sont fixés: fonder en Acadie un centre de peuplement pour les Britanniques, créer une importante base militaire et navale, et établir un centre pour les pêcheurs britanniques. À la suite de pressions et de recommandations des colonies, le Board of Trade décide de faire de cette entreprise quelque chose de grandiose et d'important. La marine, l'armée et le trésor britanniques sont mis à contribution. En la seule année de 1749, plus de 2000 colons, y compris de nombreux pêcheurs et commerçants de la Nouvelle-Angleterre, attirés par des largesses publiques, sont transportés et établis dans le havre de Chédabouctou, rebaptisé Halifax. La tâche du nouveau gouverneur Cornwallis est de « britanniser » la Nouvelle-Écosse par des institutions et des lois, ainsi que de fortifier cet établissement qui devient la nouvelle capitale de la colonie. Les autorités anglaises sont conscientes de la difficulté d'assurer la protection des Anglais vivant dans la région de la capitale, étant donné la présence des Micmacs à proximité.

Les stratégies des puissances européennes à l'égard des Amérindiens

Depuis 1713, les Amérindiens observent, apprennent et perfectionnent des techniques de résistance puisque leur grande faiblesse demeure leur nombre. Vers 1716, on estime qu'il y a 260 familles micmaques sur le territoire alors qu'en 1722 on parle de 838 individus habitant les territoires de la Nouvelle-Écosse et de l'île Royale. Ces données sont cependant peu fiables car les Européens ont tendance à comptabiliser seulement ceux et celles qui assistent aux cérémonies religieuses ou autres. Quoi qu'il en soit, les chercheurs s'accordent pour affirmer que le nombre d'Amérindiens et d'Amérindiennes diminue de beaucoup durant les XVIIe et XVIIIe siècles.

Malgré le déclin de leur population, les Micmacs, avec la signature du traité d'Utrecht, sont d'une grande importance stratégique pour la France qui les perçoit comme des forces auxiliaires à être réimplantées pour défendre adéquatement la Nouvelle-France. Les Anglais les voient plutôt comme des sujets qui doivent respecter les traités, continuer le commerce et partager les terres avec les colons britanniques. Les Amérindiens se rendent compte très vite qu'ils peuvent utiliser leur position et obtenir des avantages des deux côtés afin de demeurer sur leurs terres et d'obtenir le maximum de biens des Européens.

La France possède toutefois un avantage dans ses rapports avec les autochtones. En effet, ses prêtres ont une certaine influence sur ceux qui pratiquent plus ou moins le catholicisme. Quelques prêtres peuvent communiquer dans la langue micmaque, ce qui facilite les échanges. En 1738, par exemple, les prêtres dirigent trois missions à l'île Royale et à l'île Saint-Jean où ils enseignent aux Amérindiens la religion et la loyauté à la France. Parmi les missionnaires qui œuvrent alors auprès des Amérindiens, il y a les pères Antoine Gaulin, Michel Courtin, Pierre Maillard et Jean-Louis LeLoutre. Ce dernier sera accusé à maintes reprises de leur inculquer l'hostilité envers les Anglais.

De plus, pour conserver la fidélité des Micmacs, la France encourage le maintien de la politique des cadeaux, de plus en plus répandue après 1720. On leur offre annuellement, au nom du roi de France, des armes, de la nourriture et des vêtements alors que les Anglais optent plutôt pour les traités de soumission, d'amitié. Ils demandent aux Amérindiens de prêter le serment d'allégeance au nouveau roi, de faire le commerce seulement avec les sujets de la Grande-Bretagne et de se préparer paisiblement à partager leurs terres avec des colons anglais. En retour, les Anglais ne leur accordent que la liberté religieuse. Faut-il se surprendre de constater que l'approche de la France a de biens meilleurs résultats ? En fait, ce sont les Anglais qui sont les plus menaçants pour les Amérindiens, surtout en ce qui concerne la définition britannique de la propriété terrienne qu'il leur est impossible à accepter.

Les Micmacs et la guerre : attaques sur mer et sur terre

La défense de leurs terres et la protection de leurs intérêts commerciaux amènent donc les Micmacs à prendre part aux rivalités entre les puissances européennes, aux côtés de leurs importants partenaires commerciaux, les Français. Ce conflit, qui dure depuis le début du XVIIe siècle, s'intensifie durant la période de 1713 à 1763 alors que les Micmacs deviennent des acteurs particulièrement importants dans ces batailles souvent violentes. Un des principaux théâtres de la guerre est le riche territoire de pêche au large de la côte est de la Nouvelle-Écosse, du cap Sable à Canceau. Puisque personne ne connaît mieux la côte que les Amérindiens, il n'est pas étonnant que plusieurs s'empressent d'utiliser leurs compétences pour effectuer des attaques.

Chacun cherche à utiliser les Amérindiens à ses propres fins : les Français en encourageant la guérilla contre les Britanniques, et les Britanniques en s'efforçant de gagner l'amitié des Amérindiens ou, du moins, de faire cesser les hostilités, de sorte que le commerce puisse se développer et la colonisation se poursuivre. Ne prenant pas au sérieux les objectifs et les aspirations des Amérindiens, les Britanniques sous-estiment leurs motifs et surestiment l'emprise des Français.

Dès 1712, les Micmacs démontrent qu'ils n'entendent pas se laisser intimider par les Anglais. Ils déclarent alors à l'envoyé de Francis Nicholson qu'ils ne peuvent tolérer aucun nouvel établissement anglais le long de la côte acadienne et que les navires anglais qui osent s'aventurer sur ces eaux le font à leurs risques et périls. Ils gardent leur parole, et plusieurs vaisseaux anglais sont capturés et pillés. Les Amérindiens mènent, au cours des années suivantes, une véritable guérilla efficace sur terre et sur mer. Les Français ne tardent pas à le comprendre et font remarquer que de telles tactiques rendent quelques guerriers « [...] plus redoutables qu'une armée de deux ou trois milliers de soldats européens[7] ».

Bien que les attaques maritimes des Amérindiens contre les Britanniques remontent au milieu du XVIIe siècle et se poursuivent jusqu'en 1760, la partie la plus importante de ces assauts a lieu entre 1713 et 1730,

7. Olive Patricia DICKASON, « La Guerre navale des Micmacs contre les Britanniques, 1713-1763 », dans *Les Micmacs et la mer*, sous la direction la direction de Charles A. MARTIJN, Montréal, Recherches amérindiennes au Québec, 1986, p. 240.

avec une reprise de moindre importance dans les années 1750, après la fondation d'Halifax. Les activités maritimes des Micmacs atteignent un sommet en 1722 lorsqu'ils capturent 20 à 25 vaisseaux dans la baie Française et au large des côtes de la Nouvelle-Écosse. Les *raids* et autres incidents se succèdent, de part et d'autre, au cours des années suivantes. Selon les Français, les Anglais ne font plus sécher leur poisson sur les rivages à l'est de l'Acadie, car les Micmacs rôdent le long de la côte du printemps à l'automne. Lorsque les Anglais fondent Halifax sur leur territoire de chasse favori, les Micmacs protestent. Pour les Amérindiens, la fondation d'Halifax signifie que les Anglais convoitent maintenant leur territoire de façon agressive.

Déclaration des Micmacs aux Anglais s'ils refusent d'abandonner Kchibouktouk (Halifax)

(C'est ainsi qu'écrivent les chefs sauvages au Gouverneur de Kchibouktouk — 1749)

Seigneur

L'endroit où tu es où tu fais des habitations, où tu bâtis un fort, où tu veux maintenant comme t'enthroniser, cette terre dont tu veux présentement te rendre maître absolu, cette terre m'appartient, j'en suis certes sorti comme l'herbe, c'est le propre lieu de ma naissance et de ma résidence, c'est ma terre à moy sauvage ; oui, je le jure, c'est Dieu qui me l'a donnée pour être mon païs à perpétuité.

Que je te dise donc d'abord les dispositions de mon cœur à ton égard, car il ne se peut que ce que tu fais à K'chibouktouk ne m'allarme. Mon Roy et ton Roy on fait entr-eux le partage des terres ; c'est ce qui fait qu'aujourd'huy ils sont en paix. Mais moy il ne se peut que je fasse paix ou alliance avec toy. Montre-moy où moy sauvage me logerai ? Tu me chasses toy ; où veux tu donc que je me réfugie ? Tu t'es emparé de presque toute cette terre dans toute son étendue. Il ne me restoit plus que Kchibouktouk. Tu m'envies encore ce morceau, jusque-là même que tu veux m'en chasser. Je connois par là que tu m'engage toy-même à ne cesser de nous faire la guerre, et à ne jamais faire alliance entre nous. Tu te glorifies de ton grand nombre moi sauvage en petit nombre ne me glorifie en autre chose qu'en Dieu qui sçait très-bien tout ce dont il s'agit ; un ver de terre sçait regimber quand on l'attaque. Moy sauvage il ne se peut que je ne croye valoir au moins un tant soit peu plus qu'un verre de terre à plus forte raison sçaurai-je me deffendre si on m'attaque.

Ta résidence au Port-Royal ne me fait pas grand ombrage. Car tu vois que depuis longtems je t'y laisse tranquile, mais présentement tu me forces d'ouvrir la bouche par le vol considérable que tu me fais. J'iray bientôt te voir, peut-être recevras-tu bien ce que je te dirai; si tu m'écoutes et que tu me parles comme il faut. Et que tu éxécutes tes belles paroles, je connoîtrai par là que tu ne cherches que le bien, de sorte que toutes choses prendront un bon tour; je ne t'en dis pas davantage pour ne pas plus longtems rompre la tête par mes discours.

Je te salue, Seigneur

Ecrit au Port Toulouse cinq jours avant la Saint-Michel

Source: *Collection de documents inédits sur le Canada et l'Amérique, le Canada français,* 1:17,19.

Tous les partis commettent des atrocités au cours de ces années et tant les Anglais que les Français achètent des scalps sans trop s'interroger sur leur provenance. Les attaques maritimes se poursuivent et deviennent plus violentes même après la chute de Louisbourg en 1758. Mais, suite à la paix de 1761, les colons arrivent de plus en plus nombreux et les attaques sur mer ou sur terre par les Amérindiens deviennent inutiles. Ceux-ci ne peuvent plus résister, d'autant plus qu'ils manquent de munition depuis le départ des Français. Selon Stephen E. Patterson, un élément clé dans l'effondrement des Amérindiens en tant que force de combat est le retrait de leur soutien logistique. Sans l'approvisionnement en armes et munitions des Français et sans les Acadiens et Louisbourg pour les nourrir, ils se retrouvent soudainement dans la même misère désespérée que les groupes d'Acadiens dispersés. La grande détresse et le constat que leurs voisins acadiens sont dans des conditions encore plus misérables les forcent à capituler lorsqu'ils repèrent des troupes britanniques[8]. Donc, l'une après l'autre, les bandes micmaques et malécites signent des accords. Au cours du long conflit, les Micmacs et les Malécites prouvent leur astuce en tournant les rivalités impériales des envahisseurs à leur avantage quoiqu'à long terme ils se retrouvent en train de lutter pour survivre.

La défaite de la France et la perte définitive de l'Acadie en 1763 sont désastreuses pour de nombreux Amérindiens. Ils perdent leur pouvoir de marchandage entre deux puissances rivales et voient disparaître leur approvisionnement en présents. En effet, les Britanniques maintiennent

8. Stephen E. Patterson, « 1744-1763. Colonial Wars and Aboriginal Peoples », dans Buckner, Philip A., et John G. Reid (sous la direction), *The Atlantic Region to Confederation. A History*, Fredericton et Toronto, Acadiensis Press et University of Toronto Press, 1994, p. 149.

cette pratique française durant les années 1760 car il n'y a pas d'autre solution réaliste pour s'assurer de la collaboration des Amérindiens. Mais, avec les années, ils ne voient plus la nécessité de conserver cette coutume qui, selon eux, s'apparente à la corruption. Par contre, aux yeux des Amérindiens, les cérémonies annuelles de remise de présents ne symbolisent pas uniquement le renouvellement des alliances. Elles représentent aussi le prix dont conviennent les autochtones pour laisser les Français, puis les Anglais occuper leurs terres. D'ailleurs, le dossier de l'occupation des terres reste au centre des débats au cours des années suivantes lorsque les autorités coloniales montrent peu d'intérêt à déloger les colons qui occupent des terres que les Amérindiens considèrent les leurs. Avec les années, des terres sont cependant réservées pour les différentes tribus et, au début du XIXe siècle, des réserves officielles seront établies à travers la région.

La phase finale : la déportation des Acadiens et des Acadiennes

Il n'est pas surprenant que les autorités britanniques démontrent peu d'empressement à répondre aux revendications amérindiennes à compter de 1763. Sans doute ont-ils frais à l'esprit le climat d'insécurité que leur imposent les Micmacs, même après le traité d'Aix-la-Chapelle de 1748. Il rétablit peut-être la paix en Europe mais, aux yeux des Britanniques, il ne règle pas les problèmes de l'Amérique. Le temps des solutions diplomatiques est fini et ils veulent coloniser la Nouvelle-Écosse, quitte à devoir surmonter des difficultés importantes. En plus de l'hostilité amérindienne, la rivalité commerciale de Louisbourg nuit à leur expansion et plusieurs croient que la colonie est la clé de toute l'économie de l'est sur le continent atlantique. Donc, il faut la « britanniser », ce qui implique relier Halifax, la nouvelle capitale, aux centres de peuplement acadien. Dans ce contexte, la neutralité acadienne n'a plus de sens et il faut imposer une formule de serment inconditionnel. On hésite à reconnaître leurs titres de propriété, de peur qu'ils refusent de prêter le serment. Si on les oblige au serment avant de reconnaître leurs titres, ils risquent, comme l'ont déjà fait plus de 3000 des leurs, de quitter la Nouvelle-Écosse et de passer en territoire français. En effet, plusieurs familles acadiennes préfèrent alors s'éloigner de la péninsule pour se réfugier auprès de leurs compatriotes établis hors du territoire sous contrôle anglais, à Chipoudy, Memramcook, en amont de la Petitcodiac ou encore vers les

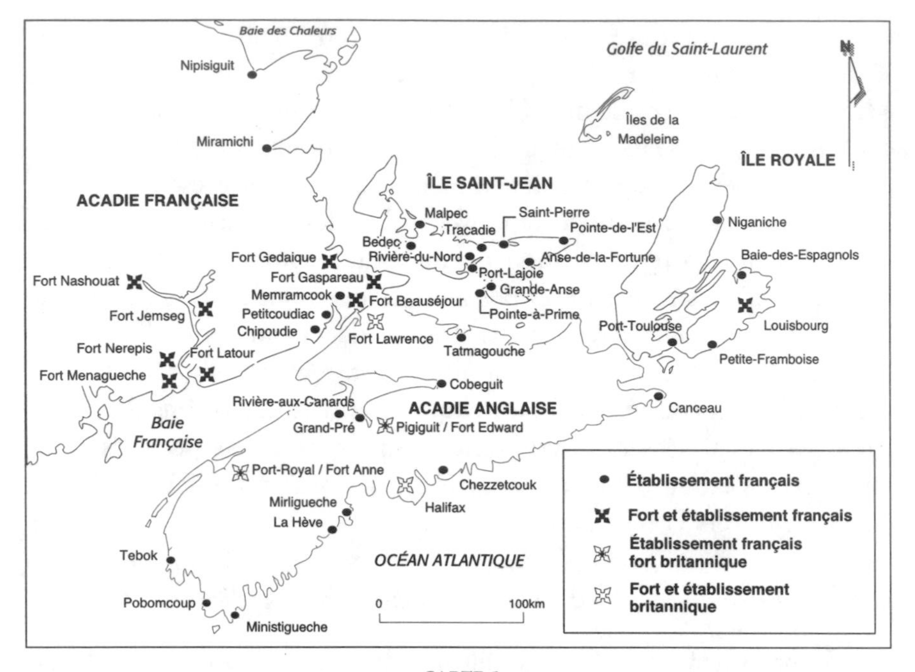

CARTE 1

Centres de peuplement et fortifications en Acadie en 1751.
Source : Jean Daigle (dir.), *L'Acadie des Maritimes, études thématiques des débuts à nos jours*, Moncton, Chaire d'études acadiennes, 1993, p. 33.

établissements de la rivière Saint-Jean. La migration de familles se poursuit également sur les côtes du détroit de Northumberland à Cocagne, de Bouctouche jusqu'à Miramichi, de même qu'à l'île Saint-Jean et à l'île Royale.

Entre-temps, les Français tentent de renforcer la cohésion de la Nouvelle-France en exerçant de plus en plus de pressions sur les Acadiens pour qu'ils joignent le mouvement. Le réservoir acadien, maintient-on, doit se déverser en territoire français car il n'y a aucun doute que le conflit entre dans sa phase finale. Les Français font peser sur eux la possibilité de sévères représailles puisqu'une ordonnance de Québec, du 12 avril 1751, proclame rebelle et menace d'expulsion tout Acadien du territoire sous contrôle français qui refuse l'allégeance inconditionnelle au roi français et l'incorporation aux compagnies de milice dans les huit jours de la publication.

De 1750 à 1754, les deux puissances investissent dans la fortification du territoire en faisant ériger plusieurs forts, dont ceux de Gaspareau et

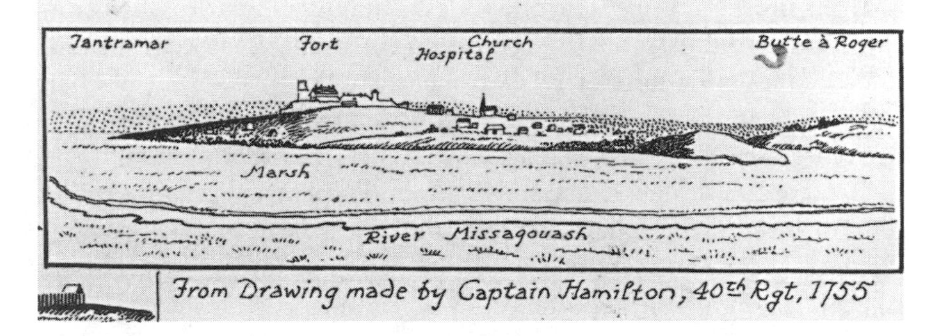

Les forts Beauséjour et Lawrence sont construits au début des années 1750.
ANC - C-069032

de Beauséjour en Acadie française. Les Anglais répliquent avec les forts Grand-Pré, Pisiquid et Lawrence. Il va sans dire que les paysans acadiens sont perçus par les Anglais comme de précieux fournisseurs de denrées alimentaires pour les garnisons rivales.

Bien que la question de savoir jusqu'où va la fidélité acadienne obsède les belligérants, la population française de la Nouvelle-Écosse est elle-même nerveuse. Elle entretient peu de contact avec les administrations de Québec et de Louisbourg mais assez pour ressentir des pressions l'amenant à se ranger de leur côté en temps de guerre, comme entre 1745 et 1755. De plus, le modèle d'établissement acadien les rend très vulnérables puisque les maisons se trouvent à de grandes distances les unes des autres et à la merci des assauts divers. Ils croient fermement que la guérilla amérindienne peut surgir n'importe quelle nuit et, dans chaque représentation qu'ils font auprès des autorités anglaises, les députés acadiens rappellent la fragilité de leur position. Quoique les événements finissent par démontrer que la politique de neutralité est un échec, on ne peut affirmer que le sort des Acadiens aurait été meilleur s'ils avaient pris les armes et lutté avec les Amérindiens.

En 1753, le colonel Charles Lawrence inaugure son régime à Halifax. Ce militaire de carrière envisage très vite le fonctionnement d'une Nouvelle-Écosse sans Acadiens. « Ceux-ci, soutient-il en 1754, n'ont pas de racines juridiques dans cette province de l'empire[9]. » Ils sont devenus

9. Tel que cité par Michel Roy, *op. cit.*, p. 128.

plus nuisibles qu'utiles puisqu'ils ne ravitaillent plus les garnisons anglaises, ils font passer leurs produits du côté français et occupent toujours les meilleures terres, terres auxquelles ils n'ont pas droit puisqu'ils ne veulent pas prêter le serment de fidélité sans condition. Dès juin 1755, Lawrence annonce au lieutenant-colonel Robert Monckton son intention de déporter les Acadiens. Durant ce temps, l'arpenteur général Charles Morris dresse un inventaire complet des forces de la population acadienne et précise les moyens de les empêcher de se déverser en territoire français si le projet de déportation va de l'avant.

Au moment où Lawrence anticipe la déportation acadienne, la guerre de la Conquête est commencée. Même si cette guerre n'est déclenchée officiellement qu'en 1756 en Europe, les premières escarmouches en Amérique datent de 1754, et dès 1755 les combats sont engagés partout

---

Charles Lawrence (1709-1760)

Charles Lawrence, fils de Herbert Lawrence, est né en Angleterre vers 1709. On connaît peu de détails sur sa vie avant son arrivée en Nouvelle-Écosse en juillet 1749 si ce n'est quelques informations sur sa carrière militaire. Il semble qu'il ait reçu une commission dans le 11e régiment de l'infanterie en 1727 et qu'il ait servi aux Antilles de 1733 à 1737. Il travaille par la suite au ministère de la Guerre. En 1741, il est promu lieutenant, et l'année suivante capitaine. En 1747, il est nommé major dans le 45e régiment à Louisbourg. Deux ans plus tard, il devient commandant de compagnie dans le 40e régiment de la Nouvelle-Écosse.

En 1750, Lawrence est promu lieutenant-colonel, et en août il part avec une armée pour la rivière Missaguash où il met en déroute un groupe d'Amérindiens conduits par l'abbé Jean-Louis Le Loutre. Toujours en 1750, il érige le fort Lawrence sur la rive sud de la rivière Missaguash. Il ne revient à Halifax qu'en 1752 au moment où Peregrine Thomas Hopson succède à Edward Cornwallis comme gouverneur. Durant l'été 1753, le gouverneur Hopson choisit Lawrence pour diriger l'installation des protestants européens sur des terres qui leur ont été promises au sud d'Halifax. Lawrence accompagne les immigrants et surveille l'établissement de la colonie qui prendra le nom de Lunenberg. Dès son retour à Halifax, Lawrence est nommé président du Conseil de la Nouvelle-Écosse par le gouverneur Hopson qui prépare alors son retour en Angleterre. En juillet 1756, il est nommé gouverneur de la Nouvelle-Écosse et décède quatre ans plus tard, le 19 octobre 1760, à Halifax.

Source : Dominick GRAHAM, « Charles Lawrence », *Dictionnaire biographique du Canada*, vol. III (1741-1770), p. 390-395.

---

sur le territoire. En Acadie, une forte expédition bostonnaise, qui comprend plus de 2000 hommes et qui est commandée par le lieutenant-colonel Monckton, se présente devant Beauséjour le 2 juin. Le fort, alors sous le commandement de Louis du Pont Duchambon de Vergor, s'avère moins puissant qu'on le prétendait et doit capituler le 16 juin. Les Anglais se rendent alors maîtres de l'isthme et occupent une position de force en Acadie. La petite enceinte de Gaspareau est livrée à son tour tandis que Charles de Boishébert, envoyé sur la rivière Saint-Jean pour faire opposition à toute tentative d'établissement de la part des Britanniques, détruit le fort avant l'arrivée de l'ennemi et se retire parmi les colons du district, tout en continuant de combattre. L'Acadie n'a alors plus aucune infrastructure défensive.

Dans la foulée stratégique de Lawrence, les populations de Chignectou et des Mines sont désarmées bien que les Acadiens sont encore confiants que les Anglais n'entrevoient pas de projets hostiles contre eux. Mais Lawrence ne veut pas continuer cette guerre avec une population de 10 000 habitants en laquelle il a peu confiance. Le gouverneur anglais est craintif et profite de la présence en force des *Rangers* de la Nouvelle-Angleterre et des victoires récentes dans l'isthme pour exiger un serment inconditionnel de fidélité. La position de neutralité n'est plus acceptable, d'autant plus que les Anglais détiennent des preuves que certains Acadiens aident la France par leurs approvisionnements et leurs renseignements, et que plusieurs de leurs jeunes gens se joignent aux troupes françaises.

Tôt en juillet, une députation acadienne se présente au Conseil à Halifax et plaide la neutralité habituelle. Les membres du Conseil lui ordonnent de se soumettre sans aucune réserve sous peine d'expulsion, ce qui amène la députation à enfin prêter le serment. Les autorités anglaises affirment alors qu'une fidélité gagnée de force ne vaut rien et qu'il est trop tard. Les populations des établissements acadiens se consultent néanmoins au cours des semaines suivantes et viennent dire au Conseil, à la fin du mois de juillet, leur résolution de s'en tenir à l'ancienne formule. Les Acadiens ne savent pas que Lawrence est déjà au courant de la défaite des troupes anglaises en Ohio. Ceci n'adoucit pas sa position et celle de son exécutif déjà acquis à l'idée d'une solution radicale, c'est-à-dire la déportation.

Dans le contexte de cette guerre totale, l'ordre de déportation est donné et il ne reste qu'à déterminer de façon précise les détails de

Lecture de l'ordre de déportation en 1755.
ANC - C-24550

l'entreprise. Les Anglais veulent surtout éviter la fuite des populations et veiller à ce que les biens des Acadiens et des Acadiennes tombent entre bonnes mains. Lawrence confie la tâche aux troupes de la Nouvelle-Angleterre et demande des navires de transport de Boston. Dans une lettre circulaire qu'il fait parvenir aux gouverneurs des 13 colonies anglaises d'Amérique, Lawrence explique sa décision d'opter pour la déportation.

> ...I offered such of them as had not been openly in arms against us, a continuation of the possession of their lands, if they would take the oath of allegiance, unqualified with any reservation whatsoever; but this they audaciously as well as unanimously refused... As by this behavior the inhabitants have forfeited all title to their lands and any further favour from Government, I called together his Majesty's

> Council... to consider by what means we could... rid ourselves of a people who would forever have been an obstruction to the intention of settling this colony and that it was now from the refusal of the oath absolutely incumbent on us to remove[10].

Pendant les mois qui suivent, la plus grande partie de la population acadienne de la Nouvelle-Écosse est rassemblée et déportée par bateaux. Environ 6500 d'entre eux sont envoyés dans les différentes colonies anglaises. À Chignectou et Annapolis, les soldats ne peuvent pas empêcher la fuite de certains individus. Aux Mines, près de 140 jeunes gens refusent de marcher aux bateaux et y sont menés à la pointe des fusils. C'est plus qu'une défaite militaire pour cette population dont les hommes, les femmes et les enfants sont arrachés de leurs communautés en espérant qu'ils se dissolvent au milieu des colonies anglaises. Les villages sont brûlés pour priver les fuyards de toute infrastructure leur permettant de survivre clandestinement. Pendant l'embarquement, certains officiers s'efforcent de rassembler parents et enfants mais il n'y a aucun effort de fait pour garder ensemble les membres de la famille élargie.

Lawrence a tous les pouvoirs puisque l'Assemblée coloniale n'est autorisée qu'en 1758 et que Londres n'est mise au courant qu'après l'exécution de la déportation. D'ailleurs, il ne rapporte pas l'événement avant le 18 octobre dans deux courtes lettres dans lesquelles il vante l'ingéniosité d'envoyer les Acadiens dans d'autres colonies, du peu de frais encourus pour leur déplacement et de ses espoirs de peupler le territoire avec des colons anglais. Lawrence veut les répartir parmi les colonies de sorte que, ne pouvant facilement se rassembler, ils soient mis hors d'état de nuire. Pour les autorités de Grande-Bretagne, la déportation est un

10. Desmond H. Brown, « Foundations of British Policy in the Acadian Expulsion : A Discussion of Land Tenure and the Oath of Allegiance », *Dalhousie Review*, vol. 57, n° 4, hiver 1978, p. 721-722. L'extrait traduit se lit comme suit : « J'offrit à ceux qui n'avaient pas pris les armes contre nous, le droit de propriété de leurs terres, s'ils prononçaient le serment d'allégeance sans aucune réserve mais ils refusèrent audacieusement et unanimement... Avec ce comportement, les habitants ont perdu tous les titres de leurs terres et toutes autres faveurs du gouvernement. J'ai convoqué le Conseil de Sa Majesté... afin d'évaluer comment on pourrait... se débarrasser d'une population qui aurait été pour toujours un obstacle à l'établissement de cette colonie et avec le refus du serment il était nécessaire de les déplacer ».

La toile de C.W. Jefferys représente l'expulsion des Acadiens et des Acadiennes en 1755. ANC - C-069116

incident qui se situe dans le contexte d'une guerre coûteuse et amère. L'incident est clos et il ne vaut pas la peine d'être discuté. Plus tard, le Board of Trade exonère Lawrence de tout blâme et déclare que ce genre de mesures s'avèrent absolument nécessaires pour la sécurité et la préservation de la colonie. Le verdict est donc fondé sur des arguments militaires.

Ayant l'appui des amiraux de la flotte, disculpé d'avance par le juge en chef de la colonie, Jonathan Belcher, Lawrence a donc toutes les raisons de procéder avec une grande vigueur. En 1755, la plupart des établissements acadiens de la Nouvelle-Écosse sont évacués et brûlés, bien que le ratissage du territoire se poursuivre jusqu'en 1757. L'année suivante, c'est la chute de Louisbourg qui, soumise à l'assaut combiné des forces britanniques et des miliciens de la Nouvelle-Angleterre, rend les armes après un siège de sept semaines. La ville est de nouveau transformée en un amas de ruines et la forteresse est totalement détruite en 1760

James Wolfe dirige les troupes anglaises contre Louisbourg. ANC - C-073711

par des ingénieurs militaires britanniques. Cette défaite prive ainsi les îles Royale et Saint-Jean de toute couverture militaire et plusieurs milliers de colons sont déportés en France, dont 700 périssent en mer alors que plus de 900 meurent de maladies, d'épidémies à leur arrivée.

Durant ces premières phases de la déportation, de nombreux Acadiens réussissent à s'enfuir quoique leur sort soit peu enviable. Ils sont constamment pourchassés sur le territoire, devant se cacher dans les bois et vivre clandestinement parmi les Amérindiens. Plus de 2000 gagnent l'île Saint-Jean, pourtant conquise en 1758. Parmi ce groupe d'Acadiens, 600 — les infirmes et les plus âgés — sont alors transportés par bateaux à Québec. Quelques évadés rejoignent leurs compatriotes de la rivière Saint-Jean et accueillent des déportés de 1755 à 1758, revenant

L'embarquement : le départ vers l'exil.
Artiste : Claude Picard. L'original est en exposition
au Lieu historique national du Canada de Grand-Pré.

d'exil dans les colonies anglaises. D'autres enfin s'éloignent plus au nord, dans les régions de la Miramichi, de la baie des Chaleurs, de la Gaspésie et de la vallée du Saint-Laurent. Le rassemblement le plus considérable se retrouve dans la région de Miramichi où se sont réfugiés les évadés de l'île Saint-Jean en 1758 et un groupe de la rivière Saint-Jean dirigé par Boishébert. On estime qu'ils sont près de 3500 au *camp de l'espérance* avant qu'ils ne se dispersent. Plus de 600 d'entre eux meurent de faim et de froid dans ce camp de désespoir car les provisions sont insuffisantes pour nourrir un si grand nombre de réfugiés.

Le ratissage des régions acadiennes se poursuit à cap Sable et sur la rivière Saint-Jean ; elles sont nettoyées en 1758 et au printemps 1759. Au cours des années suivantes, environ 2000 Acadiens sont capturés, conduits à Halifax et détenus dans les prisons avant d'être expédiés hors du territoire. En 1762, le Massachusetts refuse d'accueillir 1500 Acadiens

Tableau 4

Localisation des Acadiens et des Acadiennes en 1763

Lieu	*Population*
Connecticut	666
New York	249
Maryland	810
Pennsylvanie	383
Caroline du Sud	280
Georgie	185
Massachusetts	1 043
Rivière Saint-Jean	86
Louisiane	300
Angleterre	866
France	3 500
Québec	2 000
Île Saint-Jean	300
Baie des Chaleurs	700
Nouvelle-Écosse	1 249
Total	**12 617**

Source : R.A. LEBLANC, « Les migrations acadiennes », *Cahiers de géographie du Québec*, vol. 23, n° 58, avril 1979, p. 99-124.

qui doivent être reconduits à Halifax. L'année suivante, le gouvernement britannique déclare qu'il ne faut plus les considérer comme un danger en vertu du traité de Paris (1763) qui consacre toutes les conquêtes anglaises en Amérique.

Muriel Roy estime à plus de 3700 le nombre d'Acadiens et d'Acadiennes survivants dans les colonies anglaises d'Amérique en 1763 alors que de 9000 à 10 000 autres sont éparpillés en Europe et en Amérique du Nord. Le démographe Raymond Roy croit pour sa part que la population acadienne peut alors se chiffrer à 13 400, dont 4700 dans les régions acadiennes et 8 700 ailleurs, tandis que le géographe Robert Leblanc propose un bilan de 12 618 dont 2 336 dans la région acadienne (tableau 4).

La dispersion

La déportation cause de nombreuses pertes de vie, surtout durant les déplacements. Tempêtes en mer, manque de nourriture et d'eau ainsi que les mauvaises conditions sanitaires font qu'assez souvent plusieurs navires perdent plus du tiers de leurs passagers alors que d'autres coulent en mer. Les épidémies sont aussi à l'orgine d'un grand nombre de décès pendant les traversées et après l'arrivée dans divers ports. En plus de la perte de leurs possessions, les Acadiens et les Acadiennes qui réussissent à survivre doivent affronter l'accueil hostile des populations locales qui, du Massachusetts à la Georgie, se plaignent de ne pas être prévenues de l'arrivée de ces prisonniers et de la surcharge de dépenses entraînée par leur présence.

En effet, quand Charles Lawrence décide de donner l'ordre de déportation en 1755, il choisit de redistribuer les Acadiens et les Acadiennes dans les colonies anglaises sans prévenir préalablement les gouvernements de ces colonies. Évitant ainsi d'encaisser les refus, il ne consulte donc pas les administrateurs coloniaux qui reçoivent des lettres expliquant les raisons de ses actions sur les mêmes bateaux qui transportent les déportés. Lawrence prétend que sa façon d'agir découle de nécessités militaires et, quand les bateaux accostent au Massachusetts, au Connecticut ou encore en Virginie, chaque colonie doit se débrouiller de son mieux.

Les problèmes posés par l'arrivée des déportés sont multiples et à peu près les mêmes pour chaque colonie. Il faut voir comment on peut répondre aux besoins physiques immédiats des Acadiens et des Acadiennes, c'est-à-dire leur fournir de la nourriture, des vêtements et un logement. Les autorités doivent aussi déterminer s'ils doivent être traités comme des prisonniers de guerre, comme des sujets britanniques — étant donné que plusieurs prétendent l'être — ou encore, comme l'écrit alors le gouverneur Dinwiddie de la Virginie au gouverneur Shirley du Massachusetts, comme des *ennemis intestins*. Les administrateurs coloniaux doivent donc établir différentes stratégies pour répondre au problème acadien. Le Massachusetts, par exemple, adopte une loi en novembre 1755 pour s'occuper des habitants et des familles de la Nouvelle-Écosse. Cette loi place les Acadiens et les Acadiennes dans les mains des juges de paix et des responsables des pauvres « ...to deal with them as by Law they would have been empowered to do were they inhabitants of the province[11] ».

---

11. Tel que cité par Naomi E.S. Griffiths, « Acadians in Exile : The Experiences of the Acadians in the British Seaports », *Acadiensis*, vol. IV, nº 1, automne 1974, p. 68.

Les Acadiens et les Acadiennes qui débarquent à Boston au début de novembre 1755 sont dirigés vers plusieurs villes de la colonie, mesure visant à limiter les conséquences des coûts et à prévenir toute possibilité de complot contre les hôtes. À la fin de novembre, un autre bateau accoste avec 206 exilés à bord, ce qui fait qu'au début janvier 1756 près de 900 Acadiens et Acadiennes se trouvent dans cette colonie. Les membres de la General Court du Massachusetts ne sont pas enchantés d'accueillir ces catholiques français dont la fidélité envers la Couronne britannique est très douteuse. Ces déportés étant complètement dépendants de la colonie, les autorités n'ont pas d'autres choix, croit-on, que d'agir « for humanity's sake[12] ».

La General Court du Massachusetts se tourne toutefois vers la Nouvelle-Écosse pour obtenir de l'aide financière afin de payer une partie des coûts engendrés par l'arrivée et la présence des exilés dans leur colonie. Lawrence n'accorde pas d'argent, mais promet plutôt d'étudier le dossier et d'aider la Cour à trouver des moyens de promouvoir l'autosuffisance des Acadiens et des Acadiennes. Entre-temps, d'autres déportés arrivent dans cette colonie au printemps et à l'été 1756. Ce seront les derniers débarquements au Massachusetts qui proteste d'avoir déjà sa part d'exilés.

Au cours des années suivantes, on doit fournir de la nourriture, des vêtements, des logements, des soins médicaux et des outils aux Acadiens. Durant quatre ans, les frais engagés pour subvenir aux besoins des déportés représentent un poids pour les finances du Massachusetts. De plus, les Acadiens et les Acadiennes sont considérés par plusieurs comme une menace à la sécurité interne de la colonie. Afin de rassurer la population locale, une loi de juin 1756 vise à réduire et mieux contrôler les déplacements des déportés. Ceux-ci ne peuvent plus voyager d'une ville à l'autre sans permission écrite d'un représentant de leur ville ou village, ne peuvent pas s'absenter de leur résidence plus de six jours à la fois et ne peuvent plus se déplacer le dimanche sans risquer l'arrestation. Bien que ces dispositions ne soient pas appliquées de façon très stricte, leur contenu révèle les inquiétudes des Néo-Anglais au moment où les

---

L'extrait traduit se lit comme suit : « ...de s'occuper d'eux comme la loi l'aurait permis s'ils avaient été habitants de la province ».

12. « dans l'intérêt de l'humanité ». Voir Richard G. Lowe, « Massachusetts and the Acadians », *William and Mary Quaterly*, vol. XXV, nº 2, avril 1968, p. 216.

hostilités entre la France et la Grande-Bretagne grimpent d'un cran en Amérique.

Il semble toutefois que ce sont davantage les coûts engendrés par la présence des Acadiens et des Acadiennes qui dérangent les colons anglais. D'autant plus que le Massachusetts tente continuellement de transférer le fardeau financier aux villes et aux villages par l'entremise du secours aux pauvres. Plusieurs plaintes et pétitions des Acadiens sont acheminées aux autorités de la colonie durant les années 1756 à 1763 et la Cour intercède dans quelques cas. En 1756, par exemple, un dénommé Claude Bourgeois adresse une pétition au Conseil du Massachusetts sollicitant de l'aide financière afin d'empêcher que ses enfants ne meurent de faim. En juin 1760, la General Court de la colonie promet plus de liberté à la population acadienne si cette dernière peut subvenir à ses propres besoins, même si la situation des déportés demeure toujours très difficile. Plusieurs se plaignent encore du manque de nourriture, de la mauvaise qualité des logements ou encore des traitements sévères reçus dans certaines villes.

Durant ces années d'exil, quelques déportés peuvent pratiquer l'agriculture sur de petites parcelles de terres tandis que d'autres font un peu de chasse ou travaillent comme journaliers dans les villes ou sur des bateaux de pêche. Il n'en demeure pas moins que beaucoup éprouvent de la difficulté à se trouver du travail et même à être rémunérés pour leur labeur, car ils ne peuvent pas s'exprimer en anglais. Avec les années, les attitudes des gens du Massachusetts deviennent plus tolérantes. Avec la fin de la guerre en 1763, les Acadiens et les Acadiennes ne sont plus perçus comme une menace par les coloniaux anglais, d'autant plus que plusieurs d'entre eux entreprennent alors des démarches pour regagner la Nouvelle-Écosse, le Canada ou encore les îles Saint-Pierre et Miquelon, dans l'espoir de mener une meilleure existence.

D'autres colonies tels la Pennsylvanie, le Connecticut ou encore le Maryland adoptent des mesures semblables à celles qui sont préconisées par le Massachusetts pour prendre en charge les déportés de la Nouvelle-Écosse. Ainsi, les gouverneurs, les conseils et les assemblées accueillent les Acadiens et les Acadiennes avec beaucoup de mécontentement, sans pour autant refuser de subvenir à leurs besoins. Comme dans les autres colonies, les autorités locales américaines maintiennent une certaine surveillance jusqu'en 1763 quoique la Virginie procède différemment. Le 15 novembre 1755, le gouverneur de cette colonie écrit aux *Lords* du Commerce afin de les informer qu'au-delà de 1000 Français neutres de la Nouvelle-Écosse sont arrivés dans la colonie mais qu'ils refusent de prêter le serment d'allégeance au roi d'Angleterre. Par le fait même, ces exilés ne peuvent être de fidèles sujets ou encore des habitants utiles pour la Virginie. Ils sont catholiques et le gouverneur Dinwiddie les considère comme des ennemis qui constituent un fardeau financier pour sa colonie. Il laisse toutefois entendre que ces déportés seront entretenus jusqu'au printemps alors qu'on pourra leur attribuer des terres. Ce ne sera pas le cas, car le printemps suivant les Acadiens et les Acadiennes sont de nouveau embarqués sur des bateaux et envoyés en Angleterre. La Virginie n'a pas été prévenue de la décision du colonel Lawrence et, à l'arrivée des déportés, elle adopte la même stratégie et ne prévient pas les autorités britanniques de cette nouvelle déportation.

Les bateaux qui transportent ces exilés arrivent en Angleterre en juin 1756. Le même mois, la ville de Farmouth rapporte la présence de 220 Français neutres, Liverpool en signale 242, Bristol en compte déjà 289 et au début du mois de juillet Southampton en reçoit 293. Ces Acadiens et ces Acadiennes demeurent en Angleterre durant sept ans avant d'être rapatriés en France. Le premier été passé en Angleterre est rendu pénible par une épidémie de variole qui frappe les quatre groupes, déjà affaiblis par la traversée de l'Atlantique. On estime qu'environ 25 % des déportés meurent après avoir contracté la maladie. Même s'ils sont séparés en groupes à la suite de la tragédie, les Acadiens et les Acadiennes essaient de se débrouiller de leur mieux pour survivre, démontrant leur volonté d'assumer leur exil en tant que communauté.

Comme dans les colonies américaines, les villes d'accueil de l'Angleterre procurent des logements aux déportés qui sont regroupés en communautés de 150 à 250 personnes dans des sections désignées des villes. À Liverpool, par exemple, une section de la ville leur est réservée alors qu'à Bristol des entrepôts sont transformés pour leurs besoins. On leur défend de travailler : « ...to prevent the clamor of the labouring people in towns where they resided[13] », mais on leur accorde des pensions

13. Naomi E.S. Griffiths, « Acadians in Exile... », *op. cit.*, p. 73. L'extrait traduit se lit comme suit : « ...afin de prévenir les vociférations des ouvriers dans les villes où ils résidaient ».

gouvernementales pour leur permettre de survivre. Une famille de six reçoit environ 36,10 livres annuellement, considérablement plus que le revenu moyen d'un ouvrier britannique. Cette pension leur permet de se payer un logement, des vêtements et de la nourriture. Si ce revenu est inférieur à la valeur des possessions que les déportés détenaient en Acadie avant 1755, ces derniers peuvent néanmoins vivre adéquatement et leur taux de natalité ne diminue pas. Ces exilés, qui veulent toujours être considérés comme neutres, sont rapatriés en France grâce aux efforts du duc de Nivernois. Ce diplomate croit que les Acadiens et les Acadiennes sont des sujets français de grande valeur et qu'on doit les rétablir dans des colonies françaises. Grâce à ses démarches, à l'été 1763, la plupart quittent les ports anglais à destination de la France.

En 1758, la France a déjà accueilli plus de 3 500 Français et Acadiens qui y sont déportés après la chute de Louisbourg et de l'île Saint-Jean. Près de 700 d'entre eux meurent en mer lors de la traversée. D'autres Acadiens, près de 300, sont capturés au cap Sable et dans la baie des Chaleurs et déportés en France en 1760. Enfin, s'ajoutent ces centaines d'Acadiens et d'Acadiennes rapatriés d'Angleterre en 1763. Contrairement aux Acadiens et aux Acadiennes, les Français de naissance se réadaptent très vite à la vie sur le vieux continent. La France fait des essais pour installer les Acadiens dans différents établissements à Belle-Isle-en-mer ou encore au Poitou — près de Châtellerault — mais la plupart de ces tentatives échouent. En effet, la majorité de la population acadienne ne peut pas s'adapter à la vie en France et plusieurs quittent éventuellement le pays.

Les Acadiens et les Acadiennes ont l'habitude de l'Amérique, c'est-à-dire de profiter de grandes étendues de terres fertiles, d'un menu diversifié comprenant du pain, du lait, du beurre et de la viande. Les terres qui leur sont attribuées en France sont peu fertiles. Les matériaux différents pour construire les maisons et les fermes, les méthodes de travail différentes sur le vieux continent, les limites et les obligations imposées durant cette période — y compris les contraintes féodales et les restrictions de voyager — les embêtent et leur font regretter leur ancienne vie en Amérique. De plus, en France, ils doivent se limiter à pratiquer un seul métier ou une seule occupation alors qu'en Acadie ils exerçaient plusieurs activités économiques, ce qui leur assurait de bonnes conditions de vie. En somme, ils sont peu habitués à la rigidité des structures administratives françaises, étant en réalité un peuple fort différent des Français malgré la langue et la religion communes. Les valeurs, les traditions, les attitudes très distinctes rendent difficile l'intégration de la population acadienne dans la société française.

Le mécontentement et le dénuement des Acadiens et des Acadiennes, le désir du gouvernement français, après quelques années, de se débarrasser d'un fardeau économique considérable et la volonté de l'Espagne d'affirmer, à travers la colonisation active, ses prétentions sur la Louisiane entraînent une dernière grande migration acadienne. À travers des contacts avec des Acadiens et des Acadiennes déjà en Louisiane via Saint-Domingue, sept bateaux chargés de plus de 1600 exilés acadiens quittent la France en 1785 pour la Nouvelle-Orléans sous le contrôle espagnol. Près des deux tiers des Acadiens et des Acadiennes quittent alors la France.

Le social

Les centres de peuplement à l'île Saint-Jean et à l'île Royale

L'Acadie de la Nouvelle-Écosse devient une possession britannique en 1713 et, à ce moment, l'immigration française cesse totalement dans la colonie. De plus, environ 250 personnes d'une population acadienne, estimée à 2000, retournent en France. Après ce premier déplacement de population, peu d'Acadiens quittent la colonie même s'ils sont encouragés par la France à émigrer dans les colonies françaises de l'île Saint-Jean ou encore l'île Royale. Par contre, on assiste à une augmentation de la migration interne. Au cours des années suivantes, les nouveaux établissements se multiplient et le peuplement se propage sur une superficie de plus en plus étendue jusqu'au moment de la déportation.

Les îles Saint-Jean et Royale ne connaissent pas de véritable peuplement avant le XVIIIe siècle. Bien que des pêcheurs européens s'y installent temporairement durant les périodes de pêche, les tentatives de colonisation s'avèrent vaines. La situation change avec la perte de l'Acadie en 1713 alors que la France décide de construire une forteresse à Louisbourg et prévoit que l'île Saint-Jean devienne son grenier d'approvisionnement. Pour ce faire, il faut y amener des colons.

Un premier contingent de 300 Français arrive à l'île Saint-Jean en 1720, rejoint peu après par quelques familles acadiennes. Malgré l'encouragement des autorités françaises, peu d'Acadiens de la Nouvelle-Écosse se dirigent vers l'île. Ils préfèrent demeurer sur leurs terres fertiles. Parmi les Français qui viennent en 1720, plusieurs regagnent rapidement leur pays alors que la plupart des Acadiens sur place persévèrent et constituent éventuellement le principal noyau du peuplement acadien à l'île Saint-Jean.

Port-Lajoie est désigné centre administratif de la colonie et dépend à son tour administrativement de Louisbourg. D'autres établissements se développent dont Havre-aux-Sauvages, Havre-Saint-Pierre, Tracadie, Rivière-du-Nord-Est, Trois-Rivières et Pointe-de-l'Est. On note un nouvel essor de la migration acadienne vers l'île après 1740. En 1741, par exemple, cinq familles quittent Beaubassin pour Malpèque tandis qu'en 1742 on constate l'arrivée de 11 familles. Avec la fondation d'Halifax en 1749, les départs d'Acadiens de la Nouvelle-Écosse vers l'île Saint-Jean s'accentuent en raison d'un climat politique de plus en plus tendu et inquiétant pour les Acadiens et les Acadiennes. Ainsi, de 1749 à 1756, environ 3654 d'entre eux se rendent à l'île. La population totale de l'île passe de 2641 en 1753 à 3000 avant la déportation de 1755 puis à 5000 après le grand dérangement. Cette migration est de courte durée puisque les Anglais s'emparent de l'île en 1758 et la population est pourchassée et déportée. Quoi qu'il en soit, l'analyse des recensements confirme que la colonisation se réalise péniblement sur l'île Saint-Jean qui demeure très dépendante de l'île Royale et subit les contrecoups des crises qui marquent la vie de Louisbourg.

Avant la construction de la forteresse de Louisbourg en 1720, l'île Royale, comme l'île Saint-Jean, ne fait pas l'objet d'une colonisation soutenue. Les pêcheurs européens la connaissent puisqu'ils pêchent depuis longtemps le long de ses côtes. Au XVIIe siècle, Nicolas Denys y établit un poste de traite à Saint-Pierre au sud du lac Bras d'or afin d'échanger avec les Amérindiens. La fondation de Louisbourg assure sans contredit le peuplement de cette île. Des engagés viennent de France pour les travaux de construction, des militaires pour la défense de la forteresse, des gens de métiers, des commerçants et des professionnels pour offrir les services à la population. S'ajoutent des matelots, des cultivateurs et des pêcheurs. La population de Louisbourg passe de 853 en 1718 à plus de 4000 en 1754. D'autres établissements se développent dans les régions de Saint-Pierre et de l'île Madame ainsi que dans la région d'Ingonish.

Les Acadiens sont peu nombreux à s'établir sur l'île Royale. D'aucune manière, les terres de l'île ne peuvent se comparer favorablement aux marais fertiles et déboisés de la baie Française. De 1713 à 1734, à peine 67 familles s'y rendent, la plupart sont originaires de la région d'Annapolis. Ce n'est qu'au début des années 1750, alors que plusieurs veulent s'éloigner de la Nouvelle-Écosse, que leur nombre augmente de façon substantielle. Le démographe Raymond Roy évalue à moins de 100 le nombre d'émigrés acadiens dans l'île Royale en 1749 quoiqu'une tendance à la hausse persiste jusqu'en 1752 alors qu'ils sont plus de 550 à s'y réfugier.

Les premiers Acadiens qui se rendent à l'île Royale en 1714 s'établissent à Port Toulouse dans le sud-est de l'île sur les bords de la baie de Saint-Pierre. L'emplacement est pourvu d'un excellent port et c'est là qu'au cours des années suivantes on entreprend la construction de fortifications et un détachement de troupes y est cantonné. Port Toulouse connaît son apogée en 1726 alors que 45 familles acadiennes vivent dans ce village. Par contre, la population est vite abandonnée à la merci d'une poignée de militaires dont la présence précipite la déchéance du village après 1726.

Ces événements entraînent une diminution rapide des effectifs humains et, en 1734, 19 familles seulement y vivent. Bien que plusieurs Acadiens et Acadiennes de l'île Royale décident éventuellement de regagner leurs anciens villages en Nouvelle-Écosse, la fondation d'Halifax en 1749 incite des centaines d'Acadiens à prendre la route de l'île Royale. Ils habitent des centres à prédominance agricole dont Pointe-à-la-Jeunesse, Baie des Espagnols, L'Indienne et Mordienne.

En plus des Acadiens et des anciens habitants de Plaisance, des Français viennent s'établir dans différents établissements de l'île Royale. En 1752, de 35 % à 45 % de la population de l'île est née en France et provient surtout des régions normande, bretonne et basque. En 1752, si l'on exclut Louisbourg, l'île Royale compte 1687 habitants répartis en 17 centres de peuplement bien que la moitié de la colonie, surtout au nord-ouest du lac Bras d'or, demeure encore déserte. L'autre moitié a un réseau de peuplement plus dense, les établissements se multipliant le long des côtes en même temps que s'amorce une pénétration vers l'intérieur. Les principaux établissements de l'île Royale durant cette période sont Petit et Grand Lorembec, Port-Toulouse, Isle Madame — Petit

Degrat, Pointe-à-la-Jeunesse, Baie des Espagnols et Baie et barachois de Miré.

La société de Louisbourg: une société fortement hiérarchisée

La population acadienne vivant en territoire anglais avant la déportation connaît les bienfaits de la paix pendant la période de 1713 à 1744. Ses conditions de vie sont enviables comparativement à celles des paysans européens à la même époque. En général, les femmes, les hommes et les enfants vivent bien en Acadie; ils mangent à leur faim et il ne semble pas y avoir d'écarts importants entre les familles. Au contraire de l'Acadie de la Nouvelle-Écosse, la société de Louisbourg, cette ville de pêcheurs, de marins, de marchands, d'aubergistes, de fournisseurs, d'administrateurs royaux et de soldats, est fortement hiérarchisée. Dans cette société, chacun est conscient de son rang et respecte un certain code de comportement et de conduite digne de son statut. Environ 13 % des habitants détiennent 73 % de la richesse de la colonie. Il y a peu de nobles mais un grand prestige est accordé au service dans le corps des officiers coloniaux. Des administrateurs français tels que le gouverneur, le commissaire-ordonnateur et le procureur du roi trônent au sommet de la hiérarchie. En dessous d'eux se trouvent les officiers supérieurs de l'armée qui sont souvent des gens très riches, et parfois de grands propriétaires fonciers qui possèdent des biens considérables en ville. De riches marchands figurent sur le même échelon social que les officiers supérieurs de l'armée. Quelques négociants moins en vue peuvent occuper des postes importants sur le plan social tel greffier du Conseil supérieur ou encore secrétaire du gouverneur.

À l'échelon en dessous de celui des négociants, se trouvent les petits commerçants et les aubergistes. Comme les négociants, ils font souvent le commerce de la pêche, alors que plusieurs marchands tiennent aussi une auberge et peuvent alors s'enrichir de bien des façons. Les gens dynamiques qui appartiennent à ce groupe social peuvent vivre très à l'aise, mais, à la différence des négociants plus fortunés, ils n'exercent pas de fonctions importantes. Suivent dans l'ordre de la hiérarchie sociale, les petits commerçants, les cabaretiers, et les habitants-pêcheurs moins fortunés. Beaucoup d'entre eux mènent une vie financièrement fragile et essaient d'améliorer leur niveau de vie, toujours sans y parvenir. Après les cabaretiers et les plus modestes habitants-pêcheurs, viennent les pêcheurs engagés qui travaillent pour le compte de ces derniers et vivent souvent dans de petites cabanes construites à l'extérieur des murs de la forteresse.

Tout en bas de la hiérarchie sociale croupissent les domestiques, les soldats et enfin les esclaves. Le terme de domestiques ne s'applique qu'aux hommes, et celui de servantes aux femmes de service. La plupart des familles bourgeoises et les officiers de l'armée ont des domestiques et des servantes à leur service. Ces derniers vivent séparément de leurs maîtres et, parmi eux, il existe une hiérarchie qui va de la simple servante au cuisinier et au maître d'hôtel. Les soldats sont considérés comme des gens inférieurs, car beaucoup d'entre eux sont issus de familles pauvres ou sont orphelins. En plus de leur métier de soldat, ils accomplissent toutes sortes de tâches à l'intérieur de la forteresse, comme celles d'aider à la construction des casernes, de faire des travaux de jardinage ou de lessive. Ils sont très nombreux dans la ville entre autres en 1752 alors qu'ils représentent environ 36 % de la population de Louisbourg. Après les soldats viennent les esclaves noirs ou indiens. Les esclaves sont peu nombreux et s'achètent à des prix divers auprès des capitaines des navires faisant escale à Louisbourg. On leur confie habituellement les travaux de ménage. Il y a enfin des gens qui vivent en marge de la société de Louisbourg comme les vagabonds, les bourreaux, divers étrangers — Irlandais et Allemands — et les marchands de passage en ville.

En plus du succès commercial, les liens de parenté qui existent entre les gens de différentes classes permettent aux individus de s'élever dans la hiérarchie sociale. En effet, malgré une certaine rigidité des structures sociales, la mobilité vers le haut est plus grande à l'île Royale que dans la mère patrie. Ainsi, les gens importants de la bourgeoisie ont besoin de puissantes relations dans l'armée et dans l'administration s'ils désirent réussir dans le Nouveau Monde. À leur tour, les gens de l'armée et ceux de l'administration sont intéressés par l'argent qu'ils peuvent gagner grâce à leurs relations avec les milieux bourgeois. Les liens matrimoniaux garantissent la position sociale ainsi que la fortune de ces familles. De telles alliances existent aussi à d'autres niveaux de la hiérarchie sociale.

Les femmes de Louisbourg et le mariage

Les femmes qui vivent à Louisbourg sont originaires de Plaisance — Terre-Neuve —, de l'Acadie, de Québec ou de France. Il est difficile de calculer adéquatement leur nombre car les recensements ne les incluent pas toutes. Les servantes, les esclaves, les femmes des pêcheurs et les autres employées ne sont pas classifiées et celles qui sont mentionnées le sont seulement si elles sont épouses ou filles d'un propriétaire foncier. Dans cette société fortement hiérarchisée, le mariage joue un rôle important et offre la possibilité de grimper dans l'échelle sociale. Selon Catherine Rubinger, « ...examples are not infrequent of tradesmen becoming by wealth and marriage, members of the most influential and comfortable class[14] ».

Le mariage est perçu comme le statut normal des femmes puisque toutes les femmes du noyau sédentaire, ainsi que les hommes de ce groupe, se marient. La plupart des veuves se remarient et certaines plusieurs fois. La majorité des femmes prennent époux pour la première fois entre 19 et 23 ans et pour la seconde fois dans la trentaine. Chez les hommes, l'âge moyen au premier mariage est plus élevé, soit 28 ans. Les conjoints sont souvent d'origine commune, surtout chez les gens modestes. Ainsi des Basques, par exemple, ont tendance à épouser des Basques. Le rang et la richesse sont des facteurs considérés parmi les officiers et les marchands aisés. Parmi la classe moyenne, l'égalité de la richesse et de solides relations familiales sont aussi importantes.

Le mariage étant une institution considérée sérieusement par l'Église et l'État, ses règles sont bien définies et réglementées. Pour l'Église, le mariage est un sacrement, assujetti au droit canon alors que, pour l'État, c'est un contrat civil, réglementé par la Coutume de Paris. Pour se marier, les femmes doivent avoir l'accord des parents ou des officiers et ce, jusqu'à l'âge de 30 ans. En fait, le mariage n'est pas seulement un sacrement mais aussi un transfert de propriété officialisé par la signature du contrat qui devient une occasion spéciale où l'on compte de nombreux invités. Cette cérémonie se déroule habituellement le jour avant la célé-

---

14. Catherine Rubinger, « Marriage and the Women of Louisbourg », *Dalhousie Review*, vol. 60, n° 3, 1980, p. 446. L'extrait traduit se lit comme suit : « ...les exemples ne sont pas rares de marchands devenus, grâce à la richesse et au mariage, des membres de la classe influente et à l'aise ».

bration religieuse. Les notaires et les familles de la mariée et du marié travaillent soigneusement à la rédaction du contrat, car la stabilité financière et le statut légal de la future famille en dépendent. Le contrat doit voir à respecter l'ordre traditionnel fondé sur la propriété privée et la famille.

Le couple vit sous le régime de communauté de biens impliquant que les époux deviennent responsables des dettes de chacun et « they held in common all property and revenues except those designated "biens propres"[15] », biens personnels hérités. L'administration de la propriété est le droit et le devoir du mari mais la Coutume de Paris est conçue afin d'assurer la sécurité et un peu de contrôle pour l'épouse. Celle-ci conserve des pouvoirs sur les biens hérités et son mari ne peut en disposer sans son autorisation. Les buts de la loi sont de protéger la continuité de la prospérité familiale et non pas seulement celle des individus. Certaines garanties sont écrites dans le contrat de mariage pour protéger le veuf ou la veuve. Cette dernière reçoit le douaire, une somme tirée de la propriété avant l'inventaire. Ce montant est perçu comme une récompense pour la veuve en reconnaissance des services rendus dans la maisonnée. À la mort de la veuve, le douaire est accordé aux enfants et, si elle n'en a pas, à la famille de son mari.

Les missionnaires et la vie religieuse en Nouvelle-Écosse

L'Église catholique occupe toujours une place importante dans la vie des hommes et des femmes en Nouvelle-Écosse, à l'île Royale et à l'île Saint-Jean durant le XVIIIe siècle. Par contre, la présence de l'Église catholique en Nouvelle-Écosse, un territoire anglais, est basée sur une contradiction. Si le traité d'Utrecht garantit le libre exercice de la religion catholique « en autant que le permettent les lois de la Grande-Bretagne », les lois anglaises n'accordent en aucune façon la liberté de pratiquer la religion catholique. Au contraire, elles interdisent ou, tout au moins, en rendent l'exercice difficile. Une interprétation plus large, plus que ne le permettent les usages de l'époque, fait qu'on ne cherche pas à limiter la liberté religieuse des Acadiens et des Acadiennes.

---

15. *Ibid.*, p. 454. L'extrait traduit se lit comme suit : « ils détenaient conjointement toutes les propriétés et tous les revenus sauf ceux qui étaient désignés "biens propres" ».

Cette politique de tolérance permet à l'Église catholique d'être présente auprès de la population française et amérindienne. Les Anglais acceptent que l'Église de France approvisionne la Nouvelle-Écosse en personnel religieux d'une façon régulière même si, à l'occasion, ils s'inquiètent de l'activité militante de tel ou tel individu. En effet, relevant des autorités de Louisbourg et du Canada, les missionnaires sont constamment l'objet de la plus grande suspicion de la part des autorités anglaises qui les accusent d'entretenir et d'aviver le sentiment de fidélité à l'égard de la France. Assez souvent, les Anglais se plaignent des missionnaires qui, selon eux, sont des agents provocateurs qui attisent les sentiments anti-anglais chez les Amérindiens. Ils accusent le clergé de pratiquer plus l'épée que la croix et ils citent souvent le cas de l'abbé Le Loutre qui est présent dans la région du fort Beauséjour. Le Loutre est missionnaire auprès des Acadiens et des Micmacs et les encourage à inquiéter les ennemis et à tâcher de faire quelques prisonniers. Il semble que les inquiétudes des autorités anglaises ne sont pas sans fondement. Effectivement, vers la fin de 1749, lorsque se déclare en Nouvelle-Écosse une *guerre indienne* qui place les Britanniques sur la défensive, le missionnaire Le Loutre dirige les incursions des Amérindiens qui sont souvent accompagnés par des Français déguisés.

Certains historiens ont même accusé Le Loutre — malgré qu'il n'existe aucune preuve à cet effet — d'être l'instigateur du meurtre d'Edward How, un officier de milice du fort Lawrence qui, en 1750, est tué sur les bords de la Missaguash après une séance de négociations. Des rapports français démontrent qu'en 1753 Le Loutre paye des Micmacs pour 18 scalps d'Anglais lors de différentes attaques contre des établissements anglais. La tête de Le Loutre est mise à prix par les Anglais et il est finalement capturé en septembre 1755 alors que le vaisseau sur lequel il s'embarque pour la France tombe aux mains des Britanniques. Il est fait prisonnier et n'est libéré, malgré les efforts du ministre de la Marine, que huit ans plus tard après la signature du traité de Paris.

À plusieurs reprises des ordres britanniques sont transmis à différents missionnaires de quitter le pays et ils sont souvent ignorés ou encore remis en question. La pénalité la plus sévère imposée aux prêtres est d'apparaître devant le Conseil d'Halifax pour être réprimandés ou, plus rarement, comme c'est le cas pour Le Loutre, d'être retenus au fort ou encore emprisonnés. En général, les prêtres poursuivent leur besogne sans que les autorités d'Annapolis ou de Canceau ne puissent intervenir. Des églises sont bâties ou réparées, le gouvernement ne prenant pas le risque de les faire détruire.

Un autre aspect irrite les Anglais en ce qui a trait à la présence des missionnaires en Nouvelle-Écosse : la fonction civile exercée par ceux-ci qui, entre autres, conduit souvent au règlement des différends entre leurs paroissiens. D'avoir à tolérer un gouvernement fantôme de représentants d'une foi détestée, agissant en territoire britannique, désignés, nommés par et sous la responsabilité de l'ennemi chronique de la Grande-Bretagne est inacceptable aux yeux des gouverneurs de la Nouvelle-Écosse. Ceci n'empêche pas les missionnaires de poursuivre leur travail auprès des Acadiens et des Micmacs.

Parmi ceux qui œuvrent sur le territoire, plusieurs sont envoyés par le séminaire des Missions étrangères de Paris chez les Amérindiens où ils ont une grande influence. Parmi eux, l'abbé Maillard, chez les Micmacs de la Nouvelle-Écosse, perfectionne un alphabet micmac tandis que l'abbé Sébastien Rasles sur la rivière Kennebec est capable de maintenir les Abénaquis sous l'influence française. Même si les missionnaires jouissent d'une certaine autorité auprès des Amérindiens, celle-ci n'est jamais absolue, car ni les Micmacs ni les Abénaquis ne permettent même à leurs chefs d'exercer une telle autorité. Dans la plupart des cas, les missionnaires réussissent à se faire accepter par les autochtones et prennent à cœur la défense de leurs intérêts.

La présence de l'Église auprès des Acadiens est cependant assez faible durant cette période. Vers 1746, l'Acadie anglaise compte, pour environ 10 000 Européens et 1000 Amérindiens, six missionnaires dont trois qui sont dans l'incapacité de servir. Plusieurs paroisses sont privées de prêtres tandis que les habitants des côtes sont desservis une fois par année. L'abbé François Le Guerne, par exemple, dessert les habitants établis sur les rivières Chipoudy, Petitcodiac et Memramcook et des postes voisins. Après 1750, d'après l'abbé Henri Daudin, 6 138 Acadiens sont sans secours spirituel. Cette situation s'aggrave avec la Conquête et plusieurs Acadiens meurent sans avoir rencontré un prêtre plus d'une fois ou deux de leur vie.

Ainsi, la vie des Acadiens est beaucoup moins contrôlée par la dévotion religieuse qu'on l'a laissé entendre. Ils sont catholiques, mais leur pratique n'est pas aussi ardente qu'on ne l'a longtemps prétendu. Il y a peu d'indications dans les sources que les Acadiens s'engagent dans des projets de dévotion. Il n'y a pas eu d'églises en pierre construites avant 1755 et on ne signale pas de vocations parmi eux avant cette date. Selon Naomi Griffiths, « [...] Religion among the Acadians seems to have been a matter of necessity but not a question of sainthood, an important and vital ingredient in life, but not the sole shaping force of the social and cultural life of their communities[16] ».

L'Église à Louisbourg

À l'île Royale, l'Église a un rôle social beaucoup moins important qu'au Canada. À la différence de Montréal, aucun motif religieux ne préside à la fondation de Louisbourg. Contrairement à ce qui se passe au Canada, aucun prêtre n'est présent lors de la prise de possession officielle de ce territoire au nom du roi et, à l'opposé de ce qui se passe au Canada, l'Église n'a pas de rôle officiel dans l'administration de la colonie de l'île Royale. Le clergé de l'île relève de l'évêque de Québec, mais les prêtres à l'île Royale exercent leurs fonctions indépendamment de son autorité.

Louisbourg et ses avant-ports sont desservis par des récollets de Bretagne, qui reçoivent des gratifications royales — 2600 livres — pour s'occuper de la population civile et militaire en qualité de curés et d'aumôniers. Dès 1730, il y a normalement quatre religieux à Louisbourg : un curé au service des civils et trois aumôniers pour satisfaire les besoins particuliers des patients de l'hôpital du Roi, et ceux des soldats de la caserne et de la batterie royale. Les récollets sont souvent critiqués pour des pratiques religieuses non orthodoxes, leur manque de modération, leur manque d'instruction et leur incapacité à accomplir les tâches paroissiales fondamentales. Selon plusieurs, dont Mgr de Saint-Vallier, évêque de Québec, ces religieux manquent de formation académique et de dévouement, comparativement aux prêtres séculiers. Ils n'ont établi aucune école paroissiale, n'enseignent le catéchisme qu'occasionnellement et ne prélèvent pas de dîme. Malgré tout, les récollets sont assez

16. Naomi E.S. Griffiths, « The Golden Age : Acadian Life, 1713-1748 », *Histoire sociale*, vol. 27, nº 33, mai 1984, p. 32-33. L'extrait traduit se lit comme suit : « [...] La religion, parmi les Acadiens, semble avoir été une question de nécessité mais non pas une question de sainteté, un ingrédient important et vital dans la vie mais pas la seule force qui façonnait la vie sociale et culturelle de leurs communautés ».

populaires en tant que curés parce que leurs services coûtent moins cher que ceux des séculiers. De plus, le type de religion qu'ils véhiculent, simple et un peu portée sur le merveilleux, de même que leurs qualités de confesseurs plaisent aux fidèles.

Il y a aussi cinq frères de la Charité — ordre des hospitaliers de Saint-Jean-de-Dieu —, qui desservent l'hôpital du roi. L'un occupe la fonction de prieur ou de supérieur et les autres sont sacristain, chirurgien, apothicaire et infirmier. Ces frères, selon les règles et coutumes de l'Ordre de Saint-Jean-de-Dieu, doivent dire leurs prières matin et soir, ne parler que lorsque c'est nécessaire, observer les fêtes d'obligation et renouveler leurs vœux fréquemment. Pour ce qui est des soins de santé, ils doivent non seulement s'occuper des maladies de leurs patients, mais également informer ceux-ci de la nécessité de purifier leur âme pendant le rétablissement de leur corps. Le travail de ces religieux n'est pas facile. Les hôpitaux où ils travaillent, même l'hôpital du Roi, comportent des restrictions et des inconvénients évidents en matière d'approvisionnement et de services.

Le fait qu'il n'y a pas d'église paroissiale en tant que telle à Louisbourg et que c'est la chapelle de la garnison qui sert de lieu de culte pour l'ensemble de la population montre le peu d'influence officielle de l'Église. De par sa nature, la population de Louisbourg, qui est une population mouvante composée de commerçants et de pêcheurs, est difficile à administrer sur le plan religieux. Aucun prêtre ni religieux n'est jamais sorti de ses rangs.

Les prêtres exercent aussi leur ministère auprès des Micmacs de la colonie et contribuent ainsi à maintenir la loyauté à l'égard de la France. Il faut cependant dire que cette loyauté résulte tout autant des présents que leur distribuent chaque année les autorités administratives locales. Donc, l'Église, bien qu'elle soit présente dans la vie quotidienne à Louisbourg, ne joue pas un rôle social aussi important que cela semble avoir été le cas dans les milieux ruraux au Canada.

La vie religieuse à l'île Saint-Jean

À l'île Saint-Jean, deux prêtres sulpiciens, l'abbé René-Charles Breslay et l'abbé Marie-Anselme Métivier, sont présents dès les débuts de la colonie en 1720 et y demeurent trois ans. Après leur départ, la mission de l'île est confiée aux récollets qui veillent aux besoins spirituels des colons insulaires durant trente ans. En effet, une vingtaine de récollets se relayent et exercent leur ministère sur ce territoire de 1723 à 1754, à partir de Port-Lajoie, où une chapelle est construite dès l'arrivée des colons. Le prêtre, dont les dépenses sont assumées par l'État, est aumônier de la garnison du roi et doit desservir aussi les autres établissements de l'île. À travers son travail missionnaire, il doit apporter les sacrements aux colons, enseigner la religion aux jeunes, évangéliser les Amérindiens et parfois remplir les fonctions de notaire ou de juge afin de trancher les différends entre colons.

Avec l'augmentation de la population et la fondation de nouveaux établissements, de nouvelles chapelles sont construites et d'autres prêtres s'ajoutent. En 1753, par exemple, trois prêtres arrivent dans la colonie, soit les pères Jean Biscaret, Pierre Cassiet et Bernard-Sylvestre Dosque. Durant cette année, il y a cinq paroisses religieuses desservies par un curé : Pointe-Prime par l'abbé Jacques Girard, Saint-Louis-du-Nord-Est par l'abbé Cassiet, Saint-Pierre-du-Nord par l'abbé Biscaret, Malpèque par l'abbé Dosque et Port-Lajoie par le récollet Ambroise Aubré. Le développement de ces paroisses est interrompu par la déportation de 1758.

L'éducation en Nouvelle-Écosse

Durant le XVIIIe siècle, plusieurs missionnaires et des religieuses déploient bien des efforts pour dispenser l'enseignement aux filles et aux garçons en Nouvelle-Écosse et à Louisbourg. La tâche est particulièrement difficile en Nouvelle-Écosse qui est alors sous le contrôle des Britanniques. Les missionnaires n'abandonnent pas pour autant. Le sulpicien Breslay, par exemple, joue un rôle considérable dans l'établissement d'écoles à Beaubassin en 1723 et à Annapolis Royal de 1724 à 1730. Malgré les attaques du gouverneur Armstrong à l'égard de l'abbé Breslay, l'école d'Annapolis Royal semble encore en fonction au moment de la déportation en 1755. Il semble cependant que la situation s'avère moins favorable que sous le régime français puisqu'il y a moins d'écoles pour dispenser l'éducation des enfants. En effet, l'administration anglaise n'encourage pas une éducation en langue française et encore moins la présence de missionnaires catholiques, premiers responsables de l'éducation de la colonie acadienne.

Gisa Hynes, dans son étude de la population de Port-Royal — Annapolis Royal après 1713 — pour la période de 1650 à 1750, remarque que le pourcentage d'hommes et de femmes capables de signer leur certificat de mariage diminue dramatiquement durant la première décennie du XVIIIe siècle. Après 1745, très peu peuvent signer leur nom sur ces certificats. Des religieux et des religieuses sont envoyés en Acadie pour instruire les enfants des colons jusqu'en 1710 et ils obtiennent des succès. Mais, après la conquête britannique, la majeure partie du groupe d'élite de l'administration française — militaires et administrateurs — retourne en France ou passe dans d'autres colonies françaises telle l'île Royale. La société acadienne perd alors la grande majorité de sa composante lettrée. Les rares prêtres qui demeurent en Acadie n'ont pas les moyens d'entreprendre, pour la plupart, l'éducation régulière des enfants. Dans plusieurs paroisses, l'éducation est interrompue et la hausse de l'analphabétisme à Annapolis Royal illustre les résultats de cette négligence.

Le gouvernement anglais tente, de son côté, d'établir des écoles dans certaines paroisses de la Nouvelle-Écosse afin d'assimiler les enfants acadiens. Par contre, cette politique a peu de succès. En 1727, par exemple, un ministre anglican, le pasteur Richard Watts, fonde une école pour les enfants de la garnison anglaise d'Annapolis Royal. Il est peu probable que les jeunes Acadiens soient favorablement influencés par ces projets éducationnels des autorités coloniales anglaises. Ainsi, de 1713 à 1755, malgré un accroissement démographique important et une période de prospérité économique relative, l'Acadie fait piètre figure en alphabétisation et la présence de pédagogues compétents est rare.

Après 1755, le contexte est encore moins propice à l'ouverture ou au fonctionnement d'écoles. Les Acadiens qui vivent sur le territoire tentent d'échapper à la déportation et croupissent dans la pauvreté et la misère. Dans de telles conditions, il n'est pas question d'écoles où les enfants se rassemblent pour étudier les rudiments de la grammaire française et des autres sciences. Le premier souci des parents est de survivre.

L'éducation à Louisbourg

La situation de Louisbourg diffère de celle de la Nouvelle-Écosse en matière d'éducation. En 1713, lorsque l'Acadie est cédée aux Anglais, Mgr de Saint-Vallier, évêque de Québec, demande aux sœurs de la

Congrégation Notre-Dame de se rendre à Louisbourg afin d'ouvrir une école pour jeunes filles. Ces dernières acceptent de fonder une mission dans cette colonie, mais le projet est retardé étant donné les difficultés financières qu'elles rencontrent. En dépit de cet obstacle, une religieuse de la congrégation, sœur de la Conception, décide toutefois d'y aller elle-même. Elle offre ses services à Mgr de Saint-Vallier et celui-ci, malgré l'opposition de la congrégation, lui donne toutes les permissions nécessaires. La communauté la juge impropre à cette œuvre même si elle semble douée d'un grand talent pour l'éducation des enfants. Ses consœurs lui reprochent d'avoir une imagination trop vive qui, dans le passé, l'a rendue inutile et à charge de sa communauté.

Sœur de la Conception part de Québec et elle se voit contrainte de s'associer à deux filles laïques car personne parmi sa congrégation ne veut l'accompagner. Elles arrivent à Louisbourg en mai 1727 et commencent à dispenser l'instruction aux jeunes filles. Avec un certain succès semble-t-il puisqu'en décembre de la même année elles comptent 22 pensionnaires dans leur classe. Après la mort de Mgr de Saint-Vallier, sœur de la Conception écrit à son successeur, Mgr de Mornay, pour l'informer de la mission qu'elle détient de l'ancien évêque de Québec et reçoit la permission de continuer sa mission à l'île Royale. En même temps, le roi lui accorde une pension annuelle de 1500 livres pour l'entretien de trois sœurs de la Congrégation Notre-Dame. Par contre, sœur de la Conception ne peut remplir les intentions du roi sans recevoir de Ville-Marie — Montréal — d'autres sœurs pour l'aider, puisque les deux filles qui l'ont accompagnée l'année précédente n'appartiennent pas à cette congrégation. Elle demande sans succès la venue de quelques sœurs de la congrégation et est plutôt rappelée à Montréal.

Les circonstances de son départ pour Louisbourg ont déjà creusé un fossé entre elle et sa communauté sans compter que sa mission de Louisbourg est dans une situation financière pénible. N'ayant pas de talent pour les affaires, sœur de la Conception a déjà acheté un terrain et une maison pour la mission avec des conditions de paiement très onéreuses. Il faut donc la remplacer par des personnes qualifiées pour assurer la solidité de l'établissement, ce qui incite la Congrégation Notre-Dame à envoyer trois religieuses à sa place. En 1733, sœur Saint-Joseph (Marguerite Trottier), une ancienne supérieure générale, ainsi que sœur Saint-Benoît (Marie-Joseph Lefebvre Belle-Isle) et sœur Saint-Arsène (Marie-

Marguerite-Daniel Arnaud) partent pour l'île Royale. Puisque beaucoup d'enfants fréquentent leur école, elles ne peuvent pas suffire à la demande et, en 1734, deux autres religieuses de la congrégation les rejoignent : sœur Saint-Placide (Françoise Boucher de Montbrun) et sœur Sainte-Gertrude (Marie-Geneviève Hervieux) ainsi qu'une séculière, Catherine Paré. En plus d'inculquer les principes fondamentaux de la religion catholique, des vertus telles la piété et la modestie, à leurs élèves, les religieuses leur enseignent la lecture, l'écriture et les travaux ménagers. Elles déploient beaucoup d'efforts afin de former le caractère des filles et de leur dicter une bonne conduite.

Dans les années 1740, les religieuses de Louisbourg enseignent à une centaine d'écolières dans leur couvent. Des Acadiennes de la Nouvelle-Écosse y séjournent comme pensionnaires et certaines y prennent le voile. Élisabeth — ou Anne — Robichaud, la fille de Prudent Robichaud et de Françoise Bourgeois, d'Annapolis Royal est un exemple. Une autre Acadienne, Anne Geneviève Henry, originaire de la région de Cobequid, fréquente aussi le couvent de Louisbourg et devient une assistante laïque.

Les religieuses vivent de la pension annuelle de 1 500 livres que le roi consent à sœur de la Conception. De 1733 à 1740, sœur Saint-Joseph réussit à rembourser une partie importante de la dette des sœurs envers des marchands de la colonie. Elles doivent vendre des objets de leur fabrication afin de réussir à joindre les deux bouts ; ce qui ne les empêche pas d'accepter quelques élèves par charité. Les jeunes filles qui en ont les moyens doivent aller à Québec ou en France pour parfaire leurs études.

En 1740, les sœurs sont l'objet de la générosité du gouverneur de l'île Royale qui, pour les remercier des services rendus dans la colonie et afin de solidifier leur établissement, crée en leur faveur une rente annuelle pour huit places de pensionnaires, destinées à des filles d'officiers de l'île. Cette rente annuelle de 1600 livres est confirmée par des lettres patentes signées par le roi en août 1742. Après la guerre de 1745, les sœurs et leurs pensionnaires sont renvoyées en France par les Anglais, occupants de la forteresse. À la suite de la signature du traité d'Aix-la-Chapelle en 1748 et de la remise de la forteresse à la France, les sœurs Saint-Arsène, Saint-Louis (Catherine Paré) et Sainte-Gertrude s'embarquent pour retourner à Louisbourg. Bien que la Cour consente à rétablir leur maison détruite, les sœurs n'y parviennent qu'en imposant de dures privations et en contractant des dettes auprès d'un négociant de Louisbourg. Elles sont de nouveau transportées en France à la suite de la chute définitive de Louisbourg en 1758.

En ce qui a trait à l'éducation des garçons, les récollets sont responsables d'ériger des écoles et de voir à l'enseignement. Les succès sont très mitigés puisqu'ils n'établissent aucune école paroissiale et n'enseignent le catéchisme que périodiquement, s'attirant de sévères critiques de l'évêque de Québec. Peu de choses sont connues sur l'éducation des garçons à Louisbourg si ce n'est qu'en 1757 un projet d'école prévoit l'enseignement de la géométrie, de la physique, de l'économie rurale et de la navigation. Certains garçons, surtout des fils d'officiers et de bourgeois, ont probablement étudié en France ou au Canada, ou bénéficié des services d'un tuteur dans l'île Royale. Les fils d'hommes d'affaires apprennent cependant leur métier de façon informelle en travaillant auprès de leur père qui leur enseigne les rudiments du métier.

L'identité acadienne

À la même époque, les habitants français de la Nouvelle-Écosse ne bénéficient pas des mêmes possibilités d'accès à l'éducation qu'à l'île Royale. Cet isolement prolongé des valeurs de la mère-patrie contribue sans doute au développement d'un sentiment d'appartenance qui se démarque de la France. Ils sont devenus des « Acadiens », c'est-à-dire qu'ils ont maintenant une identité proprement acadienne. Même s'ils conservent certains traits de caractère de leurs ancêtres français, ils sont dorénavant un peuple avec leurs coutumes et leurs traditions.

Le mot acadien pour désigner un Français né en Acadie apparaît pour la première fois vers 1699 dans le récit de Dièreville. Celui-ci est alors conquis par les mœurs de ces habitants, chez qui les seigneurs et les habitants fraternisent, où les paysans sont exempts d'impôts et refusent de se compliquer la vie. « Ils prennent le temps comme il vient, affirme-t-il dans ses écrits. S'il est bon, ils s'en réjouissent. Et s'il est mauvais, ils pâtissent. Chacun comme il peut se maintient [...][17]. » Ce pays lui laisse une impression d'abondance, de vie saine et active. Dièreville remarque que la vie matérielle y est plus élaborée et plus ancrée dans les usages locaux.

---

17. Tel que cité par Bernard EMONT, « Témoins de l'Acadie aux XVIIe et XVIIIe siècles », *Études canadiennes*, vol. 13, 1992, p. 196.

L'identité de cette nouvelle société est sans contredit influencée par les deux grandes puissances qui s'y font la lutte depuis le début du XVIIe siècle. En fait, il y a deux Acadies dans un même environnement : celle au centre des débats territoriaux où règnent de nombreuses tensions, et une autre, peuplée de gens paisibles, différents des Anglais, de par leur langue et leur religion, mais aussi différents des Français car leurs traditions et coutumes sont maintenant influencées non seulement par celles des Européens mais aussi par les contacts qu'ils entretiennent avec les Micmacs. Au centre de tout se situe la famille, très importante à la survie du groupe. Naomi Griffiths décrit leur vie de cette façon : « ...It was instead a life of considerable distinctiveness. It was a life rich enough to provide the sustenance for a continuing Acadian identity, based not only upon a complex social and cultural life, but also upon the development of a coherent political stance, maintained through the settlements over a considerable periode of years[18]. »

Issu d'un noyau de quelques familles, le groupe acadien devient ainsi un peuple de 13 000 personnes au milieu du XVIIIe siècle. Ces Acadiens et ces Acadiennes développent une attitude qui leur permet de vivre pendant un siècle et demi sur un territoire convoité par deux grandes métropoles européennes. L'indépendance vis-à-vis des exigences métropolitaines, et la décision de s'accommoder aux situations du moment sont leur façon de réagir aux politiques et aux événements.

L'économie

L'agriculture

L'agriculture pratiquée en Nouvelle-Écosse n'évolue pas beaucoup durant le XVIIIe siècle. Les outils utilisés sont encore très simples, c'est-à-dire des haches, des bêches, des houes, des faucilles, des faux, des fourches en bois, etc. Quant aux récoltes, ce sont encore les mêmes

18. Naomi E.S. Griffiths, « The Golden Age... », *op. cit.*, p. 34. L'extrait traduit se lit comme suit : « C'était une vie différente. C'était une vie suffisamment riche pour assurer la subsistance soutenue de l'identité acadienne, basée non seulement sur une vie sociale et culturelle complexe, mais aussi sur le développement d'une position politique cohérente, maintenue à travers les établissements durant un nombre considérable d'années. »

denrées qu'au XVIIe siècle qui sont cultivées, c'est-à-dire des céréales, des pois et des choux alors que les arbres fruitiers produisent aussi des pommes et des poires. La pomme de terre est encore inconnue. Le fond du cheptel reste inchangé puisqu'il n'y a pas de concentration suffisante de moyens ni de connaissance technique requise pour introduire les croisements nécessaires et assurer un renouvellement de l'espèce bovine. Le nombre de bêtes augmente cependant, et les habitants continuent l'élevage des poulets, des porcs, des moutons, des vaches et des chevaux. Certains efforts sont déployés pour introduire quelques nouveautés et il y a une culture plus intensive de quelques espèces céréalières tels le seigle, l'orge et l'avoine. De plus, les Acadiens expérimentent la culture du tabac sur une échelle restreinte et le cheval est utilisé plus fréquemment.

La culture des marais se poursuit et demeure la principale caractéristique du paysage agricole de la Nouvelle-Écosse. L'assèchement complet d'un pré peut être réalisé en deux ou trois ans alors que les marais servent de pâturage. Ils peuvent ensuite être cultivés pendant plusieurs années sans qu'il soit nécessaire d'utiliser de l'engrais. Si la fertilité d'un pré diminue après avoir été cultivé pendant quelque temps, on laisse pénétrer l'eau salée en ouvrant les aboiteaux afin d'enrichir le sol. Vers 1710, il est estimé que 2000 arpents de marais salants sont cultivés soit les trois quarts des marais déjà endigués. Le tableau 5 présente des chiffres

Tableau 5

Bétail et acres de terres endiguées (1748-1750)

Emplacements	*Bovins*	*Moutons*	*Porcs*	*Chevaux*	*Acres de terres endiguées*
Annapolis	3 000	6 000	3 000	350	3 000
Région des Mines	5 000	9 000	4 000	500	4 000
Pisiquid et Cobequid	2 500	3 500	1 500	200	2 500
Chignectou	7 000	8 000	4 000	500	3 000
Autres établissements	250	150	250	50	100
Total	**17 750**	**26 650**	**12 750**	**1 600**	**12 600**

Source : Andrew Hill CLARK, *Acadia : The Geography of Early Nova Scotia to 1760*, Madison, University of Wisconsin, 1968, p. 236.

approximatifs sur le bétail et le nombre d'acres de terres endiguées dans la région de la baie Française de 1748 à 1750, soit quelques années avant la déportation.

Tous les espaces qui se peuvent gagner sur la mer sont donc à peu près endigués vers 1750 et la culture de ces prés rend possible l'accumulation d'un surplus agricole. Après 1713, les Acadiens ravitaillent la population anglaise — militaires, administrateurs et marchands — qui ne pratique pas l'agriculture quoiqu'ils continuent d'acheminer une partie de leurs surplus vers la Nouvelle-Angleterre et, plus tard dans la période, vers Louisbourg. Par exemple, la région des Mines y exporte du blé tandis que la région de Beaubassin y vend du bétail.

Les vestiges du régime seigneurial et l'occupation des terres

Le passage du régime français au régime anglais ne change pratiquement pas la tenure traditionnelle des terres en Acadie. Après 1710, des gouverneurs britanniques insistent pour que les paiements des droits seigneuriaux soient versés à la Couronne, mais ils ont peu de succès. Des Acadiens continuent plutôt de payer leur prestation annuelle à leur seigneur réfugié à l'île Royale, tandis que la majorité de ceux qui payent encore à la fin du régime français perdent rapidement l'habitude d'acquitter leurs charges.

Ce n'est qu'à partir de 1730 que le gouvernement de la Nouvelle-Écosse passe à l'action afin de s'approprier des seigneuries et des revenus. Le lieutenant-gouverneur Mascarène, en 1740, donne les instructions suivantes : « ...the rents for mills and all hommages and services formerly due and paid by them [les habitants acadiens] to the most Christian King or their former seigneurs, are now payable to the King of England[19] ». Selon l'interprétation anglaise, le titulaire d'une concession doit naturellement payer ses redevances annuelles. Mais les Anglais ont peu de succès car les Acadiens ne payent pas ces taxes et, peu à peu, les vestiges du principe féodal s'évanouissent.

---

19. Tel que cité par Jean Gaudette, « Famille élargie et copropriété dans l'ancienne Acadie », *Les Cahiers de la Société historique acadienne*, vol. 25, n° 1, 1994, p. 19. L'extrait traduit se lit comme suit : « ...les loyers pour moulins et tous les hommages et services déjà dus et payés par eux au roi le plus chrétien ou leurs seigneurs antérieurs sont maintenant payables au roi d'Angleterre ».

Le mécontentement des Anglais grandit à mesure que la population acadienne croît et qu'elle met en culture des terres nouvelles, malgré l'interdiction émise par les autorités anglaises après 1730. Dans la région de Beaubassin, par exemple, plusieurs habitants s'établissent le long des rivières Memramcook et Petitcodiac et à l'ouest, dans la région de Chipoudie sur des terres arpentées et réservées pour des immigrants anglais. Les Anglais n'osent pas déloger les Acadiens mais ils tentent d'exiger le paiement de taxes pour compenser les coûts administratifs. Pour toutes sortes de raisons, les Acadiens en paient très peu puisque les autorités anglaises ne reçoivent que 30 livres sterling en 1732 et 15 livres en 1745.

Les autres activités économiques en Nouvelle-Écosse

En plus de l'agriculture, la plupart des familles acadiennes de la Nouvelle-Écosse pratiquent d'autres activités économiques tels la pêche, le travail du bois ou encore le commerce afin d'améliorer leurs conditions de vie. Les Acadiens qui s'adonnent à la pêche le font pour leurs propres besoins et ont peu d'intérêts pour la pêche commerciale. Ils ont des chaloupes et pêchent le long des baies et rivières où foisonnent le saumon, la truite, l'éperlan, la plie, le gaspareau, etc. Il y a aussi certaines preuves d'un intérêt marqué pour la morue puisque quelques Acadiens travaillent sur des morutiers de France et de la Nouvelle-Angleterre.

Tous les établissements acadiens sont dépendants de la forêt pour le combustible, les matériaux de construction pour les maisons, les granges, les meubles, les clôtures, les ponts, les outils, les ustensiles, les chariots ou encore les traîneaux. Même si les Acadiens coupent peu d'arbres pour défricher de nouvelles terres agricoles, ils bûchent continuellement, car ils ont grand besoin de bois bien qu'ils en exportent très peu. Ceci est surprenant, puisque plusieurs moulins fonctionnent dans différents établissements. Il faut dire que le bois privilégié pour les mâts, le pin blanc, n'est pas abondant près des établissements acadiens, et ce sont ces mâts qui intéressent la France et la Grande-Bretagne.

Les Acadiens de la Nouvelle-Écosse délaissent peu à peu le commerce avec la Nouvelle-Angleterre pour se concentrer sur celui avec l'île Royale même s'il leur est défendu. Chaque année, de Beaubassin à la baie Verte, des animaux vivants, des céréales et des fourrures traversent l'isthme et

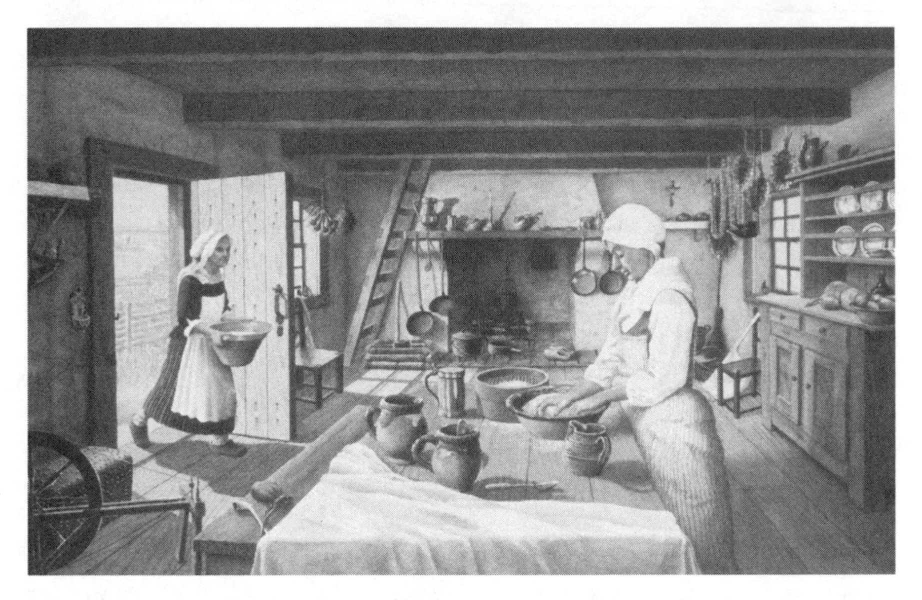

L'intérieur d'une maison acadienne vers 1720 selon une interprétation de données historiques et de données archéologiques recueillies dans la région d'Annapolis Royal. Musée de la Nouvelle-Écosse à Halifax.

sont acheminés par bateaux jusqu'à Louisbourg. En 1740, par exemple, la valeur des échanges entre Louisbourg et l'Acadie dépasse 27 000 livres. En retour, les Acadiens obtiennent des tissus, du rhum, de la mélasse, du vin, etc. Ces produits transitent sur des bateaux français de Louisbourg et parfois sur des bateaux de la Nouvelle-Angleterre bien qu'avec le temps les Acadiens possèdent davantage de bateaux qu'ils utilisent pour leur commerce.

Comme ils se livrent à la contrebande, les Acadiens laissent peu de documents à propos de ce commerce. Mais, s'ils peuvent exporter des produits agricoles, cela témoigne qu'ils ont annuellement des surplus à écouler. Le gouvernement d'Annapolis Royal craint que les provisions soient insuffisantes pour nourrir la garnison anglaise ou encore que les prix grimpent en flèche si les surplus des Acadiens sont utilisés dans le commerce avec Louisbourg. En 1731, les autorités anglaises menacent les Acadiens d'amendes et, au cours des années suivantes, bien des efforts sont déployés pour les forcer à obtenir des permis pour leurs bateaux, avant de faire du commerce. Ces mesures ont peu de succès, même après l'imposition de la loi de 1754, la *Corn Law*, qui interdit, par exemple, les exportations acadiennes tant que le marché d'Halifax n'est pas desservi. Une proclamation du gouverneur prévient les capitaines de bateaux des pénalités sévères qui peuvent s'appliquer s'ils essaient d'exporter des céréales sans la permission des autorités coloniales.

La façon d'écouler les surplus de nourriture devient de plus en plus un test de loyauté pour les Acadiens. Pour la population acadienne, envoyer de la nourriture à des parents lointains est conforme aux traditions sociales et culturelles et n'est pas un geste politique en soi. Mais, pour les officiers militaires britanniques, le comportement acadien est interprété en termes stratégiques. Selon ces officiers, un conflit requiert du soutien logistique, et le ravitaillement en nourriture est perçu comme un facteur important dans la lutte de pouvoir dans laquelle ils sont directement engagés.

En réalité, les autorités anglaises ont peu de contrôle sur ce commerce, car, sauf les habitants de la capitale Annapolis Royal, tous les Acadiens vivent à au moins 166 kilomètres du siège du gouvernement. Ce commerce illégal avec la colonie française de Louisbourg est surtout profitable pour les établissements acadiens des Mines, de Beaubassin et de Chignectou. Les Acadiens déploient donc de l'énergie et de l'initiative pour produire des surplus et les écouler sur les marchés anglais mais surtout sur les marchés français. Quand les occasions se présentent, les Acadiens n'hésitent pas à les saisir.

Certains Acadiens commencent aussi, durant la période anglaise, à se distinguer par d'autres activités économiques complémentaires. Plusieurs se signalent par la multiplication de bestiaux. D'autres ont des moulins dont la capacité de transformer dépasse les besoins familiaux et quelques-uns ont des goélettes pour les échanges. Joseph Nicolas Gauthier est un bel exemple à citer car ce dernier est exceptionnellement à l'aise. Il possède deux habitations sur la rivière Dauphin, deux moulins à blé, un moulin à scie et deux vaisseaux pour le commerce avec la France, les Antilles, la Nouvelle-Angleterre et Louisbourg. Il entretient un commerce étendu dans lequel il engage un capital de 25 000 à 30 000 livres et, en 1745, sa fortune est évaluée à plus de 80 000 livres. D'autres noms de colons figurent parmi ceux qui accumulent des réserves considérables de grains et plusieurs bestiaux. Les Bourgeois, Terriau, Melançon, Thibeaudeau et Blanchard ne sont pas encore des capitalistes, mais, selon Michel Roy, le processus est engagé. Une petite bourgeoisie parmi les Acadiens est bien en voie de se constituer lorsque survient la déportation.

Les activités économiques à Louisbourg: la pêche, le commerce et le secteur des affaires

La pêche demeure la principale activité économique à Louisbourg et ailleurs sur l'île Royale où au moins 1000 personnes sont reliées directement ou indirectement à ce secteur économique. À la suite de la colonisation de l'île durant les années 1720, la pêche sédentaire ou côtière est rapidement rétablie dans la capitale et dans plusieurs avant-ports le long de la côte atlantique. Presque tous les jours, les barques des pêcheurs côtiers et quelques goélettes rentrent au port pour y débarquer leurs prises. Prenant plus de poisson que les pêcheurs côtiers, les bateaux de pêche hauturière ne s'arrêtent dans la colonie que pour tirer profit du commerce.

La prospérité de Louisbourg repose en grande partie sur le poisson puisque la morue représente de 66 % à 90 % de l'ensemble des exportations de la colonie et cette prospérité persiste jusqu'à la fin des années 1730. Par contre, au cours de la décennie suivante, la production des pêcheries sédentaires chute en raison d'un changement dans les habitudes de migration de la morue, et de la reprise des hostilités avec les colonies anglaises. Quoi qu'il en soit, l'influence des pêches à Louisbourg est telle qu'elle amène le déclin de l'industrie des pêches dans les colonies anglaises car les pêcheurs de ces colonies préfèrent venir porter leur poisson à Louisbourg, au lieu de Boston, pour qu'il soit réexpédié ailleurs.

L'émergence de Louisbourg comme principal port de la Nouvelle-France s'explique par la prospérité croissante du commerce qui marque le début du XVIIIe siècle. Louisbourg constitue l'endroit idéal pour le transbordement de marchandises sur des navires provenant de la France, de la Nouvelle-Angleterre, du Canada et des Antilles. Vers 1730, plus de 150 navires accostent chaque année à Louisbourg, permettant aux Français de réaliser le rêve du commerce intercolonial; la forteresse sert d'entrepôt où se font les échanges. Les navires antillais transportent du sucre, du rhum, de la mélasse, du café et du tabac, et rapportent du bois d'œuvre, de la morue ainsi que d'autres produits alimentaires. De France,

Durant les années 1740, le port de Louisbourg bourdonne d'activités. Il constitue l'endroit idéal pour le transbordement de marchandises sur des navires provenant de la France, de la Nouvelle-Angleterre, du Canada et des Antilles. Artiste : Lewis Parker, Forteresse de Louisbourg, lieu historique national du Canada.

on reçoit des vêtements, du drap, des produits de quincaillerie, des fournitures destinées à l'industrie de la pêche et à celle de la construction, du sel et du vin, tandis que la Nouvelle-France expédie des céréales, des animaux vivants, du bois et des légumes. C'est le commerce triangulaire.

Malgré les interdictions, la Nouvelle-Angleterre est un fournisseur de produits naturels et de matériaux de construction. Bien que ce commerce soit prohibé, les autorités des deux empires ferment généralement les yeux sur cette activité qui leur est profitable. Les besoins de Louisbourg étant très grands, les marchands français n'arrivent pas à suffire à la demande alors que les colonies anglaises peuvent fournir du bétail, des denrées et des matériaux de construction. Les marchands de la Nouvelle-Angleterre achètent à Louisbourg des produits des Antilles — sucre et produits dérivés —, qu'ils payent à des prix inférieurs à ceux de Boston ; ils y trouvent aussi de la morue et des produits finis de France. Moins nombreux mais aussi importants, d'autres échanges se font avec les Acadiens de la Nouvelle-Écosse qui expédient leur surplus agricole et du bétail à Louisbourg. Dans l'ensemble, les douaniers des colonies anglaises tolèrent ce commerce lucratif, mais les autorités britanniques croient qu'il faut y mettre un terme afin d'affaiblir la colonie française de Louisbourg.

Louisbourg comprend une foule de petits magasins et d'entrepôts concentrés dans le quartier longeant le quai. Ce secteur des affaires bourdonne d'activités pendant la saison de la navigation. Les gens d'affaires locaux exercent leur activité dans divers domaines, comme les entreprises de pêche, le commerce de gros ou de détail, le courtage maritime, l'approvisionnement de l'État et l'armement des navires. D'autres petits commerçants tiennent des auberges et des cabarets. Plus de 75 de ces commerces détiennent un permis d'exploitation, mais plusieurs débits fonctionnent également sans autorisation.

Les hommes ne sont pas les seuls à être actifs dans le secteur des affaires à Louisbourg puisque les exigences de la vie familiale rendent nécessaire la participation de certaines femmes. C'est principalement comme veuves ou encore comme épouses d'hommes d'affaires que les femmes s'engagent dans ce domaine. La nécessité, pour les veuves, de subvenir aux besoins de leur famille est le principal facteur expliquant la présence de femmes d'affaires à Louisbourg. La plupart continuent l'occupation de leur mari, sauf plusieurs veuves qui tiennent auberge ou cabaret. On les trouve ainsi dans toutes les occupations : elles sont habitantes-pêcheurs, marchandes ou encore cabaretières et aubergistes. La gestion partagée de l'entreprise entre les veuves et leurs fils adultes est assez commune.

Quelques-unes de ces femmes collaborent à l'entreprise du mari avant la mort de celui-ci. Si dans certains cas la participation des femmes mariées à l'entreprise familiale est ponctuelle, il semble exister un véritable partenariat entre de nombreux époux et leurs épouses. De plus, la majorité des femmes, veuves ou mariées, ne sont pas étrangères au monde des affaires au moment de leur mariage. La plupart sont nées ou ont vécu en Amérique du Nord, dans des colonies ou dans des établissements où les affaires sont au centre de la vie économique et plusieurs d'entre elles sont issues de milieux familiaux à forte tradition entrepreneuriale.

Les activités économiques pratiquées ailleurs sur l'île Royale

Les principales activités économiques pratiquées ailleurs sur l'île Royale sont l'agriculture et la pêche. Le potentiel agricole ne peut se comparer à celui des terres basses des régions longeant la baie Française mais beaucoup de terres au Canada et en Nouvelle-Angleterre sont cultivées et ne donnent pas un meilleur rendement. La mauvaise réputation agricole de l'île Royale provient de la perception qu'on a dans les localités de pêche. Les terres de ces établissements côtiers sont peu fertiles et le climat maritime est peu favorable pour les céréales. Or, le sol arable de rendement normal se trouve à l'intérieur, loin des pêches. Ces régions deviennent peuplées plus tard, lorsque des Acadiens fuient la Nouvelle-Écosse après 1750.

C'est dans la région de la rivière Miré que l'on fait les plus importantes expériences en agriculture avec le blé, l'avoine, les pois, quelques vignes et des arbres fruitiers. On semble avoir de bons résultats avec l'élevage dans différentes régions de l'île dont le passage Lennox et dans la région de Saint-Pierre où plus des deux cinquièmes du troupeau (243 bêtes) se trouvent. Les trois cinquièmes du troupeau de chevaux et de moutons sont plutôt concentrés dans les environs de Louisbourg. Il est alors difficile d'assurer la survie des bêtes l'hiver et il faut tuer des animaux pour la nourriture. Par conséquent, le troupeau n'augmente jamais considérablement au cours de la période de 1714 à 1758.

Les pêches absorbent l'essentiel du dynamisme économique dans les établissements côtiers de 1713 à 1752. Durant cette dernière année, plus de 33 % des chefs de ménage vivent de ce secteur qui requiert plus de personnel que l'agriculture. Les pêches occupent tellement les gens que tout ce qu'ils peuvent espérer de la production agricole c'est un petit jardin, une vache, quelques moutons, des porcs et un cheval. La main-d'œuvre agricole est composée surtout de femmes et d'enfants.

La morue est pêchée puis séchée ou salée sur les côtes et le travail est partagé entre les pêcheurs et des équipages travaillant sur les côtes. La saison de pêche s'étend d'avril à la fin de septembre quand les résidents et les équipages de bateaux venus de France se font concurrence pour la morue le long des côtes et sur les bancs de poisson. En 1716, il y a environ 2000 pêcheurs dont la moitié sont employés par des résidents et l'autre moitié sont membres d'équipages de bateaux français.

Les pêches produisent de 1 500 000 à 3 500 000 livres de poisson par année ou 100 000 à 175 000 quintaux de poisson séché. Les guerres réduisent les montants de prises durant les années 1740 et 1750. Ingonish est le principal port de pêche après Louisbourg quoique l'on puisse aussi mentionner Petite-Brador, Niganiche, Fourchu, Saint-Esprit, Michaud et

Petit-Degrat. Si plusieurs pêcheurs s'endettent auprès des marchands et des commerçants, il semble que quelques-uns atteignent une certaine prospérité et achètent de plus gros bateaux et même des goélettes.

D'autres activités économiques contribuent au développement de l'île. L'industrie du bois procure des emplois dans des localités telles Saint-Pierre, Petite-Brador, Baie des Espagnols et le long de la rivière Miré. La plupart du bois est utilisé pour les besoins de construction dans les villages ou pour la forteresse de Louisbourg. On entreprend aussi la construction de bateaux pour la pêche et il existe également des mines de charbon quoiqu'elles soient négligées. Le charbon est employé surtout par les bateaux en transit et comme combustible pour Louisbourg, bien que les tentatives infructueuses sont faites pour en envoyer en France. La peur des explosions incite peu de capitaines à poursuivre l'expérience.

La pêche et l'agriculture sur l'île Saint-Jean

À l'île Saint-Jean, deux principales activités économiques sont exercées durant le XVIIIe siècle : la pêche et l'agriculture. Havre-Saint-Pierre est le principal centre de pêche de l'île et, en 1734, 33 familles de pêcheurs y sont établies, toutes originaires de France (Normandie, Bretagne, Saintonge, Gascogne). Outre ces pêcheurs fixés définitivement dans l'île, il s'y trouve des matelots et des pêcheurs saisonniers qui rentrent en France après chaque saison de pêche. Selon le dénombrement de 1734, 163 personnes vivent à Havre-Saint-Pierre.

Le gouvernement français n'encourage pas beaucoup l'expansion de la pêche à l'île Saint-Jean car il tient à ce que la colonie produise des denrées agricoles pour l'île Royale qui doit être assez puissante pour bien défendre les colonies françaises en Amérique. En dépit de cette situation, les pêcheurs établis à l'île Saint-Jean parviennent à pêcher la morue avec succès. Les uns sont employés par des commerçants locaux, les autres sont des pêcheurs indépendants qui vendent leurs prises à des commerçants de Louisbourg et de France.

Le développement de la pêche à la morue est constamment entravé par une pénurie de matériel. En effet, la plus grande difficulté des pêcheurs semble être l'achat, à prix raisonnable, de l'équipement de pêche, de la nourriture et des vêtements. Ils doivent se rendre à Louisbourg pour se ravitailler — perdant ainsi des journées de travail — ou bien ils achètent directement des bateaux français à des prix exorbitants.

Vingt ans plus tard, en 1754, la situation a peu changé car les pêcheurs de l'île payent encore des prix excessifs pour des provisions tout en recevant de bas prix pour leur morue et demeurent endettés. On recommande alors aux pêcheurs de se consacrer davantage à l'agriculture puisqu'ils n'ont alors qu'à acheter aux marchands le sel et quelques autres articles.

À compter de 1749, les habitants n'ont le droit de s'adonner à la pêche qu'à Tracadie et à Havre-Saint-Pierre. Les autorités françaises veulent tellement que l'île devienne le grenier de Louisbourg qu'elles interdisent la pêche dans la plupart des établissements afin de s'assurer que les habitants se consacrent à la production agricole. Cette mesure est fortement critiquée par la population car celle-ci est souvent au bord de la famine en raison des mauvaises récoltes et la pêche peut l'aider à survivre.

Alors que la pêche est pratiquée par des colons originaires de France, l'agriculture est le principal domaine d'activité des Acadiens émigrés à l'île Saint-Jean. En arrivant, ils cherchent à s'établir sur des terres semblables à celles qui sont abandonnées en Acadie. Les quelques prairies naturelles le long des rivières et des baies sont vite occupées car elles offrent une source immédiate de foin pour l'hiver. Par la suite, les Acadiens cultivent ces prairies. Au fur et à mesure que la population augmente et que toutes les prairies naturelles sont prises, les colons doivent abattre et défricher la forêt pour agrandir leurs fermes. Ce défrichage occasionne parfois des incendies de forêts désastreux, qui entraînent la destruction des récoltes de certains établissements. La pratique colonisatrice des Acadiens veut qu'au moins une partie de leur ferme donne accès à un cours d'eau, ce qui fait qu'ils ne s'aventurent pas profondément dans l'arrière-pays.

Le blé et les pois sont les principales récoltes de la colonie. En 1739, on sème environ 670 boisseaux de blé et 150 boisseaux de pois tandis qu'en 1752 le recensement du sieur de la Roque révèle qu'on sème 1490 boisseaux de blé, 129 d'avoine, 181 de pois, 8 d'orge, 8 de seigle, un de lin et un de sarrasin. Toujours selon le recensement, 1000 acres de terres sont défrichées, mais seulement 600 à 700 sont ensemencées, en raison de la pénurie des grains de semence.

L'île Saint-Jean ne parvient pas à remplir son rôle de ravitailleur de Louisbourg et, en raison des fléaux qui frappent la colonie, les habitants dépendent souvent de l'aide de l'île Royale pour survivre. Ils connaissent quelques bonnes années de récoltes, mais ils ne parviennent qu'à nourrir la population de l'île et n'exportent jamais de blé ou de pois. Parmi les fléaux qui frappent la colonie, notons les souris, les sauterelles, la rouille, les incendies de forêts qui viennent tour à tour détruire les récoltes d'un seul établissement ou de toute la colonie. La région de Malpèque est particulièrement éprouvée de 1749 à 1751.

Les colons cultivent également avec un certain succès des jardins potagers et une assez grande quantité de légumes tels les navets. Il faut rappeler que les Acadiens ne connaissent pas la pomme de terre à cette époque. Les troupeaux demeurent assez importants dans la colonie, du moins en 1752 alors que le recensement révèle une population de 2223 âmes et un cheptel comptant environ 100 chevaux, 800 bœufs, 1300 autres bêtes à cornes, 1200 moutons, 1300 cochons, 2300 poules, 300 oies, 100 dindes et 12 canards. Le bœuf sert surtout d'animal de trait pour le défrichage et le labourage. Quant au veau, on le garde précieusement pour l'approvisionnement de Louisbourg. Les années où la population de l'île Saint-Jean arrive à se suffire en vivres sont plutôt rares. En raison de tous les fléaux qui détruisent les récoltes, du manque de semences et de l'immigration accélérée de réfugiés acadiens, l'île Saint-Jean ne connaît pas de prospérité agricole au XVIIIe siècle.

Conclusion

Bien que l'Acadie est cédée à la Grande-Bretagne en 1713, la plupart de ses habitants restent sur le territoire et choisissent de demeurer neutres dans le conflit opposant la France à la Grande-Bretagne. La population acadienne connaît les bienfaits de la paix de 1713 jusqu'en 1744 et se multiplie alors à un rythme accéléré. Les conditions de vie sont toujours bonnes pour cette population qui pratique à la fois l'agriculture, la pêche et le commerce. Quelques chefs de famille accumulent des réserves importantes et exportent régulièrement des surplus de production.

Parallèlement au développement des établissements acadiens de la Nouvelle-Écosse, des établissements français voient le jour sur l'île Royale et sur l'île Saint-Jean. Les habitants de ces deux colonies françaises sont originaires de France, de Plaisance ou encore de la Nouvelle-Écosse et vivent des mêmes activités économiques que les Acadiens vivant en territoire anglais.

À partir de 1750, la fortification des territoires français et anglais a pour effet d'accentuer l'insécurité politique des Acadiens et des Acadiennes. La déportation, qui débute en 1755 et se poursuit jusqu'en 1762, met fin à leur vie paisible et entraîne de nombreuses pertes de vie parmi les déportés et chez ceux qui réussissent à s'enfuir. En plus de la perte de leurs possessions, les Acadiens et les Acadiennes qui parviennent à survivre sont dispersés dans les colonies anglaises d'Amérique ou encore en Angleterre et plusieurs doivent affronter l'accueil hostile des populations locales. Certains regagneront les Maritimes après 1763 et on assistera alors à l'émergence d'une nouvelle Acadie.

CHAPITRE III

Reconstruction territoriale et sociale 1763-1850

Un retour difficile

De la fin du XVIIIe siècle jusque vers 1850, l'Amérique du Nord est le théâtre de changements marquants sur le plan à la fois politique, économique et social. En effet, des événements tels la guerre de l'Indépendance américaine (1776-1783) et la guerre anglo-américaine (1812-1814) ont des répercussions simultanées sur l'Angleterre et ses colonies d'Amérique du Nord. Dans les colonies atlantiques, ces conflits sont bénéfiques au point de vue économique puisque la présence des troupes britanniques amène de nouveaux capitaux qui sont écoulés dans la région pour des biens et services.

Si l'on fait exception de l'attaque contre le fort Cumberland lors de la Révolution américaine, la région des Maritimes n'est jamais vraiment menacée d'une invasion américaine. Elle connaît néanmoins des changements à sa structure politique avec l'implantation graduelle des gouvernements responsables dans les colonies. Contrairement à ce qui se passe dans les deux Canada, ce processus se déroule sans violence apparente. Au point de vue démographique, un mouvement d'immigration significatif de la Grande-Bretagne vers les colonies anglaises d'Amérique du Nord vient grossir les rangs de la majorité britannique déjà sur place. Ce phénomène a conséquemment accentué le statut minoritaire des Acadiens et des Amérindiens.

Après la signature du traité de Paris en 1763, des Acadiens et des Acadiennes commencent un long périple qui les mène aux Antilles, en

France, en Louisiane, au Québec et surtout dans les Maritimes (Nouvelle-Écosse, île du Prince-Édouard et Nouveau-Brunswick) à la recherche d'une nouvelle patrie où ils espèrent refaire leur vie. Ceux qui reviennent dans les Maritimes doivent prêter le serment d'allégeance et s'installer en petits groupes dans divers lieux « [...] afin qu'ils ne puissent troubler et importuner le gouvernement comme ils le firent initialement au moyen d'actions rebelles et turbulentes [...][1] ». Ils se voient refuser le droit d'occuper leurs anciennes terres qui sont depuis leur départ réservées aux immigrants de la Nouvelle-Angleterre. C'est le dessein des autorités d'Halifax de concéder aux colons américains ces terres fertiles cultivées par les Acadiens. En 1763, plus de 12 000 colons de la Nouvelle-Angleterre sont déjà établis en Nouvelle-Écosse.

Ceux et celles échappant à la déportation fondent de nouveaux établissements en Nouvelle-Écosse mais le plus souvent aux extrêmes limites de l'ancienne Acadie. Les exilés ont l'option de rejoindre ces communautés installées en Nouvelle-Écosse sur des terres qui leur sont réservées ou encore de s'installer au Cap-Breton, à l'île du Prince-Édouard ou dans des régions qui deviendront, en 1784, le Nouveau-Brunswick. Devant cette situation et ayant le désir de s'établir loin de leur « ennemis », la plupart des Acadiens et des Acadiennes choisissent de s'installer dans des endroits reculés, espérant ainsi recréer leur pays où leurs valeurs seront préservées sans interférence de l'extérieur. Durant leurs migrations, les exilés acadiens sont renseignés par un réseau de communication assez bien développé — lettres, messages verbaux — ce qui permet, dans bien des cas, la réunion des membres d'une même famille et le choix d'un lieu permanent d'établissement.

En Nouvelle-Écosse, toutes les anciennes terres des Acadiens et des Acadiennes, sauf celles dans la région de Pubnico, de Beaubassin et au-delà de la rive gauche de la Petitcodiac, sont occupées ou réservées pour les colons anglais. Les premiers qui tentent un retour dans cette colonie s'établissent d'abord dans les régions d'Halifax et de part et d'autre du détroit de Canceau. D'autres concessions de terres sont par la suite accordées à l'autre extrémité de la Nouvelle-Écosse. Dès 1767, des familles revenues d'exil parsèment les côtes de la baie Sainte-Marie et les régions

1. Alphonse DEVEAU et Sally ROSS, *Les Acadiens de la Nouvelle-Écosse : hier et aujourd'hui*, Moncton, Éditions d'Acadie, 1995, p. 113.

Henry Wadsworth Longfellow naquit à Portland, Maine, en 1807.
Son *Évangéline* fut éditée à de nombreuses reprises et en
différentes langues. Source : CÉA PB1-495C

de Tousquet et Pobomcoup. Après 1780, Chéticamp et Margaree accueillent des colons acadiens venant de l'île Saint-Jean, des îles Saint-Pierre et Miquelon et d'autres régions du Cap-Breton (île Royale). On estime qu'au tout début du siècle suivant la population acadienne de la Nouvelle-Écosse s'établit à près de 4000 habitants dans les régions suivantes : baie Sainte-Marie (1080), Tousquet (400), Chezzetcook et Prospect près d'Halifax (520), Canceau (1584) et Chéticamp (353).

Même dans ce cadre socio-économique difficile, l'Acadie commence à être reconnue sur la scène nationale et internationale, du moins dans quelques ouvrages littéraires dont le poème *Évangéline* de l'Américain Henry Wadsworth Longfellow, publié en 1847 et disponible en plus de 12 langues. Bien qu'il s'agisse d'une œuvre de fiction, l'odyssée acadienne s'y dessine et l'élite acadienne émergente de la période suivante en fait un symbole caractérisant la persévérance acadienne.

Quant à l'île Saint-Jean, les événements de 1758 la vide presque complètement de son contenu humain. Les deux tiers des habitants sont expédiés en France et les autres prennent la fuite vers Restigouche et ailleurs au Québec. Certains vont aux îles Saint-Pierre et Miquelon après la signature du traité de 1763. Quelques familles parviennent toutefois à éviter la déportation et à demeurer sur l'île puisqu'en 1764 une trentaine de familles pauvres vivent réfugiées au fond des bois. Quelques années plus tard, en 1768, l'île compte 68 sujets britanniques ainsi que 203 Acadiens et Acadiennes. La plupart de ces derniers vivent alors sur la côte nord autour des anciens établissements de Havre-Saint-Pierre (12 familles), Tracadie (10 familles), Rustico (5 familles), Malpèque (10 familles) et Baie-de-Fortune (1 famille) où ils font la pêche pour des entreprises britanniques.

En 1769, la colonie de l'île Saint-Jean acquiert un statut de colonie séparée et se nomme maintenant île du Prince-Édouard. À ce moment-là, elle est déjà divisée en 67 lots ou cantons qui sont ensuite concédés à des personnalités anglaises de la métropole. Ceux-ci doivent y établir des colons, à raison d'une personne par 200 acres et ce, en l'espace de dix ans. La distribution des lots s'avère bientôt un échec, car beaucoup de concessionnaires vont vendre leur propriété. En deux ans, plusieurs lots changent de propriétaire et, 12 ans après (1776), 49 des 67 lots répartis sont inhabités. Rares sont les propriétaires qui vivent sur leur concession au milieu de leurs locataires. Ils préfèrent confier leurs affaires à des agents ce qui, éventuellement, donne naissance à un système complexe et confus de grands propriétaires absentéistes.

Dans ce contexte, les Acadiens deviennent des tenanciers alors que, sous le régime français, ils avaient été propriétaires. Ce système trouble les familles acadiennes établies dans l'île au cours des années suivantes. Certains propriétaires ou leurs agents exploitent ces familles qui vivent alors sans chefs religieux ou temporels. Malgré tout, le nombre d'Acadiens et d'Acadiennes à s'établir dans l'île du Prince-Édouard augmente graduellement. En 1798, il s'y trouve 115 familles acadiennes, soit 675 personnes vivant à Malpèque, Rustico et Baie-Fortune. Les Gallant et les Arsenault comptent le plus grand nombre de familles.

Au Nouveau-Brunswick, les Acadiens et les Acadiennes recherchent des lieux qui peuvent leur offrir un minimum de sécurité. Ils s'approprient des terres et forment de petites agglomérations d'habitations qui deviennent éventuellement des paroisses importantes. L'accès à la mer ou à un cours d'eau navigable semble être le dénominateur commun des tout premiers lieux de colonisation. Avant la fin du XVIIIe siècle, des établissements sont fondés en périphérie est, nord et nord-ouest de la colonie. Dans le sud-est, Memramcook est la paroisse souche. Les pionniers de Grande-Digue et de Cocagne sont parmi les premiers à obtenir les titres de leurs terres.

Les établissements à l'embouchure de la Miramichi dans le nord, tout comme Caraquet et Nipisiguit, sont habités depuis 1760 et continuent à se développer dans les années suivantes. Saint-Basile, dans le nord-ouest, voit l'arrivée de ses premiers colons en 1785. Ceux-ci sont venus du sud de la rivière Saint-Jean et de la région de Sainte-Anne-des-Pays-Bas d'où ils ont à partir pour faire place aux loyalistes. Saint-Basile est la paroisse mère de la grande région qui devient le Madawaska et autour d'elle sont fondés d'autres villages grâce à l'arrivée de colons du bas du fleuve Saint-Laurent — Kamouraska et Témiscouata.

Dans les dernières années du XVIIIe siècle, d'autres établissements naissent dans le sud-est et le nord du Nouveau-Brunswick, comme Barachois, Bouctouche et Richibouctou dans le sud-est, Néguac, Tracadie, Shippagan et Petit-Rocher dans le nord-est. Le recensement religieux de 1803 révèle qu'on retrouve alors un peu plus de 3700 Acadiens et Acadiennes sur le territoire du Nouveau-Brunswick. Le plan du peuplement acadien est donc tracé dès la fin du XVIIIe siècle. L'extension de la colonisation et la multiplication des paroisses par la suite se font autour des premiers centres établis en comblant les vides le long des côtes et en pénétrant l'arrière-pays plus profondément, repoussant ainsi les frontières des régions peuplées.

Près de 36 % (8400) des Acadiens et Acadiennes sont installés dans les Maritimes à la toute fin du XVIIIe siècle. Bien d'autres vivent au Québec, en Louisiane, aux États-Unis, en France et ailleurs dans le monde. Le retour des Acadiens déportés ou exilés débute donc au milieu des années 1760 et se poursuit jusqu'à la fin des années 1820. La société acadienne de l'époque n'a pas encore de structure officielle et tente de s'adapter à la fois à l'autorité coloniale anglaise et à l'encadrement spirituel des missionnaires envoyés de Québec.

Le politique

Des lois restrictives envers les Acadiens

Les structures administratives des Maritimes évoluent rapidement après la Conquête et, dès 1769, Londres détache l'île Saint-Jean, devenu l'île du Prince-Édouard, de la grande Nouvelle-Écosse. Une première législature y est convoquée en 1773. À la suite de la Révolution américaine et de l'arrivée de 35 000 loyalistes fuyant le nouveau régime américain, la Grande-Bretagne crée, à la demande des nouveaux venus, le Nouveau-Brunswick en 1784. La minorité acadienne est donc partagée entre deux entités coloniales distinctes de 1769 à 1784 et après 1784 sous trois entités coloniales dans les Maritimes. La pression des Loyalistes, voulant éviter de dépendre du gouvernement d'Halifax, convainc les autorités britanniques d'opter pour cette solution. Comme on peut s'en douter, les Acadiens et les Irlandais catholiques ne figurent pas parmi les groupes ethniques favorisés à la fin du XVIIIe siècle.

Dans les trois colonies maritimes, les lois britanniques concernant les catholiques sont appliquées dès le début du régime anglais. Par un premier serment, on déclare son allégeance à la Couronne britannique ; par un deuxième, on répudie les prétentions des descendants de Jacques II au trône britannique. Les deux autres serments, cependant, sont de nature à exclure tout catholique : l'un dénonce l'autorité spirituelle du pape dans tout l'empire britannique alors que l'autre signifie que l'on ne croit pas au sacrement de l'eucharistie. Ces serments ont pour effet de priver les catholiques de leurs droits et de pouvoir accéder à toute fonction publique.

En ce qui a trait au droit juridique, un bon nombre de lois entravent le développement de la société acadienne. Une loi datant de 1758 interdit la possession de terre pour les catholiques jusqu'en 1783 alors qu'une autre passée en 1766 impose de lourdes amendes à tout catholique osant établir une école et ceci, jusqu'en 1786. Ce n'est qu'en 1789 que les catholiques acquièrent le droit de vote en Nouvelle-Écosse et en 1810 seulement dans les deux autres colonies. Pour le droit de siéger dans les chambres d'assemblée, ils doivent attendre jusqu'en 1830. Dans le domaine religieux, les catholiques peuvent pratiquer leur religion sans trop de restrictions et les gouvernements locaux assouplissent peu à peu leur législation. En 1791, par exemple, le Nouveau-Brunswick reconnaît aux prêtres le droit de célébrer des mariages entre catholiques puis, en 1834, ce droit est étendu aux mariages entre catholiques et non-catholiques.

Une modeste députation acadienne

Bien que leur influence soit négligeable, les Acadiens commencent à se manifester dans le domaine politique à la fin des années 1820. Peu nombreux au sein des chambres d'assemblée massivement anglophones, ils n'osent affirmer librement la réalité acadienne. Des députés anglophones, la plupart du temps, représentent les Acadiens. Mais, en 1827, la chambre d'assemblée néo-écossaise décide d'abolir le Serment du test ce qui, en 1830, permet à Anselme Doucet de l'Anse-des-Belliveau, de poser sa candidature aux élections. En 1836, Simon d'Entremont est le premier Acadien à être élu à une chambre d'assemblée ; représentant la circonscription d'Argyle en Nouvelle-Écosse, il se range la plupart du temps du côté des réformistes qui luttent pour l'obtention du gouvernement responsable. Il est accompagné d'un autre Acadien soit Frédéric Robichaud, élu dans le comté d'Annapolis et originaire du district de Clare. Il a déjà fait preuve de qualités de chef en devenant capitaine de milice et juge de paix. Il est élu membre du Parti réformiste qui devient plus tard le Parti libéral.

À la suite de la requête et du plaidoyer de Simon d'Entremont, la Chambre d'assemblée accepte que le comté de Digby soit représenté par deux députés, dont l'un de Clare. Les Acadiens de cette région ont ainsi leur propre député et les élections de 1840 voient s'affronter deux candidats du Parti réformiste dans Clare, soit Frédéric Robichaud et Anselme F. Comeau. Ce dernier remporte la victoire par une majorité de 60 voix et est réélu aux élections subséquentes jusqu'à sa nomination au Conseil législatif, où il siège jusqu'à sa mort en 1867. Au Nouveau-Brunswick, Amand Landry est élu en 1846 ; il représente Westmorland entre 1846-1850, 1853-1857 et de 1861 jusqu'à sa retraite en 1870.

De manière générale, on peut constater que, jusqu'en 1850, les Acadiens sont très peu intégrés aux rouages politiques des colonies britanniques des Maritimes. Non seulement sont-ils peu représentés dans les chambres d'assemblée, mais ils n'ont pas facilement accès aux services gouvernementaux. Le fait qu'ils soient catholiques peut sans doute retarder les modestes progrès qu'ils font. La représentation acadienne en

Amand Landry, Source : CÉA PA1-685a

politique et dans la fonction publique est plutôt l'affaire de quelques notables régionaux qui bénéficient à la fois de l'estime de leurs concitoyens et de la reconnaissance du gouvernement. Leurs liens d'affaires avec les anglophones peuvent également contribuer à leur ascension sociale.

Le social

Enracinement d'une deuxième Acadie

L'enracinement dans cette deuxième Acadie, qui se concrétise entre 1763 et 1850, est en quelque sorte une prérenaissance où, lentement, la société acadienne assume davantage la direction de ses propres affaires. Elle s'étend, colonise, élit certains des siens et met en place quelques infrastructures visant à améliorer le niveau d'éducation de la population. Mais les voyageurs de l'époque, dont les ecclésiastiques tels Mgr Joseph-Octave Plessis, évêque de Québec, tracent souvent un portrait peu enviable des localités acadiennes du début du XIXe siècle. Plessis soutient que l'Acadien vit souvent pauvrement dans de petites maisons parfois malpropres et négligées. De plus, il constate que l'habitant manque de vivres, n'a presque pas d'animaux, peu de foin et encore moins de grains. Par contre, ce jugement sévère n'est pas généralisé et varie selon les voyageurs de l'époque. Ce genre de témoignage doit donc être relaté avec une certaine prudence.

Il n'en demeure pas moins que les conditions régissant le processus d'établissement des Acadiens entre 1763 et 1850 ne sont pas faciles. Les colons acadiens qui désirent fonder un établissement doivent chercher un site ou accepter les endroits proposés par le gouvernement. Dans les deux cas, il faut soumettre une requête à la province. Au Nouveau-Brunswick, les conditions générales d'une concession visent le déboisement et la mise en culture d'au moins 3 acres sur 50 au cours des 3 premières années. Une clause stipule que les colons doivent commencer l'élevage du bétail au rythme de 3 bêtes par 50 acres de terre. Le colon doit également se construire une maison d'au moins 20 pieds en longueur sur 16 pieds en largeur. Ces maisons ont des structures de bois rond ou équarri à la hache, calfeutrées de terre glaise ou de mousse, et percées de trois ou quatre ouvertures en guise de fenêtres. Pour l'éclairage, on se sert de boîtes de fer-blanc ou de petits bols remplis d'huile de morue, ou d'huile de sureau qui s'accroche aux murs ou se suspendent au plafond.

À l'époque, les plus grandes concessions octroyées à des colons acadiens du Nouveau-Brunswick varient entre 400 et 1000 acres[2]. En 1803, 314 familles acadiennes sur 622 possèdent une concession de terre en bonne et due forme dans cette colonie. Cent pour cent des familles du Nord-Ouest détiennent leurs terres comparativement à 36 % au Nord-Est et 39 % au Sud-Est. Les habitants du Nord-Ouest réussissent d'ailleurs à exploiter des fermes dont les surfaces arables atteignent 200 acres ou plus[3]. Comment expliquer ces concessions généreuses de la part du gouvernement envers les Acadiens du Nord-Ouest ? Ce dernier projette l'occupation de ce territoire dans le but de le soustraire aux prétentions de la colonie du Bas-Canada et de garder une voie de communication avec Québec. De plus, en laissant aux Loyalistes le territoire qui s'étend de Saint-Jean jusqu'à Woodstock, les colons acadiens du Madawaska reçoivent tous des concessions. Ils se trouvent ainsi dans une position privilégiée par rapport aux autres Acadiens établis au Nouveau-Brunswick.

---

2. Roy E. Officer, « Crown land grants to Acadians in New Brunswick (1760-1848) », *Les Cahiers de la Société historique acadienne*, vol. 12, nº 4, 1981, p. 128-142.

3. Raoul Dionne, *La colonisation acadienne au Nouveau-Brunswick, 1760-1860*, Moncton, Chaire d'études acadiennes, 1984.

Cette illustration donne une idée approximative du type de maison construite par les premiers colons arrivant au nord-ouest de la province. Celle-ci était située près du Petit-Sault. Source CÉDEM, PC 1-16

Un premier profil démographique

Bien que les sources ne permettent pas de brosser un portrait démographique précis pour la période 1763-1850, quelques données parcellaires aident à mieux saisir les réalités régionales. À l'île Madame au Cap-Breton, en 1811, 90 % des 1200 habitants sont Acadiens mais, durant les années 1820, ils sont rejoints par d'importants groupes irlandais, anglais et écossais. C'est ce qui explique qu'à Arichat la proportion d'Acadiens passe de 90 % en 1811 à 66 % en 1838. Au sud-ouest de la Nouvelle-Écosse, en janvier 1800, l'abbé Sigogne note que sa mission acadienne est composée d'environ 200 familles dont 120 à la baie Sainte-Marie et 80 dans la paroisse de Sainte-Anne-du-Ruisseau. En 1803, Mgr Denaut parle d'une population acadienne se chiffrant à 1080 personnes à la baie Sainte-Marie et de 400 à Tousquet. Selon le premier recensement néo-écossais de 1827, le canton d'Argyle compte environ 975 Acadiens. Les villages recensés sont Pubnico, Sainte-Anne-du-Ruisseau, Quinan, et la région de Tusket à l'île Surette. À ce chiffre s'ajoutent 385 personnes d'origine acadienne des environs de Wedgeport et Plymouth. La population acadienne approximative du comté de Yarmouth est donc de 1360 en 1827. Quant au canton de Clare, le même recensement révèle que la baie Sainte-Marie compte 2038 personnes dont 1913 sont catholiques. Tout porte à croire que la majorité de cette population est acadienne. Si l'on accepte ces données, la population acadienne de la baie Sainte-Marie s'accroît de 77 % entre 1803 et 1827.

Il est possible que la croissance démographique constitue un facteur conduisant à la première vague de colonisation au sud-ouest de la Nouvelle-Écosse. En peu de temps, les domaines paternels ne suffisent plus, et un déplacement de certaines familles vers l'intérieur devient nécessaire. De 1800 à 1817, naissent les villages de Saint-Martin, Meteghan, Saulnierville Station, les Concessions, Saint-Joseph et Corberrie. Le même phénomène prend place chez les Acadiens de Yarmouth. Dès 1801, le gouvernement provincial octroie une concession de 4000 acres à 27 Acadiens de la région de Sainte-Anne-du-Ruisseau. À l'est de la colonie, à Chezzetcook, les premières données datent de 1803 alors que l'on compte 45 familles comprenant 224 personnes.

Au sud-est du Nouveau-Brunswick, en 1785, la paroisse de Memramcook, qui englobe tous les établissements de Cocagne à Minoudie, peut se glorifier de compter 160 familles comprenant 960 personnes et elle continue de s'étendre le long de la rivière jusqu'en 1835. En 1852, la population de Memramcook compte 430 familles, environ 50 à Scoudouc, 50 à Saint-Anselme, 50 également à Moncton et Irishtown. Au Madawaska, la population se chiffre à 174 habitants lors du recensement de 1790, augmentant rapidement à 2272 en 1834. L'apport migratoire est positif et se situe à 850. Des 2701 naissances enregistrées pour les années 1803 et 1805-1838, 317 résultent en des décès infantiles soit 44 % de la mortalité totale pour l'ensemble de la population.

Pour l'ensemble de la population acadienne des Maritimes, les chiffres disponibles permettent seulement de connaître la situation pour la période 1800 à 1870. Durant ces années, la population acadienne des Maritimes passe de 8408 en 1803 à environ 87 000 au recensement fédéral de 1871. Au Nouveau-Brunswick, elle atteint 45 000 et en Nouvelle-Écosse près de 33 000 alors que celle de l'île du Prince-Édouard est d'au moins 9000. C'est dire une multiplication par 12 pour le Nouveau-Brunswick et l'île du Prince-Édouard et par 8 pour la Nouvelle-Écosse. Dans la première colonie, la population acadienne passe de 15 000 en 1840 à 30 000 en 1860. Elle augmente au rythme de 3,5 % par année.

L'Église missionnaire

Après le traité de Paris de 1763, l'Église canadienne est en fort mauvaise posture puisque ses effectifs sont à la baisse et que l'épiscopat canadien ne peut bénéficier du recrutement en France, comme durant le régime français. Il va sans dire que cette situation n'est pas sans affecter la population acadienne des colonies maritimes qui, elle aussi, souffre d'un manque de prêtres.

Bien que les communautés acadiennes aient un pressant besoin de prêtres, les relations avec l'évêché de Québec ne démarrent pas sur un bon pied en 1766. Cela relève en premier lieu de la vision que les évêques entretiennent de l'Acadie et des Acadiens. De 1766 à 1825 au moins, les évêques ne tiennent pas les Acadiens en très haute estime, les blâmant pour leur propre déportation, et pensant qu'ils doivent se contenter de prêtres anglophones. L'un des plus arrogants envers la réalité acadienne est sans contredit Mgr Joseph-Octave Plessis qui, à l'image de Mgr Briand, manque peu d'occasions de semoncer les Acadiens. Entre autres, il dit des habitants du Madawaska qu'ils sont un composé des rebuts de l'Acadie et du Canada. Opinion que semble partager le missionnaire Lefebvre de Bellefeuille qui soutient que le plus grand défaut des paroissiens de Caraquet est qu'ils sont ignorants et Acadiens et que c'est ce qui fait leur malheur, leur péché.

Malgré cette vision peu édifiante entretenue par le clergé canadien envers les Acadiens, l'évêché de Québec fait tout de même des efforts pour fournir à l'Acadie des prêtres d'expression française. De 1772 à 1800, le recrutement de missionnaires s'avère difficile et ceux qui sont présents dans les Maritimes doivent desservir d'immenses territoires. À signaler qu'en 1772 Joseph-Mathurin Bourg devient le premier Acadien ordonné prêtre et qu'il doit aussitôt fournir des services spirituels à l'ensemble des missions acadiennes. En 1782, il n'y a encore que trois prêtres desservant les trois provinces quoiqu'à compter de 1783 les Acadiens seront avantagés par le fait que les autorités anglaises deviennent plus tolérantes à l'idée d'accueillir des prêtres catholiques. Non seulement cela répond-il aux requêtes de la population irlandaise catholique mais cela aide aussi à maintenir un esprit pacifique chez les Amérindiens. À la même époque débute le processus de découpage des paroisses acadiennes ; Memramcook en 1781, Arichat en 1786, Caraquet en 1788, Rustico en 1791, Saint-Basile en 1792, Pointe-de-l'Église en 1799 et Chéticamp en 1801.

Le manque criant de missionnaires incite les Acadiens à envoyer des requêtes à Québec exigeant des prêtres résidants. Étrangement, ce sont des événements découlant de la Révolution française de 1789 qui facilitent la venue d'une douzaine de prêtres français dans la région. En effet, les événements politiques se déroulant en France forcent 8000 prêtres catholiques à gagner l'Angleterre et une quarantaine traversent au Canada. Quelque-uns d'entre eux œuvrent dans les Maritimes. Parmi ceux-ci, l'abbé Jean-Mandé Sigogne, arrivé à la baie Sainte-Marie le 20 juillet 1799. Sigogne remarque ce qu'il considère être un relâchement général dans les traditions religieuses et dans les mœurs. C'est alors qu'il proclame 28 règlements devant régir la conduite des Acadiens. De 1799 à 1844, Sigogne voit à la construction d'au moins douze édifices, soit neuf églises et trois presbytères. Une autre carrière bien remplie est celle de l'abbé Thomas Cooke qui œuvre principalement au nord-est du Nouveau-Brunswick de 1817 à 1823. Il couvre surtout les missions de la baie des Chaleurs et de la baie de Miramichi. Il est responsable pour la construction d'églises à Caraquet, Shippagan, Pokemouche, Tracadie et Grande-Anse.

Les missionnaires qui œuvrent auprès des Acadiens des Maritimes, à l'instar de Sigogne, partagent tous cette même volonté d'imposer un encadrement spirituel répondant aux normes de l'Église catholique. Par contre, dans plusieurs paroisses acadiennes, une certaine résistance de la part des paroissiens se manifeste face aux demandes des missionnaires, jugées parfois exagérées par les paroissiens ou les marguilliers. Ces derniers entendent participer activement à la gestion des biens de la paroisse et le missionnaire respecte leurs prérogatives. Dans la plupart des cas, ils sont favorables à l'économie et à la modération en matière de construction et de rénovation d'églises. Les difficultés rencontrées par les missionnaires dans leurs relations avec les Acadiens sont multiples ; par exemple, les dispenses de mariage, la perception de la dîme, l'achat des bancs d'église, etc. Les problèmes de dispense semblent encore plus présents à l'île du Prince-Édouard où la population acadienne découle majoritairement de seulement quelques familles, qui n'ont pratiquement jamais contracté mariage avec des gens de l'extérieur. Il devient difficile d'y trouver quelqu'un qui ne soit aucunement apparenté. Quant à la perception de la dîme, les Acadiens semblent favoriser avant tout leurs intérêts matériels. On paie la dîme le plus souvent en pommes de terre — 1/26 de la récolte —, en huîtres, en blé, mais rarement en argent. Une des raisons pour lesquelles les Acadiens s'opposent parfois à payer la dîme est attribuable à l'absence d'un prêtre permanent. Ils ne veulent pas payer la dîme pour un missionnaire qui ne les visite qu'une fois par année.

Au fur et à mesure que les paroisses acadiennes obtiennent des prêtres permanents, la mainmise des missionnaires sur la communauté s'accentue. Mais les paroissiens n'apprécient pas nécessairement cette incursion dans leur vie quotidienne : ils opposent au missionnaire une résistance parfois active mais souvent passive. Pour exercer un contrôle religieux efficace, le prêtre dispose, en plus des règlements, de pouvoirs spirituels assez importants, comme celui d'infliger une pénitence. À Caraquet, le fidèle pécheur doit se soumettre à la sanction religieuse en passant par trois étapes : la confession du péché, la mortification pour l'épreuve et le repentir public. À chaque type de faute correspond une pénitence publique. Le curé, du haut de sa chaire, dénonce les coupables, l'ampleur de leur faute, et ordonne aux autres paroissiens de les éviter. Les fréquentations entre jeunes gens sont surveillées et sévèrement réglementées. Chaque fidèle doit arriver vierge à son mariage. Reconnues comme plus grave que le péché de libertinage, deux fautes sont sévèrement punies par l'Église catholique : l'adultère et l'inceste. Au sud-est du Nouveau-Brunswick, les missionnaires Antoine Bernard à Minoudie et Antoine Gagnon à Richibouctou dénoncent la tendance à la fête chez les Acadiens, de même que leur manque de scrupule lorsque vient le temps de garder une distance entre les filles et les garçons. L'adultère et l'ivrognerie sont également dénoncés par les missionnaires.

Dans chaque localité des laïcs reçoivent la permission d'accomplir certaines tâches ou rites religieux en l'absence du prêtre. Par contre, ces mêmes personnes font parfois concurrence au missionnaire lorsque ce dernier veut affermir son autorité. Ces laïcs peuvent enseigner le catéchisme, lire les prières publiques, présider les mariages, les messes blanches, les vendredis saints et baptêmes. Paiement de la dîme, construction et rénovation d'églises, contrôle des mœurs sociaux des Acadiens, voilà autant de sources de discorde débouchant parfois sur des requêtes des paroissiens auprès de l'évêché de Québec pour qu'il rappelle un missionnaire dont les vues sont jugées incompatibles avec les attentes des Acadiens. De 1763 à 1840, il y a donc une quasi-lutte perpétuelle entre les missionnaires et les laïcs pour le pouvoir.

Quand on connaît l'évolution historique des structures ecclésiastiques aux Maritimes, on comprend mieux les difficultés inhérentes à l'administration de ces nombreuses communautés éparpillées et, pour la plupart, éloignées des centres urbains en devenir. Bien que l'évêché soit à Québec, l'évêque délègue tout de même une partie de ses pouvoirs à quelques missionnaires appelés vicaires généraux. Pour les Acadiens, ils se trouvent à Caraquet, Grande-Digue et Memramcook. De 1795 à 1815, les paroisses acadiennes ont droit à cinq visites épiscopales, dont trois par l'évêque Plessis. Le vaste diocèse de Québec fait progressivement l'objet de divisions ; la Nouvelle-Écosse péninsulaire devient vicariat apostolique, suivi de la création du diocèse de Charlottetown en 1829 et par celui du Nouveau-Brunswick en 1842. À partir de cette date, on a donc une structure ecclésiastique correspondant de plus près aux frontières politiques de la région.

Les pionniers en enseignement

Durant la période 1763-1850, tout porte à croire que les missionnaires sont les francophones les plus instruits que les Acadiens ont l'occasion de fréquenter, exception faite des quelques notables dont il sera question plus loin. Avant 1820, les écoles acadiennes sont pratiquement inexistantes et on ne trouve pas d'établissement d'enseignement supérieur francophone avant 1854. Il semble alors plus facile, du moins selon les autorités civiles et religieuses, d'organiser des collèges que d'implanter un réseau d'écoles primaires. Il est difficile de saisir toute l'ampleur que représente la mise sur pied d'une éducation en français dans les Maritimes, sans esquisser un tableau des lois scolaires existantes dans la région durant la première moitié du XIXe siècle.

Au Nouveau-Brunswick, les premières lois scolaires témoignent du lien étroit existant entre l'État et la religion anglicane. La première loi remonte à 1802 et favorise la création d'écoles moyennant de modestes octrois ; elle est suivie d'une autre loi en 1805 qui, elle, accentue le lien entre l'école et l'Église anglicane. C'est surtout à partir de 1816 que deux lois lancent pour de bon la mise sur pied d'un système public structuré : la première, sur les « Grammar schools », favorise la création d'au moins une école par comté vantant les valeurs de l'Église anglicane, alors que la deuxième encourage la construction d'écoles rurales. Un système de commissaires choisis parmi les propriétaires fonciers est instauré et l'accès à l'école se limite aux enfants des payeurs de taxes.

Comme c'est alors le cas dans d'autres secteurs de la société, l'évolution de l'éducation publique s'inspire des innovations ayant cours sur le vieux continent. Par exemple, en 1820, le système scolaire Madras — très répandu en Angleterre — est introduit dans les Maritimes. On peut comprendre l'intérêt qu'il suscite puisqu'il s'applique bien aux régions rurales et périphériques. Ce système s'avère alors intéressant pour une colonie où la majorité de la population est peu fortunée. C'est une méthode pédagogique basée sur l'assistance mutuelle entre les élèves : les plus vieux assistent les plus jeunes. Les deux premières écoles Madras sont ouvertes à Kouchibouguac et à Bouctouche en 1817 bien que ce ne soit qu'à compter de 1819-1820 qu'elles obtiennent des subventions provinciales. La première loi relative à l'exclusion de la religion à l'école vient en 1829. De 1833 à 1852, les lois subséquentes consistent plutôt à bureaucratiser la structure scolaire du Nouveau-Brunswick et à imposer un système de taxation destiné à répandre les écoles à l'ensemble du territoire. C'est aussi l'époque où l'on instaure le système des commissions scolaires, le conseil de l'éducation, les inspecteurs d'écoles, la fondation d'une école normale à Fredericton, etc.

À l'île du Prince-Édouard, la première moitié du XIXe siècle est marquée par deux lois importantes. Celle de 1825 prévoit une aide financière pour l'établissement d'écoles de dix élèves mâles ou plus de même que des normes de qualification des enseignants. La loi de 1852, pour sa part, donne le pouvoir à un surintendant provincial au détriment de ceux des comtés et crée un conseil d'éducation qui gère à la fois les écoles et les licences d'enseignement. La loi spécifie aussi que le nombre d'écoles sur l'île ne peut dépasser 200 et qu'elles doivent se situer à au moins 3 milles de distance l'une de l'autre.

En Nouvelle-Écosse, les autorités provinciales ne sont pas prêtes à accorder l'égalité en éducation aux franco-catholiques avec leurs concitoyens anglicans. Il est probable que les lois discriminatoires, datant de l'exil et du retour des Acadiens, inculquent des attitudes difficiles à changer chez la majorité anglophone de la province. En 1780 le gouvernement approuve le financement des « Grammar Schools ». Une première loi datant de 1786 empêche tout catholique d'enseigner aux enfants anglicans de moins de 14 ans. La loi scolaire de 1826 est importante puisqu'elle prévoit un octroi annuel aux écoles acadiennes. La création de conseils scolaires et le financement provincial de l'éducation viennent à compter de 1832.

Jusqu'en 1850, comme dans les deux autres colonies maritimes, d'autres lois néo-écossaises contribuent à développer la structure bureaucratique du système d'éducation : création d'un conseil scolaire pour chaque comté qui est à son tour subdivisé en unités scolaires, la certification des enseignants et même un octroi pour les écoles acadiennes d'Halifax ! Signalons qu'une loi de 1841 instaure un système scolaire uniforme anglais quoique l'enseignement du français, du gaélique et de l'allemand est toléré. Toutes les écoles ont également droit aux subventions provinciales jusqu'au « Free School Act » de 1864.

Après avoir passé en revue les principales lois régissant l'éducation, il est intéressant d'examiner la situation des communautés acadiennes. Dans les régions acadiennes du sud-ouest de la Nouvelle-Écosse, la première moitié du XIXe siècle voit l'implantation des écoles rurales. Dans cette région, c'est sur les épaules de l'abbé Sigogne que retombe la responsabilité de faire les premières démarches vers l'éducation de la jeunesse acadienne. Parmi les 28 articles du règlement Sigogne, l'article 20 stipule que un ou deux « catéchistes » soit embauché pour dispenser de l'instruction religieuse mais aussi pour « enseigner à lire et à écrire s'il le peut[4] ». Sigogne transforme même la sacristie de l'église Sainte-Marie de la Pointe-de-l'Église en une petite école. À la baie Sainte-Marie, on ne trouve qu'une seule école en 1828 soit celle de Rivière-aux-Saumons, mais en 1845 la région compte sept instituteurs acadiens qui enseignent à au moins 150 élèves. Certains laïcs, surtout Français, offrent leurs services d'instituteur improvisé contre une modeste rémunération leur permettant de demeurer au pays. Avec le temps, on passe des écoles improvisées dans les maisons à des édifices construits exclusivement pour l'enseignement. Dans le comté de Yarmouth, une école existe à Pubnico-Est dès 1828. En 1836, le district nº 8 — Sainte-Anne-du-Ruisseau — opère à partir de Argyle où des écoles voient le jour en 1838, de même qu'à Pubnico-Ouest et à Wedgeport.

Même en présence d'une certaine augmentation de l'effectif chez les professeurs et les écoliers, l'éducation n'est pas nécessairement une

4. P.M. Dagnaud, *Les Français du sud-ouest de la Nouvelle-Écosse*, Besançon (France), Librairie Centrale, 1905, p. 265.

priorité pour les parents acadiens des Maritimes. En fait, l'existence même de l'école est parfois précaire. C'est l'époque de l'autonomie scolaire locale, où l'école est maintenue par les souscriptions des parents. Par exemple, au Madawaska, la région attend jusque vers 1810 pour se doter d'infrastructures scolaires rudimentaires. Si l'instruction semble être laissée à l'initiative familiale, il n'en demeure pas moins que les premiers missionnaires trouvent des jeunes Acadiens sachant lire et écrire. Puis arrivent des maîtres ambulants qui enseignent, à tour de rôle, dans les diverses paroisses du Madawaska.

L'abbé André-Toussaint Lagarde ouvre à Saint-Basile, en 1817, l'école presbytérale de Sainte-Famille. Lagarde n'y enseigne que durant les mois d'hiver parce que, durant l'été, les enfants, retenus sur la ferme de leurs parents, ne fréquentent pas l'école. À compter de 1825, bien que quelques écoles de paroisse ouvrent leurs portes, elles ne sont que des initiatives locales. La qualité de l'enseignement varie d'un endroit à l'autre et laisse souvent à désirer. Le programme pédagogique se limite à la lecture, à l'écriture et un peu d'arithmétique. Chaque paroisse reste libre de choisir son maître d'école et de fixer le salaire. Une rémunération peut être attribuée sous forme de pension et logement malgré que chaque instituteur pourvu d'une licence reçoit aussi une subvention du gouvernement colonial du Nouveau-Brunswick. À partir de 1847, avec la mise sur pied d'une école normale à Fredericton, quelques Acadiens et Acadiennes obtiennent une licence de deuxième ou de première classe. L'enseignement qu'ils y reçoivent est en anglais seulement.

À l'île du Prince-Édouard, la première véritable école acadienne démarre vers 1815, à Rustico, grâce à l'initiative d'un jeune missionnaire québécois, l'abbé Jean-Louis Beaubien. Jusqu'en 1825, les quelques écoles acadiennes de l'île fonctionnent sans aide financière du gouvernement. Ce dernier considère les six écoles acadiennes de la province comme inférieures, puisque l'enseignement s'y fait presque exclusivement en français.

Les collèges privés et les couvents, œuvres des congrégations religieuses, apparaissent aussi à cette époque. C'est à Tracadie en Nouvelle-Écosse, qu'est fondé en 1826 le premier couvent acadien. Dirigé par les trappistines, il fonctionne tant bien que mal jusqu'au départ de la communauté à la fin du XIXe siècle. Entre 1832 et 1836, l'abbé Antoine Gagnon tente de tenir un collège à Grande-Digue, mais ses maigres ressources financières et une certaine opposition de son évêque écossais ont raison de son projet. Il faut attendre à la période suivante pour constater l'émergence d'un véritable réseau de collèges acadiens.

Les premiers notables acadiens d'après la déportation

Si les missionnaires et plus tard les prêtres résidents peuvent à juste titre revendiquer un rôle de leadership dans les communautés acadiennes de la première moitié du XIXe siècle, il ne faut pas pour autant négliger l'importance de quelques Acadiens qui tentent eux-mêmes de s'affirmer comme notables et d'assurer ainsi leur avancement personnel. Bien qu'ils ne soient pas très nombreux, ils semblent répondre à un certain profil et se conforment à un processus leur permettant de se démarquer de la masse de leurs concitoyens acadiens. Ceux-ci forment une sorte de gouvernement parallèle depuis la fin des années 1780 et chacun tente, à sa manière, de défendre les intérêts des Acadiens. Ils assument aussi des fonctions publiques et religieuses et sont nommés par les autorités de comtés à des postes multiples tels responsable de la voirie, des animaux domestiques errants, des clôtures et de la canalisation pour l'assèchement des prés, sans oublier pour autant les postes de juge de paix, de capitaine de milice, etc. Ces têtes d'affiche des communautés acadiennes remplacent souvent le notaire et le greffier ; ils enregistrent la vente des terres, les requêtes pour les concessions de terres et les testaments. En plus d'être propriétaires de goélettes, de magasins, de scieries, de moulins à grain, plusieurs notables acadiens font la traite des pelleteries. Ils sont cependant de petits entrepreneurs aux ambitions modestes, si on les compare à leurs concitoyens britanniques.

Pour illustrer le phénomène des notables acadiens, il est intéressant d'utiliser l'exemple des Doucet, Gueguen et Robichaud. Ainsi, Amable Doucet, installé à l'Anse des Belliveau depuis le début des années 1770, hérite d'abord du rôle de substitut en l'absence d'un prêtre résident. L'engagement d'Amable s'étend rapidement à la scène provinciale et, en 1792, les autorités provinciales néo-écossaises le nomment « town clerk » pour le canton de Clare. Un an plus tard, il est nommé juge de paix pour le comté d'Annapolis, devenant le premier Acadien à occuper un tel poste. Au sud-est du Nouveau-Brunswick, Joseph Gueguen est une figure dominante de la nouvelle Acadie. Il est tour à tour magistrat, écrivain public, notaire, domestique, secrétaire, maître d'école, commerçant, cultivateur et arpenteur. Il entretient une vaste correspondance avec d'autres notables acadiens, avec les gouverneurs et les administrateurs des régimes coloniaux français et anglais, avec les chefs amérindiens, les évêques du Canada, les missionnaires, les prêtres et les commerçants. En 1794, Gueguen et Othon Robichaud de Néguac sont nommés juges de paix pour le comté de Northumberland, incluant alors les futurs comtés de Kent, de Northumberland, de Gloucester et de Restigouche. Dans la péninsule acadienne du Nouveau-Brunswick, la famille pionnière de Shippagan, celle de Jean-Baptiste Robichaud, cousin d'Othon, réussit à s'intégrer dans les différentes sphères des pouvoirs locaux — économiques, sociopolitiques et religieuses. Qui plus est, les stratégies matrimoniales de ses enfants lient la famille Robichaud de Shippagan aux autres notables de langue française de la péninsule.

Bien qu'il semble exister moins d'exemples à relater pour l'île du Prince-Édouard, il ne faudrait certes pas passer sous silence le cas de Joseph Arsenault. Né en 1744 et âgé de 14 ans au moment de la déportation, Joseph réussit à demeurer à l'île et grandit à Malpèque. Au début des années 1790, il semble bénéficier d'une reconnaissance au sein de sa communauté et de ses concitoyens anglophones. À un point tel qu'en 1794 il est nommé lieutenant de milice pour le comté de Prince et en 1804 il devient second capitaine. À sa mort en 1833, son décès est annoncé dans le *Royal Gazette* de Charlottetown et dans le *Nova Scotian*.

Le sort des anciens alliés

Un peu à la manière des Acadiens, les Amérindiens constituent une minorité plutôt vulnérable face à la majorité britannique après 1763. À compter des années 1780, bien que les Micmacs et les Malécites ne semblent plus représenter une menace militaire pour les autorités britanniques, il n'en demeure pas moins que ces dernières semblent peu préparées à développer des relations harmonieuses avec les Premières Nations des colonies du littoral atlantique. Est-il utile de le préciser, plusieurs groupes amérindiens se retrouvent dans les mêmes régions nouvellement habitées par les Acadiens. À la fin du XVIIIe siècle, il semble que le gouvernement impérial n'a pas à proprement parler de politique amérindienne pour guider ses colonies et chacune traite les questions aborigènes à sa manière.

Le phénomène de dépossession des Micmacs se manifeste rapidement après l'arrivée des Loyalistes, bien qu'en 1782 une concession de 500 acres de terre est accordée aux Amérindiens de La Hève. En Nouvelle-Écosse, il existe alors un « Office of Superintendant of Indian Affairs » et, en 1800, l'Assemblée législative de cette province forme un comité chargé d'implanter un programme de secours pour les Micmacs en difficulté. En 1827, un rapport gouvernemental recommande la mise sur pied d'une politique d'allocation de terres sur les réserves, de manière à ce que chaque famille détienne une parcelle de terre bien à elle. Toute famille acceptant de s'installer sur une réserve reçoit aussi une hache, une faux et des graines de semence. Les Indiens jugés incapables de se suffire à eux-mêmes sont admissibles à des provisions et des vêtements. En 1838, il y a environ 1425 Micmacs dans la province pour 22 050 acres de terres couverts par les réserves[5].

Au Nouveau-Brunswick, l'invasion loyaliste a aussi un effet immédiat sur les Malécites de la rivière Saint-Jean et sur les Micmacs installés le long des rivières Richibouctou et Miramichi. À la fin du XVIIIe siècle, des signes importants de mécontentement chez les Malécites du Madawaska inquiètent le lieutenant-gouverneur Thomas Carleton ; au point où il fait venir un régiment de Québec pour protéger les colons blancs. La seule réserve micmaque du Nouveau-Brunswick comprend 20 000 acres le long de la rivière Miramichi. En 1789, la bande de John Julien reçoit 3030 acres sur la réserve Eel Ground sur le versant nord-ouest de la rivière Miramichi. En 1802, une concession de 9035 acres est accordée sur la rivière Tabusintac, 240 acres à Burnt Church et 1400 acres sur le versant nord de la rivière du même nom. La même année, les Amérindiens de la rivière Bouctouche cèdent au gouvernement du Nouveau-Brunswick une réserve de huit milles de long et quatre de large sur chaque versant de la rivière. En 1838, la province compte 15 réserves comportant entre 10 000 et 16 000 acres. Selon un rapport provincial de 1841, la population amérindienne de la province se chiffre alors à 1377 personnes dont 935 Micmacs et 442 Malécites.

À l'île du Prince-Édouard, en 1800, les quelques Micmacs établis sur Lennox Island reçoivent des visites régulières du missionnaire l'abbé de

---

5. L.F.S Upton, *Micmacs and Colonists: Indian-White Relations in the Maritimes, 1713-1867,* University of British Columbia Press, 1979.

Calonne. Ce dernier les convainc d'ensemencer les terres et de construire une chapelle. En 1838, la population micmaque y est d'environ 500 personnes. En 1841, près de 25 acres de terre sont défrichés pour l'agriculture. Les Micmacs de l'île font de fréquents voyages vers le nord du Nouveau-Brunswick et le Cap-Breton. Bien qu'ils ne soient pas toujours tendres envers les valeurs amérindiennes, les missionnaires démontrent somme toute une certaine volonté de s'instruire sur leurs croyances.

La correspondance missionnaire et les écrits d'intellectuels acadiens du XIXe siècle, tel Pascal Poirier, témoignent d'une certaine intolérance envers toute forme de métissage entre les Acadiens et les Amérindiennes. Entre autres, au nord-est du Nouveau-Brunswick et au sud-ouest de la Nouvelle-Écosse. À partir du milieu du XIXe siècle, les Amérindiens entretiennent surtout des rapports avec les gouvernements et la communauté anglophone. Ce qui explique que nous n'abordons pas cette thématique dans les chapitres à venir.

L'économie

Une agriculture de subsistance

L'agriculture représente donc l'activité économique vitale à la subsistance des familles acadiennes. Elle s'exerce à la fois sur des terres endiguées, des terres boisées, des terres basses et des terres hautes cultivées. Dans une région comme Memramcook, au sud-est du Nouveau-Brunswick, l'agriculture est passablement développée puisque les fermiers acadiens y exploitent un mélange de terres hautes et de terres de marais, généralement constituées de parcelles isolées. Par contre, à Argyle, au sud-ouest de la Nouvelle-Écosse, l'économie ne dépend nullement de l'agriculture puisque la terre est plutôt pauvre. C'est tout le contraire à l'île du Prince-Édouard au début du XIXe siècle, où bon nombre d'Acadiens s'adonnent presque entièrement à l'agriculture, ce qui les rend assez indépendants du point de vue économique. Mais, comme ailleurs aux Maritimes, les observateurs anglophones déplorent les techniques primitives des exploitations agricoles acadiennes puisque les fermiers acadiens ignorent comment maintenir la fertilité du sol. Peu font la rotation des cultures ou encore engraissent leur terre.

D'ailleurs, les fumiers sont rares et les animaux, peu nombreux, paissent dans les bois au lieu d'être gardés dans les pâturages. Mgr Joseph

Octave Plessis, évêque de Québec en visite dans les Maritimes, émet des commentaires assez semblables en 1812. Il constate la maigreur des terres des habitants de Tracadie au nord-est du Nouveau-Brunswick. Selon lui, elles ne sont guère invitantes, même en juin, les animaux ne trouvent pas encore d'herbe à brouter. Ce faisant, plusieurs moutons meurent et les vaches doivent se déplacer vers la forêt pour consommer des bourgeons et des feuillages[6]. Dans la région de Caraquet, les Acadiens tentent d'exploiter au possible les ressources de foin des marais, situés près de la mer ou des rivières, et que l'on appelle prés.

La situation est différente au Madawaska car l'agriculture dépasse le stade de l'autosuffisance dès la première moitié du XIXe siècle. Entre 1825 et 1829, il s'y récolte des excédents de blé qui sont transformés en farine et expédiés à Fredericton. Anciennement Sainte-Anne-des-Pays-Bas, cette petite ville est devenue le siège du gouvernement colonial du Nouveau-Brunswick. Les animaux de boucherie s'écoulent plus difficilement à cause de l'éloignement des marchés. De manière générale, il semble que les habitants récoltent plus qu'ils ne consomment puisque la production moyenne de grain par ferme dépasse les besoins de consommation des familles[7]. Cette tendance se poursuit durant les années 1830 et 1850. À compter de cette date, le blé est écoulé dans les nombreux chantiers forestiers. La région du Madawaska se compare avantageusement à des communautés anglophones, dépassant elles aussi le stade de l'auto-suffisance et s'adonnant à l'exportation.

La première moitié du XIXe siècle voit également l'émergence des premières sociétés agricoles un peu partout aux Maritimes. À titre d'exemple, l'île du Prince-Édouard en compte au moins 13 durant les années 1840 dont celles de Cascumpec et de Tignish. Mais, autant dans cette colonie qu'au nord-est du Nouveau-Brunswick, les fermiers de souche acadienne semblent peu participer à ce mouvement si ce n'est qu'à titre de membres. Il faut dire que les sociétés agricoles sont dirigées par les fermiers anglophones les plus aisés. À Chezzetcook en Nouvelle-Écosse, parmi les chefs de famille acadiens recensés en 1827, la très

6. Joseph-Octave Plessis, « Journal des visites pastorales en Acadie, 1811, 1812, 1815 », *Les Cahiers de la Société historique acadienne*, vol. 11, n°s 1, 2, 3, mars, juin, septembre 1980, p. 1-215.

7. Béatrice Craig, « Agriculture et marché au Madawaska, 1799-1850 », *The River Review / La revue Rivière*, n° 1, 1995, p. 13-29.

Cette maison située à Saint-Basile au nord-ouest du Nouveau-Brunswick, fut construite par Vital Martin vers 1848. Source : CÉDEM, PA 1-15.

grande majorité sont cultivateurs et la surface en culture sur leurs fermes dépasse rarement cinq acres, alors que celles des cultivateurs protestants des environs atteint 15 et même 20 acres. Il est possible que les Acadiens, ayant plus de difficulté que les protestants à obtenir des droits de propriété pour leurs terres, n'aient pas accès à autant de terrain propice à l'agriculture. Cherchant à augmenter la quantité de terres agricoles à leur disposition, les habitants proposent à plusieurs reprises au gouvernement néo-écossais d'endiguer les prés envahis par la mer à la marée haute.

Construction navale et industrie forestière

L'appartenance des Maritimes à l'empire britannique permet à ces colonies de développer leur commerce transatlantique à une époque où les voiliers constituent, pour l'économie anglaise aussi bien que pour celle des Maritimes, le principal moyen de transport. La construction navale est devenue une industrie de première importance et les régions acadiennes du sud-ouest de la Nouvelle-Écosse sont celles qui se révèlent les

Un chantier maritime construisant des goélettes de pêche à Shippagan au nord-est du Nouveau-Brunswick. Bien que la photo date d'environ 1900, les matériaux et les techniques de construction et le modèle ne diffèrent pas tellement de ceux qui existent depuis le début du XIXe siècle. Source : ERVP, Shippagan.

plus actives dans cette industrie, comparativement aux autres communautés acadiennes des Maritimes. Dans la région de Pubnico, la construction de bateaux et le cabotage constituent, avec la pêche, les piliers de la survie économique acadienne. À Chezzetcook, les habitants de l'endroit possèdent entre 40 et 50 vaisseaux qui amènent chaque année près de 2000 cordes de bois à Halifax, en plus de plusieurs articles en bois. À la baie Sainte-Marie, dès la fin du XVIIIe siècle, le capitaine Pierre Doucet navigue déjà le long du littoral nord-américain jusqu'aux Caraïbes. Les cargaisons de bois et de poisson sont échangées dans les ports extérieurs contre une variété de denrées et de marchandises tels le sel, la mélasse, le sucre, la farine, des chapeaux, des boutons, des ustensiles et des marmites.

Au nord-est du Nouveau-Brunswick, bien que plusieurs bateaux de pêche soient construits par les habitants, il se bâtit aussi des embarcations de plus fort tonnage qui se comparent favorablement avec les grands voiliers sortant des chantiers navals du sud-ouest de la Nouvelle-Écosse.

Quoiqu'il soit difficile de repérer des statistiques globales sur cette question, on connaît tout de même quelques cas individuels pour les régions de Shippagan et Bathurst. Le premier de plusieurs gros navires construits à Shippagan est le *Patrus*, un brigantin de 216 tonnes, lancé en 1839[8]. Plus au nord, à Bathurst, on lance au moins 23 navires entre 1839 et 1850, pour un tonnage total de 15 036 tonneaux, soit une moyenne de 653 tonneaux par navire. Certains sont plus imposants tels le *Parkenham* — 740 tonneaux —, le *Hydapsis* — 595 toneaux — ou encore le *Sutle* — 659 tonneaux. La grande majorité des navires construits à Bathurst émanent du chantier de Joseph Cunard.

Mais il n'y a pas que la construction navale qui bénéficie des forêts du Nouveau-Brunswick. L'industrie du bois de coupe pour l'exportation est également très répandue. Ceci permet de parler du rôle fondamental joué par les bûcherons du Madawaska, où ils forment une catégorie sociale à part. Cette région habitée depuis la fin du XVIIIe siècle par une population composée d'Acadiens et de Canadiens d'origine est une zone d'activité forestière fort dynamique. À l'hiver 1838, un représentant de l'État du Maine dénombre plusieurs bûcherons en différents endroits au Madawaska dont une cinquantaine à la Grande-Rivière, de 50 à 75 à la rivière au Poisson, de 20 à 30 à la rivière Verte et 75 dans la vallée de la Petite Madawaska. La vie dans les chantiers est rude. Le bûcheron acadien quitte son foyer pour aller travailler pendant les mois d'automne et d'hiver à l'abattage des pins. Les bûcherons arrivant à la Grande-Rivière, par exemple, doivent abattre les arbres afin d'élever la cabane pour loger les hommes. Non loin de là, on construit une écurie pour les chevaux utilisés dans le transport des billots coupés. Au printemps débute la drave : le flottage des billots sur les rivières à destination des moulins. La drave peut vouloir dire un supplément de revenu pour quelques bûcherons dont le travail est à la fois ardu et dangereux. À cette époque, le nord-ouest du Nouveau-Brunswick dépend surtout des marchés de la ville de Saint-Jean qui absorbent la presque totalité des exportations forestières de la région. C'est ce qui explique pourquoi le Madawaska ne compte que six moulins à scie en 1840[9].

---

8. Donat Robichaud, *Le Grand Chipagan*, chez l'auteur, Beresford, 1976.

9. Georges Sirois, « Les Acadiens et la naissance du commerce du bois dans le Nord-Ouest du Nouveau-Brunswick, 1820-1840 », *Les Cahiers de la Société historique acadienne*, vol. 7, no 4, décembre 1976, p. 183-193.

Dès 1825, en certains endroits sur les rivières du Nouveau-Brunswick, le flottage des billots est contrôlé par des chaînes de barrage — « booms » — servant à retenir les billots ensemble. Le gouvernement en installe sur les rivières Miramichi, Tetagouche et Renous. Durant les années 1830, on en retrouve sur les rivières de Tabusintac, Kouchibouguac et Tracadie. Les moulins situés sur les rivières de Bathurst, Chatham, Richibouctou, Lancaster et Shippagan emploient, en moyenne, plus de vingt hommes chacun. Bathurst, en raison de ses facilités portuaires et de ses nombreux cours d'eau, devient très vite un important centre d'activités forestières. À cette époque, l'un des plus gros entrepreneurs du commerce du bois en région acadienne demeure Joseph Cunard de Chatham. Ses activités de coupe et de sciage englobent les régions de Chatham, Bathurst, Shippagan, Kouchibouguac, Pokemouche, Tracadie et Tabousintac[10].

Une activité économique prédominante du littoral acadien : la pêche à la morue

Avec la forêt, la pêche à la morue représente l'autre grande ressource naturelle exploitée dans les Maritimes entre 1763 et 1850. La morue est alors l'espèce qui se conserve et s'écoule le mieux sur les marchés internationaux. Que ce soit à Terre-Neuve, au Cap-Breton ou au nord-est du Nouveau-Brunswick, ce sont des entrepreneurs anglais et Anglo-Normands qui contrôlent l'industrie. Ils ont recours à la main-d'œuvre locale pour la pêche et l'apprêtage, mais les représentants des compagnies sont tous recrutés en Europe. Chez les Anglo-Normands, les compagnies les plus connues sont, entre autres, la Robin, les Fruing et les Lebouthillier.

De 1783 à 1850, l'entreprise Robin ne cesse de s'élargir. Cette famille d'entrepreneurs de pêche possède déjà plus d'une douzaine de postes de pêche en Gaspésie, au Nouveau-Brunswick et au Cap-Breton[11]. Au Nouveau-Brunswick, le seul poste permanent est à Caraquet, et c'est à partir de là que s'effectuent toutes les transactions sur la rive sud de la baie des Chaleurs. Le monopole Robin n'est contesté qu'à compter du

---

10. Graeme WYNN, *Timber Colony : A Historical Geography of Early Nineteenth Century New Brunswick*, Toronto, University of Toronto Press, 1981.

11. Rosemarry OMMER, *From Outpost to Outport : A Structural Analysis of the Jersey-Gaspé Cod Fishery, 1767-1886*, Montreal-Kingston, McGill-Queen's University Press, 1991.

milieu du XIXe siècle. La firme forme si bien ses employés que certains d'entre eux décident d'abandonner les Robin et de se lancer en affaires, dont les LeBouthillier et les Fruing. Cependant, à l'île Madame au Cap-Breton, il semble que la compagnie Robin ne réussit pas à détenir le monopole de l'industrie des pêches. Plusieurs autres marchands de poisson s'établissent à l'île et, contrairement à Chéticamp par exemple, les marchands de Jersey ne sont pas propriétaires des bateaux de pêche. Les Acadiens sont les constructeurs, les propriétaires et les capitaines d'un grand nombre de goélettes. Toutefois, comme à Caraquet, les compagnies de Jersey détiennent le monopole de l'équipement et de l'approvisionnement en marchandises, y compris les denrées comme le sel, indispensable pour saler le poisson séché.

Partout dans leurs postes de pêche du golfe du Saint-Laurent, les Robin ont pour politique d'avancer aux pêcheurs la marchandise dont ils ont besoin durant l'hiver. Cette dette doit être payée par le poisson pris durant l'été suivant et les Robin ne donnent pratiquement jamais d'argent pour le poisson acheté. Le pêcheur doit se contenter d'aller au magasin de la compagnie et d'y prendre des produits équivalents aux fruits de sa pêche. La plupart du temps, le pêcheur se trouve endetté et réussit rarement à payer complètement ce qu'il doit. Il est donc obligé de demeurer au service des Robin et cela, à des conditions dictées la plupart du temps par la compagnie. Par contre, il faut éviter les équations trop simplistes entre endettement et statut économique du pêcheur. Un état d'endettement élevé signifie souvent que le pêcheur est un très bon producteur et bénéficie d'une plus grande marge de manœuvre auprès de la compagnie. Si celle-ci court un certain risque en extrapolant sur la production annuelle de ses bons producteurs, elle n'a pas d'autre façon de stimuler ou de maintenir des résultats satisfaisants de la part de ses pêcheurs d'élite.

Les femmes aussi ne peuvent se soustraire aux contraintes du système économique imposé par les compagnies de pêche anglo-normandes. Sur l'île de Miscou, le travail féminin est vital à l'industrie des pêches. Les femmes travaillent à terre pour la salaison, le séchage et parfois l'apprêtage de la morue avant l'exportation. Elles produisent parfois de l'huile de morue qu'elles vendent aux compagnies de pêche qui, périodiquement, les emploient aux travaux agricoles. En fait, des filles d'à peine 10 ans peuvent déjà être employées et rémunérées.

Comme pour la construction navale, il y a bien certaines statistiques aidant à se faire une idée de l'importance de la pêche à la morue dans les régions acadiennes des Maritimes. Mais les études dans ce domaine ont jusqu'à maintenant privilégié le nord-est du Nouveau-Brunswick. Au début des années 1830, la région de Shippagan-Lamèque compte au moins une trentaine de grandes chaloupes avec chacune quatre ou cinq hommes, ainsi qu'une douzaine de goélettes ayant des équipages de huit hommes. Durant les années 1840, des cargaisons évaluées à 10 000 quintaux de morue sont expédiées de Shippagan vers l'Europe. À cette époque, la région de Grande-Anse–Caraquet compte à peu près 230 chaloupes rapportant des prises moyennes de 50 à 80 quintaux par saison. Chez les pêcheurs acadiens, les propriétaires de goélettes bénéficient d'une plus grande marge de manœuvre financière auprès des compagnies puisqu'ils sont en mesure de produire davantage.

Bien que la morue prédomine facilement les autres types de pêche, le commerce des huîtres prend une certaine ampleur chez les produits exportés dans quelques communautés acadiennes. Miscouche est l'un des principaux centres d'exportation puisque trois entrepreneurs de l'endroit acheminent de grandes quantités d'huîtres à Montréal et à Québec. À Caraquet, on exporte des huîtres vers les marchés québécois depuis 1795 au moins. C'est seulement vers 1830 que Halifax vient s'ajouter comme lieu d'écoulement des surplus locaux. Entre 1840 et 1850, les exportations d'huîtres de la péninsule acadienne vers Québec oscillent entre 5000 et 7000 boisseaux et entre 1915 et 5432 boisseaux de 1845 à 1848.

Conclusion

La période de 1763 à 1850 est donc marquée par la réinstallation de la population acadienne dans les colonies maritimes. La plupart choisissent de s'établir dans des endroits reculés, loin des autorités anglaises. La société acadienne de l'époque n'a pas encore de statut officiel et doit s'adapter à l'autorité coloniale anglaise. En effet, dans les trois colonies, les lois britanniques sont appliquées et plusieurs sont discriminatoires à l'égard des catholiques. Jusqu'au début du XIXe les Acadiens font donc l'objet d'une ségrégation religieuse, éducationnelle et politique. Après 1830, à mesure que ces lois sont abrogées, ils peuvent entreprendre une modeste percée dans les rangs de l'élite économique et politique.

La très grande majorité des Acadiens partagent le même cadre de vie rural avec un cycle d'activités économiques saisonnières, reposant principalement sur l'agriculture, la pêche et la forêt. Ils ne contrôlent cependant pas les leviers de développement économique de leurs régions. Ils sont donc souvent à la merci d'entrepreneurs anglais ou jersiais, bien qu'au sud-ouest de la Nouvelle-Écosse quelques Acadiens s'adonnent déjà à la construction navale et au commerce maritime avec le Massachusetts et même les Antilles.

CHAPITRE IV

Intégration sociale, économique et politique 1850-1880

Les Acadiens : un groupe distinct

La période de 1850 à 1880 est marquée par de grands changements dans les structures politiques et par une réorientation économique favorisée par l'évolution des technologies de la vapeur et de l'acier. Sur la scène politique nationale, les colonies anglaises d'Amérique du Nord, avec l'encouragement répété de l'Angleterre, en viennent à conclure une union fédérative en 1867. Le Nouveau-Brunswick, la Nouvelle-Écosse et l'Île-du-Prince-Édouard passent ainsi du statut de colonies anglaises à celui de provinces canadiennes, les deux premières en 1867 et la troisième en 1873. Pour les Acadiens, il demeure difficile de dire s'ils se préoccupent des mouvements ouvriers, des organismes d'aide aux démunis ou encore du suffrage féminin. Cependant ils sont touchés par les conflits scolaires de 1871 au Nouveau-Brunswick et par une lutte incessante pour obtenir un évêque acadien dans les Maritimes et au moins un sénateur à Ottawa. Bref, ils s'engagent dans un combat de longue haleine pour se faire reconnaître à titre de groupe distinct sur la scène régionale et provinciale.

Bien que toutes les régions acadiennes des Maritimes luttent encore pour leur survie sociale et économique, la réalité démographique fait en sorte que la société acadienne du Nouveau-Brunswick occupe une place prépondérante à compter des années 1880. En effet, en 1871, la population acadienne des provinces maritimes se chiffre à 87 000 personnes, soit 44 907 au Nouveau-Brunswick, 32 833 en Nouvelle-Écosse et 9205 à l'Île-du-Prince-Édouard. Dix ans plus tard, ces mêmes provinces comptent une population acadienne de 56 635, de 41 219 et de 10 751 respectivement.

Le politique

Position acadienne face au projet fédératif

Avec l'avènement de la responsabilité ministérielle au début des années 1850, les années 1860 sont cruciales pour les gouvernements de l'Atlantique en raison des pourparlers menant à la Confédération canadienne. Réunis pour discuter d'une union se limitant tout d'abord aux colonies atlantiques, les députés de la Nouvelle-Écosse et du Nouveau-Brunswick acceptent finalement d'entériner une union plus large qui inclut le Canada-Uni, soit l'Ontario et le Québec. Les députés des Maritimes deviennent la cible des critiques virulentes de ceux qui estiment qu'ils ont grandement outrepassé leur mandat. De plus, la Confédération est approuvée par les législatures coloniales et par Londres sans auparavant faire l'objet d'un référendum, ce qui soulève le mécontentement de la population. Le projet fédératif suscite peu d'enthousiasme chez une bonne partie de la population anglophone, surtout dans les régions côtières ancrées dans une économie tournée vers le commerce atlantique. Leurs habitants croient alors que cette union est plutôt bénéfique pour le Canada central.

Il demeure difficile de cerner l'attitude des Acadiens à l'égard de la Confédération. On sait cependant que la majorité des Acadiens du Nouveau-Brunswick votent à deux reprises contre le projet, soit en 1865 et en 1866. En 1865, des accusations sont proférées à la législature du Nouveau-Brunswick contre les curés des paroisses acadiennes, qui auraient encouragé les Acadiens à rejeter la Confédération, ce que dément le député Amand Landry. Pour ridiculiser les six représentants anti-fédéralistes élus en 1866 parmi les huit députés des circonscriptions à majorité acadienne, des députés de la législature les qualifient de « French Brigade ». Pour sa part, le *Moniteur Acadien* conseille aux Acadiens d'accepter le projet d'union, faisant valoir qu'en fin de compte ils ont ainsi l'avantage de faire partie du même ensemble politique que les Québécois. Il faut dire que le fondateur du journal, Israël Landry, d'origine québécoise, est lui-même en faveur de la Confédération.

L'opposition acadienne à la Confédération semble moins vive à l'Île-du-Prince-Édouard, où les électeurs acadiens rejettent le projet une fois pour ensuite l'adopter. En 1870, lors d'une réunion publique, les Acadiens de Baie-Egmont se déclarent favorables à l'entrée de l'île dans la Confédération, mais à condition que le gouvernement fédéral accorde des subsides pour le rachat des terres des grands propriétaires et qu'il subventionne la construction d'un chemin de fer. D'après Jean-J. Arsenault, observateur contemporain, les Acadiens de l'île, comme ceux du Nouveau-Brunswick, ont intérêt à se rallier aux Québécois sous un gouvernement central qui se montrerait plus compréhensif envers les francophones. Considérant l'état actuel de la recherche, il n'est pas vraiment possible d'élaborer sur la position des Acadiens de la Nouvelle-Écosse face au projet fédératif.

La représentation acadienne en politique

À l'Île-du-Prince-Édouard, contrairement à la Nouvelle-Écosse et au Nouveau-Brunswick, il faut cependant attendre après 1850 pour qu'un premier élu acadien, Stanislas F. Perry (Poirier), occupe un siège à l'Assemblée législative. À compter de 1854, il brigue les suffrages dans la circonscription électorale qui comprend les paroisses de Baie-Egmont, de Mont-Carmel et de Miscouche. Il est réélu dans Prince en 1870 et par la même occasion accède au poste de président de la Chambre, qu'il occupe jusqu'en 1874 alors qu'il est élu à la Chambre des communes à Ottawa. Il devient ainsi le premier Acadien à siéger au sein du Parti libéral fédéral. Il revient sur la scène provinciale où il est élu en 1879, à nouveau dans les rangs des libéraux. En 1887, il est réélu à la Chambre des communes. Un deuxième Acadien, Fidèle Gaudet, est élu sous la bannière libérale à Tignish en 1858. En 1867, les habitants de Baie-Egmont élisent Joseph-Octave Arsenault, marchand et ancien instituteur. Lui aussi député libéral, il siège à l'Assemblée législative jusqu'en 1895 mais, à compter de 1870, il s'associe aux conservateurs.

Perry ne jouit pas toujours de l'admiration et de l'appui de ses compatriotes. Vers la fin de sa carrière, on l'accuse d'avoir peu milité en faveur des droits des Acadiens et d'avoir souvent changé sa position sur les grandes questions politiques. C'est le contraire pour Joseph-Octave Arsenault, qui demeure fort respecté de ses compatriotes tout au long de

Stanislas Perry (Poirier) de l'Île-du-Prince-Édouard est l'un des premiers politiciens acadiens d'envergure aux Maritimes. Source : CÉA, PA1-2645

sa carrière politique. Son appui soutenu au Parti conservateur et son grand dévouement à la cause acadienne lui méritent l'admiration de ses contemporains. En récompense de sa longue carrière politique, il est nommé sénateur en 1895.

Au Cap-Breton, le premier député acadien à l'Assemblée législative est Henry Martell, élu en 1840. Jusqu'en 1859, il représente la circonscription d'Arichat. Une fois son siège aboli en 1859, il devient député de la circonscription de Richmond et le reste jusqu'en 1863. Le politicien le plus influent et le plus éloquent à représenter l'île du Cap-Breton est Isidore LeBlanc qui siège à l'Assemblée législative de 1878 à 1886 et qui devient le premier Acadien en Nouvelle-Écosse à être nommé membre du Cabinet provincial.

Au Nouveau-Brunswick, sur la scène fédérale, sept députés et un sénateur représentent les Acadiens de la province à Ottawa, soit cinq conservateurs et trois libéraux. Aucun n'occupe de fonction ministérielle. Auguste Renaud, d'origine française, est élu dans Kent en 1867 et Gilbert A. Girouard lui succède de 1878 à 1883. Aux élections de 1878, à 32 ans, Girouard se présente comme candidat du Parti conservateur et s'attaque

Joseph-Octave Arsenault.
Source : CÉA, PB1-19

Gilbert Girouard.
Source : CÉA, PA1-632b

à quatre adversaires anglophones. Il remporte néanmoins la victoire avec une majorité de 67 voix et devient un fidèle disciple de sir John A. Macdonald. Parmi les principales réalisations de Girouard, soulignons son intervention dans l'aménagement du chemin de fer de Bouctouche. Au cours de la période à l'étude, d'autres députés francophones sont élus

Profil d'un politicien acadien

Selon Della M. Stanley, Pierre-Amand Landry illustre parfaitement la montée des Acadiens sur le plan politique, à la fin du XIXe siècle. Né en 1846 à Memramcook, il apprend dès l'enfance l'histoire de l'Acadie. Son père, Amand, est le premier Acadien à siéger à l'Assemblée législative du Nouveau-Brunswick. Pour sa part, Pierre-Amand se signale comme étant le premier Acadien à être nommé ministre au sein de la législature du Nouveau-Brunswick ; il est aussi l'un des premiers Acadiens membres du Parlement, le premier Acadien à remplir la fonction de juge à la Cour suprême du Nouveau-Brunswick et le premier Acadien reçu chevalier. Il participe à l'organisation de la première convention nationale acadienne en 1881 et contribue à faire nommer le premier sénateur acadien en 1885 et le premier évêque acadien en 1912. Il est décédé en 1916.

Source : Della M. STANLEY, *P.A. Landry : Au service de deux peuples,* Moncton, Éditions d'Acadie, 1977, p. 9-11.

Pierre-Amand Landry.
Source : CÉA, PB1-170.

au fédéral, dont les Michaud, Fournier, Pelletier et Dugal dans le nord-ouest du Nouveau-Brunswick. Dans l'arène provinciale, les conservateurs remportent les élections de 1870, de 1874 et de 1878 avec une écrasante majorité, obtenant respectivement 24, 35 et 31 sièges sur 41. Bien que quatre députés francophones soient élus en 1870, ils ne sont plus que trois lors des deux élections suivantes.

Le favoritisme politique chez les Acadiens

L'une des facettes moins connues de l'histoire politique acadienne est celle du favoritisme. Partout aux Maritimes, des postes rémunérés par le Trésor public sont attribués, après les élections, aux partisans du parti porté au pouvoir. À l'époque, les Acadiens commencent seulement à être conscients du phénomène du favoritisme politique et des avantages pouvant en découler. À compter de 1860, les Acadiens de l'Île-du-Prince-Édouard estiment mériter que quelques-uns des leurs accèdent à ces postes. En 1870, le journal anglophone *The Examiner* se montre attentif aux plaintes des Acadiens. Il souligne que, même s'ils ont élu deux représentants à l'Assemblée législative, aucun d'eux n'occupe un poste significatif dans la fonction publique. Le gouvernement nomme alors quelques

Acadiens à des postes publics pour faire taire les critiques, dont Stanislas Perry qui, rappelons-le, devient président de la Chambre en 1873.

Certains Acadiens profitent tout de même du système de favoritisme politique. Par exemple, à Bathurst, au Nouveau-Brunswick, Hilarion Haché est nommé juge de paix en 1859, devenant le deuxième Acadien seulement du comté de Gloucester à accéder à la magistrature. À l'époque, la prospérité et les contacts parmi les membres de l'élite économique et politique représentent les conditions indispensables à une telle nomination. En tant que grand propriétaire foncier et commerçant, Haché fait bonne figure au sein du groupe des marchands. Il demeure difficile d'évaluer jusqu'à quel point les Acadiens bénéficient du favoritisme politique à cette époque quoique ceux du Nouveau-Brunswick, en raison de leur poids démographique, en profitent davantage que ceux des deux autres provinces. Néanmoins, dans des régions néo-écossaises à majorité acadienne telles que l'île Madame ou la baie Sainte-Marie, il ne fait pas de doute que des Acadiens tirent profit des faveurs politiques. Cette tendance ne fera que s'accentuer avec les années. L'ampleur du phénomène reste à démontrer puisque les études sur la question sont peu nombreuses.

Le social

La société acadienne est hiérarchisée

De 1850 à 1880, la société acadienne des Maritimes, et en particulier son élite naissante, entreprend des démarches de longue haleine pour se doter d'outils institutionnels leur permettant non seulement d'assurer la survivance mais aussi d'aspirer à un cadre de développement social similaire à celui de la majorité anglophone. La fondation de collèges classiques, l'amélioration de l'enseignement public, et la mise sur pied d'outils de communications émergent des efforts incessants de trois groupes sociaux de premier plan, soit les congrégations religieuses masculines et féminines de même que de certains membres de l'élite. Bien que ces groupes semblent occuper le haut de l'échelle sociale, il existe aussi une certaine hiérarchisation à l'intérieur même des communautés acadiennes et parfois même au sein d'activités économiques telles la pêche et l'agriculture.

Il existe bel et bien des différences de classes dans la société acadienne et celle-ci n'est donc pas aussi égalitaire qu'on l'aurait pensé. La stratification sociale et économique prévaut dans les communautés acadiennes du Nouveau-Brunswick, entre autres parmi les pêcheurs, où certains possèdent des caractéristiques leur permettant d'espérer un meilleur traitement de la part des marchands britanniques. Entre autres facteurs, les pêcheurs pères de famille ayant plusieurs fils sont en mesure de produire davantage et, par le fait même, de bénéficier d'une marge de crédit plus généreuse auprès des marchands[1]. Également, les pêcheurs acadiens qui sont propriétaires d'une goélette obtiennent des rendements supérieurs aux pêcheurs en chaloupe.

Les biens imposables chez les Acadiens de l'île Madame

Comme le démontre le tableau 6 , les biens imposables sont répartis inégalement parmi les régions acadiennes. Autant à Arichat qu'à Petit-Arichat la valeur moyenne des biens imposables s'élève à plus du double de celle enregistrée dans les autres communautés. À Arichat, la communauté la plus prospère, la valeur des biens imposables est quatre fois plus élevée que dans la communauté voisine de Petit-de-Grat.

Tableau 6

Valeur des biens imposables des Acadiens du comté de Richmond, 1862

Région	*Contribuables*	*Valeur des biens imposables*	*Moyenne des biens imposables*
*Arichat	307	39 226	127,77
D'Escousse	206	11 807	57,32
L'Ardoise	187	6 853	36,65
Petit-Arichat	266	31 330	117,78
Petit-de-Grat	139	4 474	32,20
Rivière-Bourgeois	105	3 885	37.00

*valeur en sterling

Source: Phyllis WAGG, « Stratification in Acadian Society: Nineteenth Century Richmond County », *Les Cahiers de la Société historique acadienne*, vol. 23, n°s 3-4 (septembre-décembre 1992), p. 158-167.

1. André LEPAGE, *Le capitalisme marchand et la pêche à la morue en Gaspésie. La Charles Robin and Company dans la baie des Chaleurs, 1820-1870*, Thèse de doctorat, Université Laval, 1983. Roch SAMSON, *Pêcheurs et marchands de la Baie de Gaspé au XIXe siècle. Les rapports de la production entre la compagnie William Hyman and Sons et ses pêcheurs-clients, 1854-1877*, Thèse de maîtrise, Université Laval, 1981.

Au Cap-Breton, dans le comté de Richmond au milieu du XIXe siècle, on perçoit aussi une stratification économique, géographique et politique.

Bien qu'il y ait davantage d'égalité parmi les villages plus pauvres, toutes les communautés de Richmond demeurent fortement stratifiées. Ainsi, un certain groupe ne représente que 1 % de la population acadienne totale de la région, mais détient 14 % des biens taxables. La valeur des biens que possède ce même groupe est 14 fois plus élevée que la moyenne du comté. L'accroissement du niveau de richesse de l'élite acadienne du Cap-Breton a des répercussions considérables sur leur intégration au groupe anglophone du comté. Au fur et à mesure que la richesse et le statut politique de ces Acadiens s'améliorent, il en est de même pour leur statut social. Ce phénomène s'accompagne également d'une augmentation du nombre de mariages entre les familles des élites acadienne et anglophone.

Les communautés religieuses féminines

De 1868 à 1881, les Religieuses Hospitalières de Saint-Joseph s'établissent à Tracadie, à Chatham, à Saint-Basile et à Campbellton au Nouveau-Brunswick. C'est ainsi que se concrétise l'expansion de l'Hôtel-Dieu de Montréal dans la province. À Tracadie, les Hospitalières viennent s'occuper des soins aux lépreux en réponse aux sollicitations de l'abbé Gauvreau. En 1880, le lazaret passe sous l'autorité du gouvernement fédéral, qui en confie l'administration complète aux religieuses. Au Madawaska, les Hospitalières inaugurent un premier hôpital en 1881, où l'Hôtel-Dieu comprend 14 lits. Entre 1874 et 1880, les sœurs soignent de 32 à 70 malades par année.

En éducation des jeunes filles, les congrégations religieuses féminines francophones trouvent un terrain fertile à leur œuvre chez les jeunes Acadiennes de la Nouvelle-Écosse. À compter de 1856, elles bénéficient de l'arrivée des sœurs de la Congrégation de Notre-Dame de Montréal, qui établissent un couvent acadien à Arichat. La même congrégation fonde d'autres couvents à Miscouche (Î.-P.-É.) en 1864, à Tignish (Î.-P.-É.) en 1868, à Caraquet (N.-B.) et à Saint-Louis de Kent (N.-B.) en 1874 et à Rustico (Î.-P.-É.) en 1882. À Saint-Basile, les Sœurs de la Charité fondent l'Académie de Madawaska en 1862. C'est une école bilingue où les jeunes peuvent suivre des cours d'enseignement secondaire de français, d'anglais,

Le Lazaretto pour les lépreux à Tracadie au nord-est du Nouveau-Brunswick. Source : CÉA, PA 2-490.

de lecture, d'écriture et de philosophie. Les jeunes filles bénéficient également d'une formation musicale et artistique. Après le départ de cette congrégation en 1873, les Religieuses Hospitalières de Saint-Joseph ouvrent un couvent à Saint-Basile (N.-B.) en 1874. À l'origine, l'établissement ne compte pour tout mobilier que quatre chaises, un poêle sans tuyau et quelques bancs brisés dans la chapelle. En 1874, elles ont 63 élèves inscrites et, à compter de 1879, les sœurs décident d'admettre les externes gratuitement. La population insiste ensuite auprès des Hospitalières pour qu'elles fondent également un pensionnat, ce qu'elles font le 7 janvier 1874. Le pensionnat, où elles enseignent la musique et l'anglais, accueille une dizaine de jeunes filles.

Au couvent de Caraquet, le recrutement se fait par les contacts et non par la publicité. Les droits de scolarité varient : une pensionnaire originaire de Montréal paie 141 $ pour un séjour de 18 mois tandis que la fille d'un fermier irlandais fortuné débourse un surplus pour disposer d'un lit un peu plus confortable, et payer sa lessive, sa nourriture, ses crayons et son encre. Les religieuses du couvent de Caraquet exploitent aussi une ferme dont elles tirent un certain revenu et une partie de leur subsistance. Même chose pour les religieuses de Bouctouche.

La majorité des religieuses qui viennent dans les Maritimes sont alors conscientes d'être des pionnières dans des régions où les habitants n'ont

Le couvent de Bouctouche au sud-est
du Nouveau-Brunswick. Source : CÉA PB2-45

parfois jamais vu de femmes en habits religieux. Elles comprennent l'importance de persuader les parents de la valeur de l'éducation pour les jeunes filles. Leurs efforts en ce sens en font la cible de conflits portant sur l'interprétation du rôle des femmes dans la société acadienne. Tout comme les Acadiens, de plus en plus d'Acadiennes laissent la ferme ou la pêche pour recevoir une éducation ou s'intégrer aux activités commerciales. Or, dans la sphère masculine acadienne surtout, plusieurs souhaitent que l'éducation serve strictement à en faire de meilleures mères de famille ou des institutrices.

Le premier journal acadien

Comme véhicule de communication sociale, la fondation du *Moniteur Acadien* en 1867 représente une étape fondatrice de l'histoire de la presse en Acadie. Son fondateur est le Québécois Israël-D. Landry. Rapidement, le journal s'installe à Shediac et devient la propriété de Norbert Lussier et Ferdinand Robidoux. Ce dernier devient le seul propriétaire en 1873,

Le Moniteur Acadien

ORGANE DES POPULATIONS FRANÇAISES DES PROVINCES MARITIMES

"NOTRE LANGUE, NOTRE RELIGION ET NOS COUTUMES"

Shédiac, N. B., Mardi, 7 Juin 1898

La Santé de chaque Jour.

Abbey's Effervescent Salt.

The Canadian Drug Company, Ltd.,
St-Jean, N. B.

LA GUERRE
Entre les États-Unis et l'Espagne.

POUR CHAUSSURES D'ETE

J. P. BREAU & Cie.

Peter McSweeney

CORSETS D. & A.

ATELIER DE
Marbre et Granit

BEAU PRINCE

VINS • SPIRITUEUX.

Hotel Terrace,
Shediac, N. B.

CITY BOOK STORE.

S. Melanson,

Charles A. Dickie.

Le *Moniteur Acadien* vers 1898. Source : CÉA PA4-10

en plus d'être directeur et rédacteur. Le *Moniteur* doit essuyer trois incendies — en 1874, en 1879 et en 1886 — en plus de difficultés financières récurrentes. La majorité des annonces publicitaires proviennent des marchands de Shediac, autant anglophones que francophones.

En politique, le journal appuie surtout le Parti conservateur mais à aussi pour effet de stimuler le nationalisme acadien et permet d'échanger des idées. Les listes d'abonnés publiées dans le *Moniteur Acadien* montrent que le journal n'est pas la voix d'une élite acadienne unie. Au contraire, ses éditeurs francophones, membres de l'élite, doivent s'adapter aux Acadiens ordinaires et publier un journal qu'ils veulent acheter. Ce journal défend les intérêts de l'Église catholique et ceux des francophones et fait beaucoup de place aux nouvelles touchant le clergé, les politiciens et les diplômés du Collège Saint-Joseph. Mais le nombre d'abonnés, même chez l'élite, reste modeste et ne se chiffre qu'à 698 en 1881. Malgré une survie fort difficile, le journal peut néanmoins se targer d'être un facteur d'unification chez les Acadiens des Maritimes. À noter que deux autres tentatives de fondation de journaux francophones, éphémères celles-là, voient le jour à Fredericton en 1869 et à Saint-Jean.

Transition douloureuse dans l'enseignement public

Au début du XIXe siècle, la plupart des gouvernements occidentaux décident de s'engager davantage dans le domaine de l'éducation et ceci, en implantant des législations visant à rendre l'éducation accessible à tous. Par le fait même, la responsabilité d'enseigner devient de plus en plus l'affaire de l'État et non plus de l'Église. Dans les Maritimes, c'est en Nouvelle-Écosse que l'on passe aux actes en premier. En 1864, cette province adopte la loi Tupper, une loi qui instaure un système d'enseignement unilingue anglais et non confessionnel. Pour les Acadiens, accepter ce système équivaut à l'assimilation culturelle, religieuse et linguistique. Au Nouveau-Brunswick et à l'Île-du-Prince-Édouard, des lois semblables sont votées en 1871 et en 1877 respectivement.

Au Nouveau-Brunswick, la loi de 1871 comporte certains aspects positifs : la gratuité de l'éducation, la création de nouveaux districts scolaires, la construction d'écoles et le contrôle des brevets d'enseignement. Toutefois, elle comporte aussi des articles qui portent préjudice aux intérêts des Acadiens. Ainsi, elle interdit l'enseignement du catéchisme, oblige les religieuses à détenir un brevet d'enseignement du gouvernement et leur défend de porter le costume religieux et d'exhiber des symboles religieux en classe. Cette loi a aussi pour effet de forcer les parents acadiens dont les enfants fréquentent une école privée à payer une double taxe, soit une pour l'école publique et les droits de scolarité pour l'école privée. La population du Nouveau-Brunswick se trouve alors divisée entre, d'une part, les contribuables anglo-protestants, qui appuient le projet King et, d'autre part, les catholiques, qui ne veulent pas soutenir des écoles dont les principes et les doctrines vont à l'encontre de leurs convictions religieuses.

Bien que les catholiques irlandais s'opposent aussi à la loi, ce sont surtout les Acadiens qui mènent la lutte contre la loi de 1871. Dès le début, ils refusent de payer la taxe scolaire et entreprennent une série de démarches auprès des autorités fédérales et britanniques pour faire abolir la loi. Leur mouvement de protestation dure quatre ans et est marqué, en autres, par un tragique affrontement survenu à Caraquet, lors duquel un jeune Acadien, Louis Mailloux, et un milicien anglophone sont tués. C'est alors que le premier ministre du Nouveau-Brunswick, George King, offre un compromis en quatre points, qui est accepté par les catholiques. La nouvelle mesure législative permet l'enseignement du catéchisme hors des heures réglementaires de classe et le port du costume religieux. Également, elle exempte les enseignantes religieuses de l'obligation de fréquenter la « Training School » et permet la communication et l'étude en français dans les écoles primaires.

Les manuels scolaires de langue française sont très rares en Nouvelle-Écosse et à l'Île-du-Prince-Édouard. Au Nouveau-Brunswick, le gouvernement approuve, en 1852, le *Guide de l'instituteur* et adopte en 1871 le règlement 16, qui ajoute les livres de lecture en français à la liste des volumes utilisés par les « French-English Schools ». Cependant, la majorité des manuels disponibles dans les écoles françaises sont plutôt bilingues, et ce, jusque vers 1907. À l'Île-du-Prince-Édouard, le manuel de lecture des élèves acadiens est toujours le *Nouveau Traité des devoirs du chrétien*. Néanmoins, il existe d'autres manuels scolaires en français dans cette province et ce, jusqu'en 1877. Après cette date, la plupart sont remplacés par des livres en anglais ou bilingues.

Les collèges acadiens

En dépit des nouvelles lois provinciales en éducation, les prêtres francophones de l'époque entendent bien faire mousser la mise sur pied d'un véritable réseau de collèges acadiens pour garçons. L'abbé Hubert Girouard, originaire de Tracadie en Nouvelle-Écosse, est assigné à la paroisse d'Arichat en 1853. En janvier 1854, il est nommé recteur de la cathédrale Notre-Dame-de-l'Assomption et se met aussitôt à l'œuvre pour recruter des Frères des Écoles chrétiennes qui viennent s'installer pour enseigner à l'Académie à l'été de 1860. Un peu comme Marcel-François Richard au Nouveau-Brunswick, Girouard connaît des démêlés avec son évêque au sujet des écoles.

Au Nouveau-Brunswick, en 1852, l'abbé François-Xavier Lafrance relance le projet de collège de l'abbé Antoine Gagnon. Lui aussi d'origine québécoise, il fait construire un édifice non loin de l'église, donnant ainsi

Le Collège Saint-Joseph au sud-est du Nouveau-Brunswick.
Source : CÉA, P1-1150-01

naissance au Séminaire Saint-Thomas de Memramcook, inauguré en 1854. Naît ainsi la première institution d'enseignement supérieur francophone en Acadie. À la fin de la première année, 95 élèves y sont inscrits mais, en raison d'un contexte financier difficile, le Séminaire doit fermer en 1862. Deux ans plus tard, il ouvre à nouveau ses portes sous le nom de Collège Saint-Joseph sous les auspices de la Congrégation de Sainte-Croix. C'est un autre prêtre d'origine québécoise, le père Camille Lefebvre, qui en est le directeur. En 1870, 16 professeurs y enseignent à 145 élèves. L'enseignement y est bilingue pour satisfaire la clientèle irlandaise.

Dans le comté de Kent, plus au nord, l'abbé Marcel-François Richard, curé de Saint-Louis, ouvre lui aussi un collège en 1874. Selon lui, le Collège Saint-Joseph n'est pas assez acadien et trop éloigné. Il y a assez de place pour d'autres collèges francophones. Toutefois, en raison de différends idéologiques qui opposent l'abbé Richard et l'évêque irlandais de Chatham, Mgr Rogers, l'institution doit fermer ses portes en 1882. Précisons qu'il s'agit de collèges diocésains dans des diocèses bilingues, ce qui explique que le Collège Saint-Joseph, situé dans le diocèse de Saint-

Le père Camille Lefebvre était d'origine québécoise, à l'image de plusieurs autres prêtres francophones dans les Maritimes. Source : CÉA PB1-172

Jean, est bilingue. À noter que les listes d'étudiants du Collège Saint-Joseph ne mentionnent qu'un seul étudiant de l'Île-du-Prince-Édouard — inscrit en 1878-1979 — soit Elizee Gallant.

Débuts de l'émigration acadienne vers les zones urbaines

Le phénomène de l'émigration acadienne vers les États-Unis mérite une place parmi les événements sociaux importants de la période. C'est le début de ces grands mouvements saisonniers et bientôt permanents, bien que les Acadiens émigrent en moins grand nombre que les anglophones des Maritimes vers les États industriels de la Nouvelle-Angleterre. Ceux et celles qui partent désirent se trouver un emploi dans l'un des grands secteurs industriels de l'époque, soit le textile ou la chaussure par exemple. Là aussi, comme dans le cas des homarderies, s'offrent de nombreuses possibilités de travail salarié pour les jeunes femmes.

Bien qu'ils soient difficiles à chiffrer, les déplacements d'avant 1880 vers la Nouvelle-Angleterre sont tout de même importants. Il y a

André Poirier et son épouse Emmé Bouché. Bien qu'il soit natif de Mont-Carmel, Poirier résidait à Ipswich Massachusetts au moment de la photo.
Source : CRAIPÉ, 1.339

quelques mariages d'Acadiens dans ces États au cours de la décennie de 1850-1860, en particulier dans les régions de pêche, et une vingtaine au cours de la décennie de 1860-1870. À la même époque, des Acadiennes accompagnent les hommes au début de la saison de pêche afin de se rendre au Massachusetts, pour y travailler à la morue. Mais à peu près toutes retournent chez elles à la fin de la saison. Ensuite, à partir de 1870, l'émigration acadienne commence à s'accélérer. Il s'agit principalement de pêcheurs allant travailler sur les côtes américaines. Les premiers sont du Cap-Breton, d'Arichat en particulier, puis du sud de la Nouvelle-Écosse. Bientôt, des familles acadiennes entières déménagent en Nouvelle-Angleterre. Certains, qui restent, optent pour l'assimilation, allant même jusqu'à changer leur nom. En fait, le phénomène ira en s'accentuant au cours de la prochaine période.

Un émigrant acadien à Boston

En fait, il semble plus facile de documenter des cas que d'avancer des statistiques fiables sur l'émigration. Ainsi, Louis A. Surette, originaire de Sainte-Anne-du-Ruisseau, en Nouvelle-Écosse, se rend à Boston pour la première fois en mars 1841. Dès son arrivée, il s'engage comme commis chez « Ladd and Hall », une société faisant affaire aux Maritimes. Il demeure à l'emploi de cette compagnie jusqu'en 1845 alors qu'il s'établit à son propre compte, faisant affaire surtout avec les communautés acadiennes de sa province natale. En mai 1849, il épouse Frances-Jane Shattuck de Concord, Massachusetts, fille d'un éminent banquier et politicien, Daniel Shattuck. Surette, protestant, est initié dans une loge maçonnique en 1849, la « Corinthian » de Concord. Sous sa direction, le nombre de membres passe de 14 à 48. Dans sa correspondance, il s'attarde cependant à ses succès en tant qu'homme d'affaires ; « À un certain moment mon nom valait de l'or dans toutes les îles antillaises. J'étais propriétaire du brick *J.M. Sigogne* qui faisait la navette entre Marseille et d'autres ports de la Méditerranée. J'avais une ligne de paquebots et il y a peu de vaisseaux dans le comté de Digby qui ne m'appartenaient pas. J'ai été propriétaire, à un moment donné, seul ou en partenariat, de plus de trente navires, barques, briks ou schooners.

Source : Richard L. FORTIN et Jean L. PELLERIN, « Un notable franco-américain, Louis A. Surette (1818-1897) », *Les Cahiers de la Société historique acadienne*, vol. 25, nº 1 (1994) : p. 44-47.

L'économie

Vers une agriculture commerciale

Durant la période 1850-1880, à l'instar de la précédente, la très grande majorité des Acadiens pratiquent toujours une agriculture de subsistance. Toutefois, on constate certaines particularités régionales. Ainsi, dans les zones côtières du Cap-Breton et du nord-est du Nouveau-Brunswick surtout, les Acadiens combinent l'agriculture de subsistance avec les deux autres grandes activités économiques rurales que sont la pêche et l'industrie forestière. Néanmoins, un certain nombre d'habitants mettent l'accent sur l'agriculture et obtiennent des rendements légèrement supérieurs à ceux qui s'adonnent aussi à la pêche. C'est du moins le cas à Caraquet durant les années 1860. Chez les Acadiens du Madawaska et de l'Île-du-Prince-Édouard, l'agriculture semble se porter un peu mieux et profite davantage des débouchés sur les marchés locaux et régionaux.

Paire de bœufs servant aux fermiers à Grosses Coques au sud-ouest de la Nouvelle-Écosse. Source: CÉA, PB 2-114.

Dans les Maritimes, les Acadiens de l'Île-du-Prince-Édouard sont peut-être les premiers à bénéficier d'un encadrement formel permettant de mieux financer leurs activités agricoles. D'une certaine manière, cela permet aux fermiers acadiens insulaires de devancer leurs compatriotes du Nouveau-Brunswick et de la Nouvelle-Écosse. À compter de 1859, l'abbé Belcourt n'est certes pas étranger aux succès de la Banque des fermiers de Rustico qui aide les résidents acadiens à acheter de nouvelles terres ou à payer les redevances à leurs propriétaires. À partir de 1861, chaque membre de la Banque doit souscrire entre 1 et 20 livres sterling afin de bâtir le capital initial. L'avoine et la pomme de terre sont les principales récoltes de l'île au cours de la période 1850-1880, même si, du côté des Acadiens, la culture du lin et du maïs prend un certain essor.

Au Nouveau-Brunswick, entre 1871 et 1881, dans les trois comtés francophones de Gloucester, de Kent et de Victoria-Madawaska, le nombre d'agriculteurs passe de 9482 à 13 027, soit une augmentation de 37 %. La pomme de terre fait l'objet d'une production plus intensive, exportée en partie. En 1881, à eux seuls, les trois comtés acadiens mentionnés plus haut en récoltent 247 281 boisseaux de plus qu'en 1871. Même si la production de pommes de terre augmente, les techniques agricoles évoluent lentement. En 1871, sur un total de 869 moissonneuses et faucheuses au Nouveau-Brunswick, il n'y en a que 32 dans les

Banque des fermiers de Rustico à l'Île-du-Prince-Édouard.
Source : CÉA PA2-874

trois comtés majoritairement acadiens, ce qui donne en moyenne 62 par comté anglophone et 11 par comté francophone[2].

Au cours de la deuxième moitié du XIXe siècle, toutes les provinces maritimes voient leur nombre de sociétés agricoles augmenter. En 1863 le Nouveau-Brunswick en compte environ 31. Dans l'esprit des autorités provinciales, ces sociétés doivent encadrer les activités agricoles dans chaque paroisse et permettent aux fermiers de s'initier aux plus récents développements permettant l'avancement et l'innovation agricole. Si, de manière générale, les postes de direction des sociétés sont surtout la chasse gardée des anglophones, dans les communautés acadiennes, le curé de la paroisse fait parfois partie du comité d'administration. Les sociétés ont donc avant tout le devoir d'introduire des nouveautés et d'informer les fermiers des derniers développements en matière d'agriculture. Dans le comté de Gloucester, les sociétés locales organisent des concours de labour auxquels participent plusieurs Acadiens. En 1865, à Caraquet, la société accorde des prix aux membres ayant amélioré le système d'évacuation de leurs étables et ayant fait preuve d'efforts en vue de récupérer toute forme d'engrais disponible. Les sociétés partagent cer-

2. Raymond Mailhot, « Quelques éléments d'histoire économique de la prise de conscience acadienne (1850-1891) », *Les Cahiers de la Société historique acadienne*, vol. 7, n° 2 (1976) : p. 49-74.

tains objectifs communs: perfectionner les engrais, les méthodes de défrichement, de drainage et de repos des terres; tout ça dans le but d'augmenter la valeur des fermes aussi bien que du cheptel.

De 1850 à 1880, la perception qu'ont certains anglophones de l'agriculture acadienne ne change guère. Les Acadiens sont vus comme un peuple plutôt primitif et trop attaché aux techniques désuètes de leurs pères. Ils ont été écartés de l'évolution du savoir en agriculture et demeurent au même point qu'il y a plusieurs années. En 1878, des fonctionnaires provinciaux voient encore les Acadiens du nord-est comme étant des fermiers nonchalants. En fait, ces remarques se retrouvent ailleurs aux Maritimes et ne se limitent pas toujours aux fermiers acadiens. Les fonctionnaires et les voyageurs qui les émettent ont parfois tendance à comparer la situation de l'agriculture régionale en fonction des plus récentes innovations technologiques ayant cours en Grande-Bretagne. Les progrès agricoles les plus notoires semblent être du côté du Madawaska où les produits se vendent bien et les techniques et méthodes se perfectionnent. Des équipements aratoires sont importés des États-Unis, ce qui améliore la situation des fermiers. Jusqu'en 1879, on observe une augmentation dans la production de laine, de beurre, de porc et de volaille. À la veille des années 1880, la pomme de terre occupe environ 8000 acres et rapporte 520 000 boisseaux sur le territoire couvert par la Saint Leonard's Society.

L'industrie du bois de sciage et la construction navale

Comme nous l'avons mentionné, la très grande majorité des Acadiens vivant en milieu rural exploitent la terre et possèdent une terre boisée, d'où ils tirent le bois dont ils ont besoin pour le chauffage et la construction. Il n'en demeure pas moins que le travail en forêt pour les entrepreneurs forestiers anglophones constitue une activité saisonnière permettant d'aller chercher un revenu d'appoint intéressant. À partir de 1875 l'industrie du bois connaît une phase de croissance importante dans la péninsule acadienne du Nouveau-Brunswick. Le nombre de scieries passe de 10 en 1871 à 14 en 1881 alors que le nombre total d'employés passe de 67 en 1871 à 492 en 1881. À compter de 1875, les compagnies obtiennent des permis pour couper le bois sur les terres appartenant théoriquement aux colons acadiens avant que ceux-ci ne s'y établissent. De plus, plusieurs Acadiens vendent du bois coupé sur leur

Tableau 7

Construction navale dans quelques communautés acadiennes de Nouvelle-Écosse, 1840-1879 (nombre de navires par décennie)

Endroits	*1840-50*	*1850-60*	*1860-70*	*1870-80*
Tusket	3	14	60	50
Salmon R.	4	5	15	14
Meteghan	3	9	20	13
Anse Belliv.	0	0	7	6
Argyle	57	50	26	11
Clare	35	12	10	4
P.Église	0	2	5	10
Pubnico	2	16	15	12

Source : David ALEXANDER et Gerry PANTING, « The Mercantile Fleet and its Owners : Yarmouth, Nova Scotia, 1840-1889 », *The Acadian Reader,* vol. 1, *Atlantic Canada before Confederation,* sous la direction de P.A. BUCKNER et David FRANK, Acadiensis Press, 1985, p. 313.

propre terre. Ce sont les entrepreneurs forestiers qui dominent et fixent les règles du jeu dans l'économie agroforestière de la région. Ailleurs au Nouveau-Brunswick, l'industrie forestière connaît également une importante expansion, comme dans le Haut-Madawaska et à Saint-Léonard.

L'exploitation forestière par les Acadiens en Nouvelle-Écosse semble concentrée dans la région de Clare. En 1864 il s'y trouve au moins 45 scieries dont plusieurs sont la propriété d'entrepreneurs anglophones. Comme dans la péninsule acadienne au Nouveau-Brunswick, elles ont le capital nécessaire pour exploiter la ressource et les Acadiens constituent une main-d'œuvre de choix. La construction navale constitue le principal marché des produits du bois dans des communautés telles Rivière au Saumon, Beaver River, Meteghan, l'Anse-des-Belliveau et Pointe-de-l'Église qui émergent à titre d'importants pourvoyeurs de navires dans le sud-ouest de la province. Durant les années 1870, des ports tels Weymouth, Pubnico et Barrington produisent très peu de vaisseaux de plus de 250 tonneaux, alors qu'à l'Anse-des-Belliveau et à Petit-Ruisseau, on construit peu de navires d'en deçà de 500 tonneaux[3].

3. David ALEXANDER et Gerry PANTING, « The Mercantile Fleet and its Owners : Yarmouth, Nova Scotia, 1840-1889 », *The Acadian Reader,* vol. 1, *Atlantic Canada before*

À l'Île-du-Prince-Édouard, sans doute en raison des faibles réserves de bois disponibles, les industries du bois et de la construction navale n'ont pas d'effet significatif sur l'économie de la province.

L'arrivée du chemin de fer

Même si le nombre de navires à voile construits dans les Maritimes se maintient pendant tout le XIXe siècle, les années 1850 voient jaillir un peu partout en Occident une nouvelle technologie des transports basée sur la vapeur et l'acier; le chemin de fer. Dans les Maritimes, les premiers tronçons commerciaux surgissent en Nouvelle-Écosse — entre Halifax et Truro — et entre Shediac et Saint-Jean, au Nouveau-Brunswick. Sans aucun doute, le chemin de fer va permettre d'acheminer, plus rapidement et à longueur d'année, des denrées locales partout en Amérique du Nord. Comme pour la construction navale et le commerce maritime, ce sont encore les entrepreneurs d'origine britannique qui possèdent le capital nécessaire pour profiter de cette révolution des transports. Les Acadiens en bénéficient plutôt à titre de petits entrepreneurs désirant élargir leurs marchés et comme main-d'œuvre pour la construction des tronçons sillonnant les communautés acadiennes ou à proximité.

Plusieurs projets de construction de chemin de fer résultent de l'approche opportuniste des entrepreneurs forestiers. Par exemple, la construction du chemin de fer de Caraquet est intimement liée à l'industrie du bois. La compagnie Caraquet Railway est incorporée en 1874, et ses directeurs sont des marchands anglophones du comté de Gloucester, dont John Ferguson de Bathurst et Robert Young de Caraquet. Mais, en 1878, on amende l'acte d'incorporation et on choisit de nouveaux directeurs dont K.F. Burns. Ses parts dans la compagnie atteignent bientôt 100 000 $ ou 46,73 % du total. Bien que Burns vante les mérites du chemin de fer et les bénéfices qu'il va apporter à la population, on se rend compte que le projet est destiné surtout à profiter à Burns et à sa compagnie.

Dans le nord-ouest du Nouveau-Brunswick, Saint-Léonard se trouve à la croisée de quatre réseaux de chemins de fer, dont l'Intercolonial, de

---

Confederation, sous la direction de P.A. Buckner et David Frank, Fredericton, Acadiensis Press, 1985.

La gare de Shediac au sud-est du Nouveau-Brunswick. Source : CÉA, PA 2-1003.

Maisons le long de la rivière Saint-Jean au nord-ouest du Nouveau-Brunswick, vers 1870. Source : CÉDEM, PB 1-12.

trois rivières et de routes importantes. Cette localité a tout pour devenir un carrefour important vers la fin du XIXe siècle. Un contrecoup à cette expansion réside dans le fait qu'en 1878 la province concède 380 000 acres de terres boisées à la New Brunswick Railway dans les comtés de Victoria et de Madawaska. Par le fait même, plusieurs habitants du Madawaska se trouvent entravés dans leurs projets de développement et d'expansion des terres, ce qui paralyse la colonisation d'un grand nombre de terres situées à Saint-Léonard et dans les environs[4].

Amorce de diversification des pêches

En 1854, le traité de réciprocité avec les États-Unis donne accès aux pêches des Maritimes aux pêcheurs américains. Par contre, ce même traité permet au poisson de la région d'entrer aux États-Unis sans se voir imposer de droits de douane. Il ne faut pas négliger non plus la présence quasi permanente d'entrepreneurs américains dans certaines régions. À compter de 1858 par exemple, des Américains obtiennent l'autorisation d'acheter des terres à l'Île-du-Prince-Édouard. Cette nouvelle politique relance l'industrie de la pêche, qui bénéficie d'importants investissements américains. Grâce à cet argent neuf, plusieurs compagnies de pêche surgissent dans la colonie. Tandis qu'en 1850 on compte seulement cinq entreprises de ce genre, on en dénombre 37 en 1855 et 89 en 1861. La relance des pêches se manifeste juste au moment où les Acadiens commencent à éprouver des difficultés à trouver des terres agricoles pour la nouvelle génération.

Si, durant la première moitié du XIXe siècle, la pêche à la morue domine largement l'industrie des pêches en Atlantique, une certaine diversification se manifeste à compter des années 1870. L'exploitation du hareng, du maquereau et, surtout, du homard représente un avantage pour les pêcheurs acadiens des Maritimes. L'exploitation du homard remonte en fait aux années 1840 sur la côte est américaine mais, en raison de l'épuisement rapide de la ressource sur le littoral du Maine, plusieurs entrepreneurs américains viennent exploiter le précieux crustacé des Maritimes. On utilise surtout l'exportation en conserve pour atteindre les marchés britanniques. Encore là, les Acadiens constituent

4. Jacques LAPOINTE, *Grande-Rivière, une page d'histoire acadienne*, Moncton, Éditions d'Acadie, 1989.

Manufacture de mise en conserve du homard à Anse-Bleu
au nord-est du Nouveau-Brunswick. Source CDND

une main-d'œuvre de premier plan et des occasions s'offrent aux femmes, aux jeunes filles et aux jeunes garçons. Un petit nombre d'entrepreneurs acadiens se lancent dans cette industrie où les investissements et les risques sont moins grands que pour la morue. L'exportation du homard en conserve semble avoir de plus grandes retombées sur la côte est du Nouveau-Brunswick et à l'Île-du-Prince-Édouard que dans le sud-ouest de la Nouvelle-Écosse où, en raison de la proximité des marchés américains, une bonne partie des prises peuvent êtres écoulées vivantes.

Dans le sud-est du Nouveau-Brunswick la pêche commerciale du homard débute dans les comtés de Kent et Westmorland à la fin des années 1840. L'une des premières conserveries de homard du sud-est de la province, située à Cocagne, est la propriété d'un entrepreneur acadien. D'une certaine façon, la pêche au homard connaît la transition à l'ère industrielle. À Cap-Pelé, trois grandes usines sont construites dans les années 1870, sans compter un bon nombre d'édifices secondaires tels que magasins, entrepôts, dortoirs, réfectoires, ferblanteries, etc. Au moins une centaine de jeunes filles et femmes y travaillent, sans oublier les hommes à l'usine et à la pêche. Alors que des Acadiens travaillent à titre de

Séchage de la morue au nord-est du Nouveau-Brunswick. Source : CDND

contremaîtres pour des entrepreneurs anglophones, certains se lancent aussi en affaires. Dans la plupart des cas, ils ne possèdent qu'une seule homarderie. En 1891, à eux seuls, Kent et Westmorland comptent une centaine de conserveries mais c'est également à cette époque qu'un certain déclin s'amorce dans cette industrie. Un grand nombre de homarderies voient aussi le jour à Mont-Carmel et à Baie-Egmont à l'Île-du-Prince-Édouard où plusieurs Acadiens sont propriétaires ou copropriétaires de ces conserveries.

Dans le nord-est du Nouveau-Brunswick et en Nouvelle-Écosse, l'industrie morutière continue de dominer la pêche commerciale. Selon un rapport de 1852, les habitants du comté de Gloucester sont de loin les plus actifs dans la pêche côtière au nord-est du Nouveau-Brunswick. Les principaux postes de pêche sont situés à Miscou, à Shippagan, à Caraquet et à Grande-Anse. À Shippagan, les chaloupes reviennent toutes les vingt-quatre heures, tandis que les goélettes, de plus fort tonnage, peuvent rester en mer pendant huit jours d'affilée. Plusieurs chargements de morue partent régulièrement de Caraquet et de Shippagan pour l'Europe. Bien que des communautés telles Tracadie ou Inkerman ne

Le havre de Cap-Lumière au sud-est du Nouveau-Brunswick.
Source : CÉA, PB 2-30

La flotte acadienne du sud de la Nouvelle-Écosse

En Nouvelle-Écosse, plusieurs régions majoritairement acadiennes possèdent des ports de pêche importants. L'accès facile aux bancs de poissons et aux marchés de Boston favorise l'industrie des pêches. Par exemple, le tableau suivant démontre qu'en 1853 quelques ports desservant des communautés acadiennes comptent 115 vaisseaux montés par 675 hommes.

Tableau 8

Les pêches acadiennes en Nouvelle-Écosse en 1853

Ports	*Vaisseaux*	*Tonnage*	*Hommes*
Yarmouth	54	1 982	400
Arichat	44	1 155	152
Argyle	7	193	49
Pubnico	7	206	55
Church Point	3	72	19
Total	**115**	**3 608**	**675**

Source : Harold A. Innis, *The Cod Fisheries : The History of an International Economy*, Toronto, University of Toronto Press, 1978, p. 342.

figurent pas à l'avant-plan de l'industrie de la morue, elles tirent leur épingle du jeu dans l'industrie du maquereau en devançant Caraquet dans l'exportation de cette espèce, tant en conserves qu'en barils.

L'industrie des pêches est dans une phase de transition durant la deuxième moitié du XIXe siècle. Entre 1850 et 1880, débute le déclin de l'industrie de la morue sèche à titre d'industrie prédominante dans les pêches aux Maritimes. Le chemin de fer, de plus en plus accessible partout sur le territoire, encourage l'exportation du poisson frais qui prend progressivement la place du poisson salé et du poisson séché sur les marchés nord-américains.

Le petit commerce au détail

Bien que l'agriculture, l'industrie forestière et la pêche représentent les activités économiques prédominantes chez les Acadiens, un petit nombre d'entre eux tentent leur chance dans le commerce au détail. L'histoire de l'un des premiers commerçant acadien, Fidèle Poirier, laisse penser qu'il entrevoit toutes les perspectives découlant de la construction d'une voie ferrée à Shédiac. Pour se faire du capital, il achète un lot de livres de prières, images et autres objets de piété, le genre de choses qui manque alors dans plusieurs foyers acadiens, et se fait colporteur. Au bout d'environ cinq ans à titre de commis-voyageur, il possède suffisamment d'économies pour construire un magasin de 20 pi par 25 pi et l'inaugure en juin 1856.

Au Madawaska, à la même époque, il se développe une petite classe bourgeoise de gens de métiers. Il y a alors formation d'une classe d'entrepreneurs préoccupés par la mise en valeur des ressources du sol et de la forêt. À titre d'exemple, les entreprises Hudon, établies vers 1868, et dans les années 1880, les Hospitalières de Saint-Joseph qui lancent une entreprise de fabrication de briques. À l'été 1885, la production se chiffre à 75 000 briques[5]. Dans la péninsule acadienne, alors qu'il n'y a que trois francophones identifiés comme commerçants en 1861, leur nombre passe à 6 en 1871 et à 16 en 1877. En ce qui a trait à la valeur des entreprises acadiennes, la grande majorité se situent à moins de 500 $ avec un crédit limité. À Bathurst, le magasin général de Hilarion Haché

5. Georgette DESJARDINS, sous la direction de, *Saint-Basile : Berceau du Madawaska, 1792-1992*, Montréal, Méridien, 1992.

Quelques travailleuses à la « factorie » à homard de Mont-Carmel à l'Île-du-Prince-Édouard. Source : CRAIPÉ, 75.12

possède un capital dont la valeur se situe aux alentours de 2500 $ entre 1876 et 1887. Des Acadiens sont engagés dans la vente d'équipement de ferme, d'autres de quincaillerie, sans compter les quelques artisans que sont les charpentiers, les tanneurs et les ferblantiers.

À la baie Sainte-Marie, en Nouvelle-Écosse, Ambroise-Hilaire Comeau ouvre une boutique de chaussures à La Butte dès 1876, à une époque où le commerce dans les villages acadiens de Clare est entre les mains des Irlandais. Ses affaires vont si bien qu'il doit tripler la superficie de son établissement en 1892. Suit rapidement une entreprise de construction navale, dont les navires sont vendus un peu partout dans le sud-ouest de la Nouvelle-Écosse, voire à l'étranger. C'est un peu le même chemin que prend Joseph-Octave Arsenault à l'Île-du-Prince-Édouard qui, en 1865, s'engage dans le commerce. Député à l'Assemblée législative, il est également propriétaire de deux conserveries de homard.

Il ouvre un magasin à Abram-Village devenant, semble-t-il, le premier marchand acadien de sa région. Son beau-frère, Joseph Poirier de

Miscouche, peut toutefois être considéré comme le premier des marchands et des hommes d'affaires acadiens de l'île. Ses quatre fils font de même à Miscouche, à Tignish et à Saint-Louis, tandis que sa fille Obéline, épouse Gilbert DesRoches, appelé à devenir le plus important marchand de Miscouche. La construction du chemin de fer de l'île au début des années 1870 incite Arsenault à étendre son entreprise. En 1874, il ouvre donc un deuxième magasin à Wellington, près de la nouvelle gare de chemin de fer. Dix ans plus tard, Arsenault double la superficie de son édifice et détient également quelques bateaux affectés à la pêche au maquereau. Malgré le nombre limité d'Acadiens actifs dans le commerce, on constate néanmoins une certaine émergence dans plusieurs communautés acadiennes.

Conclusion

L'un des événements qui marquent profondément l'Acadie de la période 1850-1880 est l'entrée des Maritimes dans la Confédération canadienne. Si, théoriquement, cela doit apporter aux Acadiens le soutien du Québec, on constate rapidement, entre autres lors du débat entourant la loi des écoles du Nouveau-Brunswick de 1871, que les droits des minorités francophones et catholiques sont loin d'être bien protégés par la nouvelle Constitution canadienne. Pour leur part, les politiciens acadiens, qu'ils soient dans les législatures provinciales ou à Ottawa, ont tendance à se ranger derrière la solidarité partisane et ne semblent pas prioriser outre mesure la promotion des droits politiques et linguistiques des Acadiens, ni favoriser le développement économique des régions acadiennes. C'est seulement à compter des années 1880 que les priorités nationales acadiennes et l'agenda de quelques politiciens semblent converger, quoique très discrètement.

Jusqu'en 1860 au moins, sauf pour quelques réussites individuelles, l'économie acadienne se résume plutôt à la subsistance. Les Acadiens sont pour la plupart dépassés par le phénomène d'industrialisation qui frappe le Canada durant la période. Ils n'ont pas accumulé de capital financier individuel assez important pour devenir entrepreneurs. Par contre, quelques Acadiens investissent dans de petites scieries. Dans le secteur des pêches, avec la Confédération de 1867, les efforts du fédéral se limitent à interdire aux navires américains la pêche dans les eaux territoriales canadiennes. Ottawa lance toutefois d'importants projets de construction ferroviaire ayant certaines retombées économiques sur les régions acadiennes. Pour sa part, la politique nationale favorise surtout les zones urbaines émergentes et les Acadiens désirant en profiter doivent quitter les régions rurales.

Le phénomène de l'émigration acadienne vers les États-Unis est un autre événement social important de la période. Surtout après 1870, on assiste au début de ces grands mouvements saisonniers et bientôt permanents vers les États industriels de la Nouvelle-Angleterre. Les Acadiens et les Acadiennes qui partent le font pour des motifs économiques. Ils veulent améliorer leur situation en se trouvant un emploi dans l'un des grands secteurs industriels de l'époque.

CHAPITRE V

Structures institutionnelles et transformations sociales et économiques 1880-1914

Un nouveau projet de société

Les années 1870 sont une période d'intégration politique pour les Maritimes, quoique la région conteste encore la manière dont on lui a imposé la Confédération. 1879 marque le début de la politique nationale du gouvernement de John A. Macdonald, qui consiste à mettre en pratique des concepts de développement économique favorisant l'industrialisation partout au Canada. Aux Maritimes, cela a pour effet de favoriser l'épanouissement des communautés longeant le chemin de fer intercolonial. La majorité des habitants sont cependant assez optimistes face à l'ère industrielle des années 1880, bien que les inégalités sociales ont tendance à s'amplifier. Durant les années 1890, il devient évident que les régions rurales tirent de l'arrière comparativement à des centres urbains tels Halifax et Saint-Jean. Bref, on complète la transition d'une économie maritime et commerciale à une économie axée sur le continent.

Au début des années 1880, les chefs de file acadiens se sentent suffisamment forts pour élaborer un programme d'ensemble. Cette élite, en bonne partie sortie du Collège Saint-Joseph, exerce déjà une influence marquante ; un journal, le *Moniteur Acadien*, diffuse ses idées ; enfin, une classe moyenne commence à se constituer. Mais c'est aussi durant cette période que s'articule un nouveau projet de société avec, comme point de départ, la première Convention nationale des Acadiens, tenue à

Memramcook. C'est là que s'orchestrent diverses stratégies visant à acadianiser certains secteurs de la société acadienne, surtout l'Église et l'éducation. De grands combats sont enclenchés visant la nomination d'un premier évêque acadien, mais aussi de sénateurs acadiens à Ottawa.

Parallèlement à ces objectifs, d'autres préoccupations demeurent. Entre autres, les inquiétudes de l'élite et du clergé face à l'émigration acadienne vers les centres urbains. Comme remède à cet exode, on lance la première vague de colonisation. À l'époque, l'élite et le clergé ne sont guère préoccupés par la pêche ou l'industrie forestière. Comme au Québec, ils se tournent surtout vers l'agriculture en tant que point d'ancrage économique de la société acadienne.

La politique

Début d'une action collective acadienne

Bien que la période 1880-1914 ne s'inscrive pas encore dans le même sillon d'affirmation politique populaire acadienne de la période 1914-1950, il est tout de même possible de percevoir une certaine forme d'action collective à caractère politique, du moins chez l'élite et le clergé acadien. L'alliance qu'ils forment vise à mieux promouvoir les grands dossiers d'affirmation acadienne. La priorité est alors de développer des stratégies d'actions dans les grands secteurs sociaux telles l'acadianisation de l'Église, l'éducation et l'économie. À plus d'un égard, la stratégie nationaliste acadienne semble être calquée sur celle du Québec. Des prêtres québécois et français enseignent dans les nouveaux collèges acadiens des Maritimes et le clergé acadien partage les mêmes préoccupations en terme de développement de l'agriculture et de la colonisation ; activités jugées vitales pour empêcher l'exode vers les villes. Ces priorités nationales impliquent une certaine forme de pression politique auprès des politiciens et des gouvernements et contribue à accentuer l'influence acadienne en politique.

Les congrès nationaux ; point de départ du projet national acadien

La période 1880-1914 est une phase de réveil national chez les Canadiens français, tant au Québec, en Acadie que dans les États de la Nouvelle-Angleterre. Encore secoués par la pendaison de Louis Riel et la lutte pour l'obtention d'écoles françaises, une certaine solidarité de la francophonie nord-américaine semble émerger. Considérant sa majorité démographique sur un territoire déterminé, la province de Québec, par l'entremise de la Société Saint-Jean-Baptiste, représente un véritable lieu de ralliement pour l'élite francophone du continent. C'est d'ailleurs là que l'élite et le clergé acadien trouvent l'inspiration et le soutien leur permettant d'entreprendre les grands combats entourant l'éducation en français et l'acadianisation de l'Église.

C'est à Québec qu'est déclenché le mécanisme devant inaugurer la tradition des conventions nationales acadiennes. En 1880, la Société Saint-Jean-Baptiste de Québec organise un congrès de tous les francophones de l'Amérique du Nord et elle lance un vibrant appel aux Acadiens. Plus d'une centaine d'entre eux doivent se rendent à Québec pour ce 24 juin 1880 afin de participer aux travaux de la septième Commission qui leur est réservée. C'est la première fois qu'un nombre aussi impressionnant d'Acadiens se réunissent pour discuter de leur avenir collectif. La résolution la plus importante est sans contredit la décision de se rencontrer à Memramcook l'année suivante.

Dès le printemps 1881, le comité d'organisation de la Convention lance un appel au clergé et invite chaque paroisse acadienne à se faire représenter par trois délégués élus lors d'une assemblée publique. Lors de cette première convention, cinq commissions sont mises sur pied : celle du choix d'une fête nationale, de l'éducation, de l'agriculture, de la colonisation, de l'émigration et, enfin, la commission de la presse. Au-delà de 5000 curieux viennent à Memramcook les 20 et 21 juillet 1881 quoiqu'un petit nombre seulement participent concrètement aux discussions. La plupart se limitent à assister au grand pique-nique paroissial qui fait partie intégrante de la convention. Le grand public a droit à la messe, aux discours patriotiques, etc., mais pas aux délibérations.

La grande majorité des interventions proviennent d'un groupe de leaders déjà reconnus dans leurs milieux, une élite intellectuelle en quelque sorte formée de prêtres et de personnalités issues des professions libérales, soit des hommes politiques, des marchands, des avocats, des enseignants, des médecins. Cette véritable intelligentsia acadienne est responsable pour 79,2 % des thèmes débattus. Le thème qui revient le plus souvent se rapporte à la définition de l'Acadien. À lui seul, il représente 29,3 % des interventions. Le clergé est intervenu surtout du côté des

Mgr Marcel-François Richard. Source CÉA, PB1-212q

thèmes ayant trait à l'éducation, la religion, la colonisation, l'agriculture et au problème de l'émigration. Quant aux laïcs, ils insistent sur la définition de l'Acadien, le passé, la presse, la survivance et un peu sur le domaine politique.

À Memramcook en 1881, l'un des sujets les plus chaudement débattu est le choix d'une fête nationale acadienne. Certains proposent d'adopter la Saint-Jean-Baptiste, fête nationale des Québécois le 24 juin. C'est suite à l'insistance de l'abbé Marcel-François Richard que les délégués s'entendent pour une fête spécifiquement acadienne. Leur choix s'arrête sur la fête de L'Assomption célébrée le 15 août. À Miscouche en 1884, on complète le choix des symboles nationaux. Comme drapeau, on choisit le tricolore français avec une étoile jaune dans le bleu pour marquer la spécificité de l'Acadie. Comme hymne national, l'*Ave Marie Stella* l'emporte sur *Un Acadien errant* et *La Marseillaise.* S'ajoute enfin une insigne qui se porte à la boutonnière et sur laquelle on peut lire la devise : l'Union fait la force.

La Société nationale L'Assomption : lieu de convergence de l'élite acadienne

L'une des initiatives les plus tangibles des premières conventions est certainement la formation de la Société nationale L'Assomption. De 1890 à 1913, l'exécutif de cette société est le porte-parole de la population acadienne. Sa structure administrative découle directement de celle du comité d'organisation des deux premières conventions nationales. En 1890, au congrès de la Pointe-de-l'Église, la Société L'Assomption se dote d'un comité exécutif d'une quarantaine de membres provenant des trois provinces maritimes. À partir de ce moment, des vice-présidents de l'Île-du-Prince-Édouard, de la Nouvelle-Écosse et du Nouveau-Brunswick siègent au Conseil général, le vrai détenteur du pouvoir, tandis que de nombreux représentants régionaux sont membres du Comité exécutif. Les conseils élus entre 1890 et 1908 se recrutent parmi les politiciens, les juges, les médecins et les journalistes[1]. Outre la question religieuse, la Société nationale L'Assomption se prononce en dehors des congrès sur une variété de questions d'intérêt national. Elle s'intéresse aux enseignants en offrant de l'aide pécuniaire aux candidats de l'École normale et encourage, par des octrois, les réunions pédagogiques.

En 1903, un nouvel organisme acadien est fondé aux États-Unis : la Société mutuelle L'Assomption, une compagnie de bénéfices mutuels. Parmi les objectifs de cette compagnie, on note le ralliement des Acadiens sous la même bannière, l'encouragement de l'éducation au moyen d'une caisse écolière, la protection de la religion catholique, de la langue française, des mœurs et des coutumes acadiennes. En 1907, la Mutuelle compte 52 succursales, dont 38 en Acadie. Ce système permet aux Acadiens d'une même localité de se réunir régulièrement afin de discuter des affaires de la société, en plus de constituer un club social qui n'a pas de précédent dans les communautés francophones.

Entre 1890 et 1913, il est possible de distinguer trois groupes à l'intérieur de l'élite acadienne. Il y a d'abord l'élite traditionnelle, celle qui est reconnue par le peuple comme étant ses leaders — le clergé est compris dans l'élite traditionnelle — ensuite il y a un groupe en marge de l'élite traditionnelle, formé en partie d'intellectuels, ayant un profil moins élevé que l'élite traditionnelle, mais qui sert d'appui à cette dernière. Un troisième groupe participe aux congrès et aux discours ; ce sont les étrangers, les invités de l'extérieur de l'Acadie.

---

1. Deborah ROBICHAUD, « Les conventions nationales (1890-1913) : la Société nationale L'Assomption et son discours », *Cahiers de la Société historique acadienne*, vol. 12, nº 1 (1981), p. 36-58.

Edmé Rameau de Saint-Père. Source: CÉA, PA1-401C

Les relations avec la France

Les relations avec la France prennent assez de place lors des discussions tenues aux congrès nationaux, où l'on parle à plusieurs reprises de l'œuvre de la vieille France en Acadie. On mentionne très peu la France contemporaine et, lorsque c'est le cas, c'est avec une certaine amertume pour la France d'avant la révolution de 1789. On semble souhaiter plutôt des contributions individuelles comme celle de Rameau de Saint-Père et non un intérêt pour la France officielle. Saint-Père a publié deux ouvrages historiques sur les Acadiens entre 1850 et 1890 et est venu deux fois en Acadie. Il entretient une correspondance assidue avec plusieurs leaders Acadiens et inspire leurs démarches dans plusieurs domaines. Il semble exister une crainte à l'égard d'une France où la religion catholique est prise d'assaut par des forces révolutionnaires et anticléricales.

À titre d'historien et de généalogiste, Placide Gaudet s'est grandement intéressé aux échanges entre l'Acadie et la France. Source : CÉA PB1-272e

Quoi qu'il en soit, dès 1895, l'Alliance française — organisme de promotion de la culture et de la langue française à l'étranger — est responsable de l'octroi de subventions pour la diffusion de l'enseignement du français dans les écoles d'Acadie. Jusqu'en 1914, Pascal Poirier reçoit une allocation variant de 2000 à 2500 francs pour faire la promotion de l'éducation et de l'enseignement de la langue française en Acadie. Certaines régions, tels le Cap-Breton et l'Île-du-Prince-Édouard, font l'objet de subventions plus généreuses en raison de la précarité de leur situation linguistique et scolaire. Outre l'avancement de la langue et de l'éducation, d'autres causes bénéficient de l'appui de l'Alliance tels le journal *L'Évangéline*, et la Société acadienne de colonisation, d'agriculture et de rapatriement fondée en 1915. L'Alliance française demeure toutefois discrète et s'en remet à ses représentants en Acadie, dont Pascal Poirier et quelques membres français qui y résident. Mais elle n'a pas de succursale, de bureau, d'où elle pourrait mener ses travaux.

La députation acadienne sur la scène fédérale et provinciale

Au Nouveau-Brunswick, sur la scène fédérale, ce n'est qu'à la dernière élection du XIXe siècle que les Acadiens réussissent à élire deux députés, soit dans Kent et Gloucester. De 1867 à 1896, les six députés francophones siégeant à Ottawa sont tous conservateurs. Dans Kent, l'électorat accorde sa confiance aux conservateurs Gilbert-Anselme Girouard, Pierre-Amand Landry, Édouard-H. Léger et Ferdinand-Joseph Robidoux. Seul Olivier-J. LeBlanc brise cette domination entre 1890 et 1911. Dans Gloucester, les faveurs de l'électorat se partagent entre le conservateur Théotime Blanchard et le libéral Onésiphore Turgeon. Les trois comtés de Victoria, Restigouche et Madawaska sont représentés par le libéral Pius Michaud. Le seul sénateur acadien est Pascal Poirier, d'allégeance conservatrice et qui exerce ses fonctions de 1885 à sa mort en 1933. À l'Île-du-Prince-Édouard, depuis le décès de Stanislas-F. Perry, en 1898, aucun député acadien n'est élu à la Chambre des communes. La grande infériorité démographique des Acadiens dans les circonscriptions électorales fédérales ne favorise pas l'élection d'un des leurs. Par contre, le sénateur Joseph-Octave Arsenault est nommé en 1895 mais meurt en 1897 alors qu'en Nouvelle-Écosse Ambroise-H. Comeau devient le premier sénateur acadien de cette province en 1907.

En Nouvelle-Écosse, en raison de leur éparpillement géographique, les Acadiens sont en minorité dans presque tous les comtés. Conséquemment, leur présence au sein des divers corps législatifs est souvent éphémère. Seule la région du sud-ouest de la province et les comtés de Richmond et d'Inverness au Cap-Breton sont généralement en mesure d'élire de temps à autre des députés acadiens. Isidore LeBlanc, d'Arichat, est élu député en 1878 et fait partie du gouvernement en 1883.

Sur la scène provinciale du Nouveau-Brunswick, de 1882 à 1912, les libéraux remportent 7 des 9 élections provinciales et le nombre de députés francophones varie entre 3 en 1886 à 8 en 1899, 1908 et 1912. En Nouvelle-Écosse, seuls le sud-ouest et les comtés de Richmond et d'Inverness sont à même d'élire des députés acadiens de temps à autre. Ainsi, Isidore LeBlanc d'Arichat est le premier Acadien à faire partie du gouvernement de sa province à compter de 1883. Pour leur part, les Acadiens de l'Île-du-Prince-Édouard sont représentés à la Législature provinciale de manière continuelle depuis 1854 et sans interruption depuis 1874 avec l'entrée de l'île dans la Confédération.

Le sénateur Pascal Poirier. Source : CÉA, PB1-540

Les Acadiens du comté de Prince réussissent, à chaque élection à compter de 1894, à faire élire deux des leurs à l'Assemblée législative. Généralement, lorsqu'un député acadien est membre du parti au pouvoir, il est nommé au cabinet à titre de ministre sans portefeuille. Il est difficile de dire si les politiciens acadiens de l'époque se voyaient aussi comme des promoteurs de la cause acadienne ou s'ils séparaient totalement cette question de la chose politique. Lorsqu'on analyse cette question avec le recul des années, il ne semble pas que les politiciens acadiens aient été bien différents de leurs collègues anglophones. Sans doute acceptaient-ils de promouvoir la cause acadienne si elle s'inscrivait dans leur stratégie de capital politique ?

Le social

L'émigration s'accentue

L'émigration canadienne vers les États-Unis entre 1880 et 1914 est l'un des phénomènes démographiques marquant de la période. Rappelons qu'en raison d'un contexte économique difficile un nombre important

Un pique-nique à Miscouche, Île-du-Prince-Édouard vers 1901.
À noter le drapeau américain à l'arrière-plan puisque plusieurs visiteurs sont Américains. Source : CRAÎPÉ, 90.29

d'habitants du Québec et des Maritimes décident d'aller travailler dans les États industriels de l'est des États-Unis. En fait, le départ de plusieurs jeunes entrepreneurs potentiels constitue également un facteur de déclin économique à long terme. Entre 1901 et 1914, bien que le Canada enregistre un surplus d'immigrants, le fédéral ne réussit pas à empêcher les nombreux départs au sud de la frontière. L'élite autant québécoise qu'acadienne dénonce le peu d'efforts déployés par le fédéral pour rapatrier les exilés alors qu'il fournit tant d'encouragement aux immigrés pour s'établir dans l'Ouest.

L'émigration vers les États de la Nouvelle-Angleterre amène le clergé à encourager le défrichement de nouvelles terres. En plus d'empêcher théoriquement l'émigration, la colonisation doit parer à la rareté des terres dans les anciens villages. C'est ainsi que des groupes d'Acadiens commencent à défricher l'arrière-pays. De plus, selon les curés, les paysans vivant le long des côtes ont tendance à négliger l'agriculture et à s'endetter dans la mesure où ils s'adonnent à la pêche au profit d'entrepreneurs anglais. Conséquemment, dans les comtés de Restigouche, Gloucester, Kent et Westmorland, au Nouveau-Brunswick, on fonde de nouveaux établissements. Colborne, Tetagouche, Paquetville, Saint-Isidore, Sainte-Marie-de-Kent, Saint-Paul-de-Kent, Acadieville, Rogersville sont les principaux résultats de ce mouvement de colonisation. Cet élan touche aussi les Acadiens de l'Île-du-Prince-Édouard ; ce sont eux qui fondent Saint-Paul-de-Kent en 1864 avec d'autres colons venus de Memramcook, de Cap-Pelé et des environs de Bouctouche.

Bien que des chiffres sûrs manquent à ce sujet, il semble que les habitants de la baie Sainte-Marie en Nouvelle-Écosse, et ceux du sud-est du Nouveau-Brunswick soient davantage enclins à émigrer que ceux des autres centres acadiens. En 1902, dans un discours prononcé à la Convention des Acadiens à Waltham, Mass., le docteur L.J. Belliveau parle de 20 000 à 30 000 Acadiens et Acadiennes qui vivent alors aux États-Unis. Selon des témoignages de l'époque, ces Acadiens et Acadiennes émigrant au sud de la frontière sont généralement jeunes et comptent autant de femmes que d'hommes.

Les hommes sont fermiers, mécaniciens, menuisiers, constructeurs de bateaux, bûcherons, débardeurs, pêcheurs ou hommes à tout faire. Quant aux femmes, elles s'orientent vers le travail domestique, le service dans les restaurants et les hôtels, le travail dans les usines et les filatures. Ce sont surtout les difficultés économiques qui forcent les Acadiens et les Acadiennes à s'expatrier vers les États-Unis. Plusieurs d'entre eux souhaitent y réaliser des épargnes qui leur permettent ensuite de revenir au pays.

La littérature de l'époque se montre très sévère à l'endroit des émigrants : on dénonce leur goût du luxe, leur mépris des valeurs traditionnelles, en particulier religieuses et culturelles. En 1902, Mgr Philippe Belliveau dit aux Acadiens de Waltham que, malgré le climat de liberté et de possibilités dont jouissent les citoyens américains, ils demeurent tout de même noyés au milieu de 75 millions d'habitants « dont vous êtes en grande partie les serviteurs[2] ». Par contre, tout en continuant à lutter contre l'émigration aux États-Unis, les leaders acadiens prennent conscience que les compatriotes d'outre frontière sont une force dans la francophonie et qu'il contribuent à véhiculer les valeurs de la civilisation catholique et française. Confirmant les craintes du clergé acadien, il semble effectivement que la vie urbaine provoque des changements dans

2. *L'Évangéline*, 4 septembre 1902.

Mgr Philippe Belliveau. Source : CÉA, PB1-1936

les valeurs sociales et culturelles de plusieurs Acadiens. À Moncton, l'analyse du nombre de mariages entre hommes acadiens et femmes anglophones démontrent ces changements. Tandis que les mariages exogames ne représentent que 6 % à la campagne, ils augmentent à 27,9 % en ville. Une certaine volonté de changement, qui se traduit par une tentative d'adaptation à la vie urbaine de la part des Acadiens, constitue certainement un des facteurs importants à considérer.

L'éducation : la formation des maîtres

En éducation, les grandes préoccupations de l'époque incorporent à la fois l'obtention d'écoles et de professeurs et la qualité de la formation chez ces derniers. Au Nouveau-Brunswick, le gouvernement met sur pied, en 1885, un « French Department » qui ressemble étrangement au défunt « Preparatory Department ». Il s'intéresse bel et bien aux élèves acadiens, mais il n'aspire lui aussi qu'à les former de manière à ce qu'ils puissent mieux suivre le cours régulier qui lui se donne en anglais ; par contre, les cours suivis dans le « French Department » s'ajoutent aux

Pierre-Marie Dagnaud est un personnage important dans l'histoire acadienne à la baie Sainte-Marie en Nouvelle-Écosse. En plus d'être professeur, il a également publié un livre sur l'histoire de la région. Source : CÉA PB1-522

crédits nécessaires pour l'obtention du diplôme anglais, quoiqu'ils ne dispensent pas les élèves du programme régulier. Ce département réussit cependant mieux que son prédécesseur, car en 1900 on compte 52 élèves inscrits.

Ce système peu favorable à l'enseignement du français soulève des plaintes d'institutions acadiennes tels le *Moniteur Acadien*, *L'Évangéline*, la Société nationale L'Assomption et la Société mutuelle L'Assomption. Les démarches qui s'ensuivent signifient de petites victoires pour la cause du français dans le système d'éducation publique : l'introduction de quelques outils pédagogiques et la nomination d'inspecteurs acadiens. Qui plus est, suite aux travaux de la Commission royale pour la préparation de manuels en français et aux efforts des pères Philias F. Bourgeois et P.M. Dagnaud, quatre livres de lecture française sont introduits dans le programme scolaire en 1907 et 1908. Une autre démarche importante

Congrès pédagogique à Tignish, Île-du-Prince-Édouard vers 1896.
Source : CRAÎPÉ, 1.51

de l'époque est la tenue de congrès pédagogiques en français à compter de 1911.

À l'Île-du-Prince-Édouard, les examens d'entrée à l'École normale provinciale et la langue d'enseignement semblent constituer des obstacles au recrutement d'étudiants acadiens. Mais la formation française des maîtres destinés aux écoles acadiennes n'est pas une grande préoccupation du Bureau d'éducation. C'est ce qui explique peut-être la participation de quelques organismes canadiens-français qui prêtent leur concours à l'Association des instituteurs acadiens pour l'organisation de cours d'été. Il faut dire que la faiblesse des salaires incite de nombreux instituteurs à s'orienter vers des carrières plus lucratives après seulement quelques années passées dans la salle de classe. Sans compter que plusieurs enseignants et enseignantes des Maritimes trouvent amplement de possibilités d'emplois mieux rémunérés dans l'Ouest canadien. Ce sont les jeunes institutrices qui en profitent pour occuper une plus grande place sur la scène de l'éducation. Encore en 1891, les Acadiens de l'île ne peuvent compter que sur un seul surveillant acadien pour les écoles bilingues.

Valentin Landry. Source : CÉA, E43402

En Nouvelle-Écosse, il existe une pénurie de professeurs francophones qualifiés et, de 1885 à 1902, des enseignants sans diplôme se voient octroyer des licences dites « permissives ». Ceci, pour qu'un nombre suffisant d'enseignants francophones puisse être recruté. C'est en 1900 que la « Provincial Normal School » inaugure un programme en français, soit la « summer bilingual school ». Ces cours ne répondent pas convenablement aux instituteurs acadiens puisqu'ils ne visent qu'à améliorer la compréhension de l'anglais par ceux qui parlent français acadien. Là aussi, à partir de 1902, l'usage de livres en français augmente puisqu'ils sont permis pour les cinq premiers niveaux d'enseignement dans les écoles acadiennes. Par la suite, tout se déroule en anglais. En 1908, Louis d'Entremont est le seul inspecteur d'école acadien dans la province.

Les enseignants eux-mêmes commencent à s'organiser. En 1880, Valentin Landry, inspecteur d'écoles et futur fondateur de *L'Évangéline*, convoque les instituteurs et institutrices du comté de Gloucester à une grande assemblée à Bathurst. Les méthodes d'enseignement, la formation des maîtres, de meilleurs manuels, en français et en plus grand nombre, les salaires constituent l'essentiel de ces discussions. Les bas salaires des instituteurs et institutrices acadiens sont attribuables au fait qu'ils possèdent surtout des diplômes de première, deuxième ou troisième classe. Un congrès est également tenu à Charlottetown le 27 septembre 1893, alors que l'Association des instituteurs acadiens de l'Île-du-Prince-Édouard est fondée. Cette dernière s'engage à tenir un congrès annuel dans différentes paroisses chaque année. La plupart des enseignants acadiens y assistent, ainsi que les curés des paroisses acadiennes et les hommes publics acadiens. Chaque année, quelques instituteurs sont invités à présenter des études sur l'enseignement et la langue française. Par exemple, en 1910, on discute du rôle de la religion dans l'éducation populaire, des punitions corporelles et des devoirs de l'instituteur[3].

L'enseignement collégial

L'enseignement supérieur, qui dépend davantage de l'initiative privée, se porte un peu mieux que les écoles publiques. Deux collèges sont en effet fondés durant cette période, tous deux par des prêtres eudistes français : le Collège Sainte-Anne à Pointe-de-l'Église en 1890 et le Collège du Sacré-Cœur à Caraquet en 1899. À la baie Sainte-Marie, c'est un curé irlandais, successeur du père Mihan à la paroisse de Saint-Bernard, le Père Parker, qui lance une souscription financière pour la construction d'une institution d'éducation. Le projet s'appelle Mémorial Sigogne puisque la tradition veut que le Collège Sainte-Anne soit l'aboutissement direct des ambitions et de l'idéal souhaité par Sigogne lui-même.

Les pères Eudistes, Gustave Blanche et Aimé Morin arrivent à Weymouth en septembre 1890. Le plan de Blanche parle d'un bâtiment de 110 pieds de longueur sur 45 de largeur, avec un sous-sol, un rez-de-chaussée, un étage et des mansardes. Le bois de charpente est fourni par les habitants. Dès l'ouverture du collège, est aussi inauguré dans le presbytère un début de juvénat où les jeunes étudiants reçoivent une préparation à l'enseignement. Mais, après l'incendie du presbytère en 1893, on rebâtit un juvénat, qui sert aussi de presbytère. Jusqu'à la Première Guerre mondiale, la vie du juvénat voisine de très près celle du Collège Sainte-Anne. Mais encore plus importante, l'Académie commerciale devient une menace. Subventionnée par le gouvernement provincial, elle offre un enseignement en anglais. Les pères y voient cepen-

3. Georges ARSENAULT, *Les Acadiens de l'Île,* 1720-1984, Moncton, Éditions d'Acadie.

Premier collège de Pointe-de-l'Église au sud-ouest de la Nouvelle-Écosse, construit en 1891. Source : CÉA, PB 2-360

dant deux avantages : la subvention annuelle de 500 $ et la présence d'un professeur d'anglais.

À Caraquet, c'est en 1894 que le curé Théophile Allard entreprend la construction d'un collège qui est terminé en 1898. Bien souvent à l'époque, le premier obstacle à franchir dans l'établissement d'un collège est de trouver une communauté religieuse prête à prendre la direction de l'institution. C'est le seul moyen d'obtenir des professeurs compétents. Deuxième obstacle ; convaincre l'évêque irlandais Mgr Rogers du bien-fondé du projet pour la population acadienne du nord du Nouveau-Brunswick. Là aussi, c'est à la Congrégation des Eudistes, fondateurs, en 1890, du Collège Sainte-Anne, que le curé Allard s'adresse pour diriger son collège. Avec les Collèges Saint-Joseph et Sainte-Anne, celui de Caraquet devient la troisième institution d'enseignement supérieur acadienne aux Maritimes, si l'on exclut celui de Saint-Louis. Le père Aimé Morin, premier supérieur du Collège de Caraquet, s'installe en novembre 1898[4].

4. Clarence LeBreton, *Le Collège de Caraquet, 1892-1916*, Hull, Éditions du Fleuve, 1991.

En plus de l'embauche de professeurs compétents, le recrutement d'étudiants représente aussi un sérieux défi. À Sainte-Anne, pour augmenter le nombre d'étudiants, les pères entreprennent bientôt des voyages de recrutement dans la région de Boston, à Lynn, puis à Saint-Pierre et Miquelon. En 1896, sur les 86 étudiants du Collège, 46 sont des Acadiens de Clare et d'Argyle. Les premiers frais de pension figurant au prospectus de 1891 totalisent 117 $ dont 100 $ pour la pension et les frais de scolarité, 15 $ pour le lavage et raccommodage et 2 $ pour les honoraires du médecin.

À Caraquet on accueille deux catégories d'étudiants, soit les pensionnaires à 90 $ par an et les externes à 45 $. S'ajoutent à ces frais l'abonnement au médecin à 2 $, celui à la bibliothèque à 1 $ et les leçons de piano à 2,50 $ par mois. En 1915, le coût total pour une année scolaire oscille autour de 150 $. De 19 élèves en 1899, le nombre passe à 130 en 1908. Le vie y est réglementée et très stricte. Tous les jours, le lever se fait à 5 h 15, suivi de la prière à 5 h 30, de la messe à 6 h 55, du déjeuner à 7 h 25, et du début des classes à 8 h. Le collège affiche chaque année un tableau d'honneur pour les deux divisions d'étudiants que sont les grands et les petits.

Bien que les Acadiens de l'Île-du-Prince-Édouard n'auront jamais leur propre collège, il y a tout de même passablement d'intérêt pour un tel projet entre 1903 et 1907. Le journal *L'Impartial* fait alors une place importante à toute nouvelle relativement à la venue possible d'un collège acadien. Bien qu'un certain nombre d'intéressés se disent prêts à investir dans un tel projet, personne n'en assume la direction. Bien qu'en faveur du projet en coulisse, les prêtres acadiens n'appuient pas ouvertement l'idée. À titre de membres du clergé du diocèse de Charlottetown, ils se sentent obligés de donner ouvertement leur appui au maintien du collège diocésain St. Dunstan's, même si ce dernier fait très peu de place à l'enseignement en français. Quoi qu'il en soit, les Acadiens de l'île fréquentent le Collège Saint-Joseph où l'on compte 82 inscriptions venant de l'île entre 1880 et 1914. Au Collège Saint-Anne, le recrutement ne semble pas se tourner vers l'île mais plutôt du côté des États-Unis et du Nouveau-Brunswick.

L'avènement de l'enseignement supérieur en Acadie permet la formation d'une élite intellectuelle qui contribue fortement à l'émergence d'une littérature à caractère acadien. Les journaux acadiens constituent

Le père Pierre-Paul Arsenault fut un pionnier dans la préservation de l'héritage folklorique acadien de l'Île-du-Prince-Édouard. Source : CÉA, PA1-266

alors un outil privilégié de diffusion des poèmes patriotiques, des récits et légendes inspirés de l'histoire acadienne. Cette littérature nationale des premiers temps s'inspire en bonne partie des épreuves découlant de la déportation de 1755 et du courage des ancêtres qui ont su surmonter cette épreuve et construire une nouvelle Acadie. Pascal Poirier et Philias Bourgeois sont parmi les précurseurs de cette quête à l'identité acadienne. Aux collèges de Memramcook, de Pointe-de l'Église et de Caraquet, des fanfares et des pièces de théâtre viennent s'ajouter aux intérêts en littérature. Au Collège Saint-Anne, en 1902, une première pièce en vers est présentée, soit *Subercase* du père Alexandre Braud.

Pour une Église acadienne

L'une des grandes préoccupations des leaders acadiens de l'époque touche l'acadianisation de l'Église. Dans les paroisses françaises, l'Église a aussi une fonction temporelle. Le curé est le conseiller en qui on met sa confiance, l'arbitre occasionnel des querelles à l'intérieur de la paroisse et l'intermédiaire entre les paroissiens et le gouvernement. N'oublions pas son rôle dans la colonisation, le mouvement de tempérance, dans l'éducation, etc. Mais le clergé acadien et l'élite cléricale acadienne estiment que les Acadiens ont maintenant droit à un représentant plus fort dans la hiérarchie de l'Église catholique des provinces maritimes. Ce qui explique leur acharnement à obtenir la nomination d'un premier évêque acadien.

Dans le but d'obtenir la nomination d'un évêque acadien, toute une panoplie de stratégies est mise sur pied. Pétitions au délégué apostolique à Ottawa, représentations directes au Vatican, campagnes dans les journaux, accusations réciproques entre Acadiens et Irlandais, tout est mis en œuvre pour réussir. En 1899, les cinq évêques des provinces maritimes doivent se réunir pour trouver des successeurs aux évêques Rogers et Sweeney, en place depuis 1860. Les espérances acadiennes s'évanouissent lorsqu'on nomme les abbés Thomas-F. Barry et T. Casey, pour les diocèses de Chatham et de Saint-Jean. Ce dernier affront rend les Acadiens furieux. Les prêtres acadiens boycottent les cérémonies d'intronisation alors que la presse proteste en termes violents et incendiaires. Les Acadiens ne peuvent s'expliquer l'obstination de la hiérarchie autrement que par un désir d'accaparer tout le pouvoir. La hiérarchie catholique, surtout au Nouveau-Brunswick, a toujours peur de provoquer l'animosité des anglo-protestants. Cette lutte mène finalement Rome à nommer Mgr Édouard LeBlanc au siège épiscopal de Saint-Jean (N.-B.)en 1912.

Outre cette question religieuse d'ordre hiérarchique, il y a aussi le problème de l'établissement de paroisses acadiennes en milieu linguistique mixte. L'accroissement démographique des Acadiens donne plus de poids à leur réclamation d'une représentation adéquate. Dès 1901, les catholiques d'expression française dépassent en nombre les catholiques irlandais, dans une proportion presque de deux pour un. Convaincue de la justesse de la cause qu'elle défend, l'alliance entre le clergé acadien et l'élite acadienne peut presser le peuple acadien d'exiger ce qui lui revient de droit. Pourtant, ce n'est qu'en 1914 que Moncton obtient sa paroisse française, après une série de démarches épuisantes.

Malgré ce contexte conflictuel, les prêtres acadiens réussissent quand même à faire reconnaître leurs compétences théologiques. Par exemple,

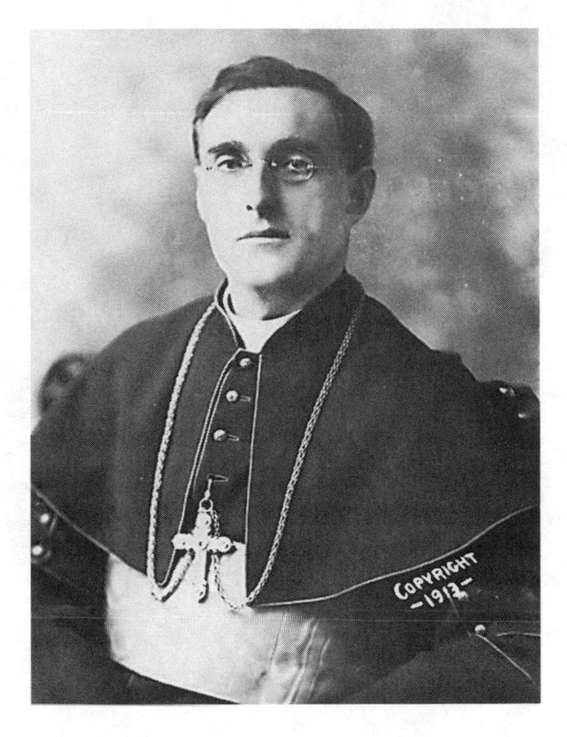

Mgr Édouard LeBlanc, originaire du sud-ouest de la Nouvelle-Écosse, fut le premier évêque acadien aux Maritimes. Source : CÉA, PB1-171

le 11 mai 1905, Mgr Thomas F. Barry, évêque de Chatham, annonce à trois prêtres de son diocèse que le Saint-Siège les honore en leur accordant le titre de prélat domestique. Il s'agit des abbés Marcel-François Richard de Rogersville, William Varrily de Bathurst et Louis-Napoléon Dugal de Saint-Basile. Le 26 août de la même année, les trois nouveaux prélats sont à Rogersville pour accueillir le délégué apostolique, Mgr Sbaretti, qui fait une tournée en Acadie. Mgr Richard accompagne le délégué dans la grande tournée à travers le Nouveau-Brunswick et à la baie Sainte-Marie.

La place des femmes

À la fin du XIXe siècle, l'Occident connaît les débuts d'un mouvement féministe important visant à obtenir le droit de vote pour les femmes et à leur faire plus de place dans la société. Les Acadiennes demeurent à l'écart des forums de l'époque. La force de caractère des Acadiennes et le

Béatrice Richard travaillant dans le bureau du journal *L'Impartial* à Tignish, Île-du-Prince-Édouard. Source : CRAÎPÉ, 7523-1

pouvoir décisionnel qui leur est cédé dans les circonstances se limitent au domaine privé de la sphère familiale. Dans les luttes politiques que mènent les Acadiens entre 1880 et 1914, les valeurs dominantes de la société acadienne concernant le rôle de la femme s'inscrivent dans la même ligne que le courant en Europe et en Amérique : la place de la femme est avant tout au foyer. À partir des années 1880, des groupes de femmes anglophones s'organisent pour faire progresser les revendications en faveur de leur droit de vote. Les Acadiennes semblent peu participer à ces luttes. Le fait que ce mouvement est surtout mis de l'avant par des femmes bourgeoises ou de la classe moyenne est un facteur qui explique en partie cette faible participation des Acadiennes. Le grand rôle de la femme acadienne est surtout celui de mère et d'éducatrice. On l'appelle couramment la « gardienne de la race ». Le *Moniteur Acadien* déclare que « la femme n'est point née pour la politique et pour la vie politique : elle n'est reine que de son intérieur ; hors de la famille, son bon génie sombre[5] ».

5. Cécile GALLANT, *Les femmes et la renaissance acadienne*, Moncton, Éditions d'Acadie, 1992.

Quant au vote des femmes, les journaux acadiens s'y opposent. Une seule Acadienne, semble-t-il, réussit à y publier, sous le pseudonyme de Marichette, en faveur du suffrage des femmes. Entre le 14 février 1895 et le 3 février 1898, Émilie C. LeBlanc publie dans *L'Évangéline* 16 lettres écrites en franco-acadien. L'auteure dénonce surtout les manigances politiques, les injustices sociales et la situation linguistique. L'activité politique des femmes lui apparaît si importante qu'elle envisage la création de son propre journal, rédigé entièrement par des femmes. Lorsqu'elle parle du français, elle pense surtout au parler acadien qu'elle juge aussi français que celui de France. Marichette n'est pas une analphabète puisqu'elle est institutrice. Elle écrit en franco-acadien par choix et par humour. Elle traite tout de même de sujets sérieux telles la place des femmes en société, l'émigration et la politique.

Comme les femmes ne possèdent aucun pouvoir formel, elles sont donc exclues des débats de la collectivité acadienne. Elles ne participent pas non plus aux délibérations lors des grandes conventions nationales acadiennes. Dans un tel contexte, on comprend pourquoi les Acadiennes exercent peu d'influence sur les prises de décision collectives. L'image domestique des femmes telle qu'elle est véhiculée entre 1880 et 1914 est sans cesse contredite par leur réalité quotidienne. De plus en plus, les femmes ne sont pas uniquement épouses et mères de famille : on les retrouve en nombre croissant sur le marché du travail. Par exemple, dans les nombreuses usines de poisson qui voient le jour à partir des années 1870 et 1880, de même que dans les manufactures en milieu urbain.

Il est aussi important de souligner le bilan fort impressionnant des congrégations religieuses féminines qui, entre 1880 et 1914, solidifient le réseau des couvents pour filles aux Maritimes. Pour le Nouveau-Brunswick seulement, on compte le Couvent de la Sainte-Famille à Bathurst, l'Académie Notre-Dame du Sacré-Cœur à Memramcook, l'Académie de Saint-Basile, les Couvents de Saint-Louis dans le comté de Kent, de Caraquet, de l'Immaculée-Conception de Bouctouche, de Dalhousie, de Rogersville et l'Académie Sainte-Famille de Tracadie. Ces institutions d'enseignement privées doivent leur existence aux Sisters of Charity, à la Congrégation Notre-Dame, à la Congrégation Notre-Dame du Sacré-Cœur, aux Religieuses Hospitalières de Saint-Joseph et aux Filles de Jésus. Ces communautés contribuent de manière exceptionnelle à l'acadianisation de l'Église et à sa prise en charge du secteur éducatif pour la minorité acadienne. Les communautés religieuses de femmes en

Couvent de Tracadie au nord-est du Nouveau-Brunswick. Source : CÉA, PA 2-492.

Acadie participent donc à la mise sur pied de frontières identitaires de type institutionnel[6].

L'économie

Industrialisation et urbanisation

Au Nouveau-Brunswick, c'est la population acadienne du comté de Westmorland qui semble la première à être attirée par l'industrialisation puisqu'un bon nombre d'habitants et d'habitantes des régions rurales à proximité de Moncton tentent leur chance dans la nouvelle économie. Shediac et Moncton, privilégiés par un développement économique plus diversifié et par leur infrastructure ferroviaire, accueillent déjà, avant la décennie 1871-1881, plusieurs travailleurs non spécialisés. Une partie du groupe acadien qui tire profit depuis quelques années des activités économiques de Moncton, sans pour autant quitter la campagne, entre progressivement dans les cadres d'une société urbaine en expansion. Par exemple, les migrations régionales comptent pour beaucoup dans l'augmentation du nombre d'Acadiens dans le district de Moncton : en 1881, sur les 750 Acadiens dans l'ensemble du district, 396 sont considérés

6. Isabelle McKee-Allain, *Rapports ethniques et rapports de sexes en Acadie : les communautés religieuses de femmes et leurs collèges classiques*, Thèse de doctorat, Université de Montréal, 1995.

Camp de construction de la deuxième voie ferrée entre Moncton et Painsec, au sud-est du Nouveau-Brunswick. Source : CÉA, PB 2-332

comme des nouveaux arrivants des districts environnants depuis le recensement de 1871. Mais le groupe acadien urbain demeure à un niveau socio-économique peu élevé. Une minorité d'Acadiens (11,7 %) occupent des emplois jugés de rangs supérieurs au point de vue socio-économique, tandis que la majorité se concentre dans les catégories d'emplois de niveaux intermédiaires (45,2 %) et inférieurs (43,1 %). La masse acadienne passe par une longue période de prolétarisation et le processus d'urbanisation change relativement peu de chose aux conditions rencontrées dans les campagnes. Par exemple, chez les hommes occupant un emploi en ville, seulement 36,5 % sont propriétaires de leur habitation, 18,3 % sont locataires et 30,4 % sont pensionnaires.

La population passe de 5052 à 8762 habitants entre 1881 et 1891, et la ville accède au statut de cité en 1890. Des habitants de comtés éloignés et des gens de la campagne autour de Moncton viennent s'établir en ville pour trouver de l'emploi dans des industries et des commerces en pleine expansion. Moncton, grâce à la présence des installations du chemin de fer Inter-colonial, est à la fine pointe de la nouvelle économie. Le travail

Gare de triage à Moncton vers 1923, avec le train Intercolonial.
Source : CÉA, PB3-22.

métallurgique des ateliers de l'Intercolonial a un effet d'entraînement sur les autres industries et commerces de la ville, augmentant le nombre de forgerons, de travailleurs de l'étain, du cuivre, etc.

Avec l'installation de la filature Moncton Cotton et des moulins Humphrey pour la production de la laine, le besoin de travailleurs et de travailleuses est à la hausse. L'augmentation croissante des femmes dans ces établissements au cours des années 1880-1890 constitue un autre des changements de base que connaît Moncton à la veille de son incorporation comme ville. De 1881 à 1891, dans la composition de la main-d'œuvre féminine de Moncton, la portion occupée par des femmes francophones passe de 7 % à 21 %. Les Acadiennes sont venues à Moncton former, entre autres, la force de travail de la filature de coton. Plusieurs des occupations dans ces secteurs requièrent un minimum d'instruction et sont, de ce fait, accessibles à une portion plus privilégiée de la population. Des critères de classe doublés de critères linguistiques peuvent défavoriser les Acadiennes dans leur accès aux différents emplois.

La ville de Moncton en 1916. Source : CÉA, P9-A37

Éventuellement, un certain nombre d'Acadiens réussissent à accumuler le capital commercial ou industriel nécessaire pour se tailler une place, bien que ce soit rarement de premier rang, comme entrepreneurs indépendants dans l'économie urbaine et industrielle de Moncton. Il y a un nombre considérable de petits et moyens entrepreneurs acadiens, surtout dans les domaines de la vente au détail et des services, où le niveau de capital requis est dans l'ensemble plus modeste que chez les entreprises industrielles. Dans la décennie de 1881 à 1891, on peut déjà retracer un nombre d'entrepreneurs francophones et un nationaliste comme Pascal Poirier estime que les éléments nécessaires à une économie acadienne sont « le nerf du commerce, les capitaux, ou tout au moins le crédit ». Également, les conventions nationales de 1884 et de 1890 reconnaissent la nécessité de développer l'industrie et le commerce chez les francophones dans les provinces maritimes.

En Nouvelle-Écosse, Yarmouth et Amherst, dont la croissance industrielle découle en bonne partie de la politique nationale, offrent aussi aux femmes acadiennes une plus grande variété d'emplois rémunérés. La proportion du nombre de femmes sur le marché du travail (à Yarmouth) passe de 6 % en 1881 à 3 % en 1921. Amherst et Yarmouth voient toutes deux leur population acadienne émanant du milieu rural augmenter substantiellement. Mais dans ces deux communautés, comme à Moncton, les travailleurs et travailleuses acadiens sont moins préparés que les anglophones à concurrencer pour les emplois de professionnels ou cléricaux. Ceci, autant socialement que par leur faible éducation. En 1891, par exemple, 38 % des travailleuses acadiennes de Yarmouth se déclarent illettrées alors que seulement 5 % de la population non acadienne subit ce même désavantage[7].

Les Acadiennes, comme le démontre le recensement de 1911, sont presque exclues du travail de bureau à Yarmouth et à Amherst. Dans les deux villes, plus des deux tiers des Acadiennes sont employées comme domestiques ou comme assistantes dans les manufactures de chaussures et de textile. Toujours en 1911, bien que composant 23 % de la population de Yarmouth, les Acadiennes reçoivent des salaires moindres que leurs consœurs anglophones (256 $ comparativement à 275 $) et sont plus jeunes (19 ans en regard de 25 ans). Quant aux Acadiens, leurs salaires moyens (343 $) sont aussi inférieurs à ceux des anglophones (509 $). De manière générale, les domestiques sont souvent catholiques et les employés d'usines souvent acadiens. Au contraire, les emplois demandant de l'éducation ou des capacités de communication (commis ou enseignant) sont surtout occupés par des citoyens d'origine britannique, et émanant des classes moyennes de Yarmouth et de Amherst.

Pour sa part, l'Île-du-Prince-Édouard demeure essentiellement agricole durant cette période, quoiqu'elle connaisse une certaine mécanisation et profite sans doute de la construction d'un chemin de fer et du service de traversier avec le Nouveau-Brunswick et la Nouvelle-Écosse. Bien sûr, les villes de Charlottetown et de Summerside comptent de nombreuses boutiques et services typiques des autres villes des Maritimes.

Expansion des infrastructures de transport

Tel que souligné au chapitre précédent, l'Inter-colonial dessert également la côte nord du Nouveau-Brunswick et, par l'intermédiaire du Caraquet Railway, toute la péninsule acadienne. En 1883, dans le premier rapport de l'actionnaire principal du Caraquet Railway, K.F. Burns avise les autorités provinciales du Nouveau-Brunswick que six Acadiens figurent parmi les principaux actionnaires. Toutefois, au début du XXe siècle,

---

7. Del MUISE, « The Industrial Context of Inequality: Female participation in Nova Scotia Paid Labour Force, 1871-1921 », *Acadiensis*, vol. XX, n° 2 (printemps 1991) : p. 3-31.

La locomotive de la compagnie Caraquet and Gulf Shore au nord-est du Nouveau-Brunswick. Source : ERVP, Shippagan

l'endettement du Caraquet Railway oblige la Trust and Guarantee Company de Toronto à prendre l'administration du chemin de fer en tutelle, afin de protéger les intérêts des actionnaires ainsi que ceux des détenteurs d'obligations du Caraquet Railway. À compter de 1910, des négociations sont entreprises pour vendre le « Flyer » au gouvernement fédéral. La population se sent cependant concernée par les problèmes de la compagnie[8].

Mais le chemin de fer n'est pas la seule initiative régionale permettant d'améliorer les infrastructures de transport au nord-est du Nouveau-Brunswick. Par exemple, en 1907, un groupe de 51 investisseurs acadiens tente de doter la péninsule d'un service de transport maritime adéquat. Pierre P. Morais, de Bas-Caraquet, entreprend la mise sur pied de la « Gloucester Navigation Co ». On voit grand ; des bateaux à passagers et à marchandises voyageant entre Petit-Rocher ou un port de la Restigouche, et Bathurst, Grande-Anse, Caraquet, Shippagan, Lamèque et Miscou. Le capital d'investissement se chiffre à 25 000 $ en mille parts-actions de 25 $. Un journal francophone de Newcastle, *La Justice*, dit qu'il faut saisir cette précieuse occasion pour développer les industries acadiennes et pour promouvoir l'esprit d'entraide qui fait défaut[9].

8. Clarence LeBreton, *Le Caraquet Flyer : histoire de la « Caraquet Gulf Shore Railway Company », 1871-1920*, Montréal, Éditions du Fleuve, 1990.

9. Nicolas Landry, « La Gloucester Navigation Company, 1907-1936 », *La Revue d'histoire de la Société historique Nicolas Denys*, vol. 18, n° 3 (septembre-décembre 1990) : p. 5-34.

À l'Île-du-Prince-Édouard, le chemin de fer est disponible au début des années 1880 et un nouveau traversier en acier relie l'île à la terre ferme à compter de 1886. En Nouvelle-Écosse, les communautés acadiennes à proximité de centres urbains tels Sydney, Yarmouth, Amherst et Digby profitent également des infrastructures ferroviaires.

Industrialisation des pêches : une transition pénible

Les promoteurs de nouvelles infrastructures de transport avancent des arguments économiques pour vanter leurs projets. Les chemins de fer doivent permettre d'atteindre de nouveaux marchés nord-américains plus rapidement et à longueur d'année. Ce mode de transport offre aussi de nouvelles possibilités pour l'exportation du poisson frais et congelé. Malgré tout, la pêche demeure plutôt dispersée ; pour la majorité, elle se pratique toujours à quelques milles de la côte à l'aide de barques et de chaloupes. Seules quelques goélettes sont équipées pour aller plus au large. Au début du siècle, même avec le développement de la conserverie entreprise dès les années 1870, les pêcheurs ne sont pas encore assez organisés pour entreprendre la mise en marché de leurs produits. C'est l'affaire de compagnies étrangères et de petits négociants locaux[10]. La majorité des pêcheurs acadiens des Maritimes continuent de pratiquer d'autres activités économiques et souvent, comme à Caraquet et à Shippagan en 1902, tentent de se trouver du travail en ville.

Il faut dire qu'en cette fin du XIXe siècle l'économie de la péninsule acadienne du Nouveau-Brunswick est toujours liée d'assez près à l'industrie morutière même si, depuis les années 1880, les fonctionnaires fédéraux notent une certaine diversification des produits expédiés sur les marchés extérieurs. Le succès de l'industrie du hareng exige, par exemple, des méthodes et des équipements différents de ceux qui sont utilisés pour la morue ou le homard. Bien que le fédéral commence à déployer plus d'efforts pour amener les pêcheurs à une pratique plus systématique de la pêche au hareng, la présence jersiaise est encore très forte, et il est difficile de convaincre la population du bien-fondé d'une industrie des pêches plus diversifiée.

10. Jean CHAUSSADE, *La pêche et les pêcheurs des provinces maritimes du Canada*, Montréal, Les Presses de l'Université de Montréal, 1983.

Bénédiction des bateaux à Cap-Pelé au sud-est du
Nouveau-Brunswick en mai 1911. Source: CÉA, P11-B4.

Il semble que le dernier quart du XIXe siècle soit marqué par le développement accéléré de la pêche du homard chez les Acadiens. Dans le seul comté de Westmorland en 1891, environ la moitié des 50 homarderies sont la propriété d'Acadiens ou leur sont louées. Elles empaquettent en moyenne de 70 à 500 caisses de 48 boîtes d'une livre, d'une demi-livre et d'un quart de livre de homard chacune. Comme pour le travail en milieu urbain, il semble que les homarderies permettent à un bon nombre de femmes d'intégrer le marché du travail. L'implantation d'usines de transformation du homard dans les villages côtiers acadiens provoque donc un véritable bouleversement particulièrement dans la vie des femmes acadiennes de 12 à 40 ans. L'embauche à 12 ans, tant chez les filles que chez les garçons, est commun dans la plupart des homarderies au XIXe siècle et au début du XXe. Voilà qu'un nouveau monde s'ouvre à la population féminine rurale[11].

11. Régis Brun, *La ruée vers le homard des Maritimes*, Moncton, Michel Henry, éditeur, 1988.

Au sud-ouest de la Nouvelle-Écosse, l'absence des compagnies anglo-normandes et la proximité des marchés américains semblent favoriser l'essor de la pêche à la morue chez les Acadiens. Certaines statistiques confirment la forte participation acadienne pour la période. D'abord, 34 % de la main-d'œuvre engagée dans les pêches au sud-ouest est d'origine acadienne et ces derniers détiennent 34,7 % des embarcations. Qui plus est, le tonnage moyen des goélettes acadiennes atteint 53 alors qu'il n'est que de 19 pour l'ensemble du sud-ouest et de 42 pour la province. Il est possible que ces goélettes plus grosses contribuent à des pourcentages de prises de morue assez élevés chez les régions acadiennes, soit 30,2 % de l'ensemble du sud-ouest et 6,5 % de la province. Le tonnage moyen élevé des goélettes acadiennes est surtout attribuable aux grandes familles de pêcheurs de la région de Pubnico, soit les D'Entremont, les D'Éon et les Amirault. Ces trois familles possèdent aussi 37,4 % des goélettes enregistrées au sud-ouest entre 1882 et 1897[12]. Fait à noter, 23,8 % des revenus des primes de pêche fédérales accordées au sud-ouest le sont à des Acadiens.

En 1884, le port de Pubnico abrite une flotte de 21 vaisseaux pêchant sur les bancs Western, Banquereau et Grands Bancs. Trente autres vaisseaux, les « home bankers » ou flotte du Cap, pêchent au large du Cap Sable et dans les zones de pêche de l'ouest : soit les bancs Roseway, LaHève, Browns et Georges. En 1883, plus de 60 vaisseaux font un voyage de pêche par semaine en partance de Pubnico. Au moins 20 de ces vaisseaux sont identifiés comme partie composante de la flotte acadienne de Pubnico. Cette flotte acadienne, en 1885, débarque 1 600 000 morues et emploie au moins 400 hommes. Quelques entrepreneurs de pêche acadiens se distinguent au début des années 1880. Ils exportent leur poisson jusqu'aux Antilles, exploitent des épiceries, des hangars à poisson, de petites usines d'apprêtage de poisson désossé, des hangars à glace et de petites usines en conserve de homard. Au Cap-Breton, les pêcheurs acadiens sont quelque peu avantagés par une plus grande compétition entre les compagnies à compter de 1900. La flotte locale compte alors 75 bateaux et occupe 330 hommes. Des bateaux à vapeur opèrent déjà dans la région pour la « National Fish Co ».

---

12. Nicolas LANDRY, « Acadian Fisheries of Southwest Nova Scotia in the Nineteenth Century », dans Dorothy E. MOORE et James H. MORRISON, *Work, Ethnicity and Oral History*, Halifax, Saint-Mary's University, 1988, p. 55-61.

Si les pêcheurs continuent de mener une vie passablement difficile, il n'en demeure par moins que des innovations tels la réfrigération, l'exportation par chemin de fer et l'instauration des primes de pêche fédérales ont pour effet d'aider la majorité d'entre eux et de leur permettre d'espérer un avenir meilleur.

L'agriculture acadienne:
une activité économique en mal de transformation

Durant la période 1880-1914, le gouvernement canadien favorise l'établissement d'immigrants dans l'Ouest canadien pour développer le potentiel agricole de cette région. La mise en valeur de nouvelles terres s'étend dans d'autres régions du pays, souvent sous l'impulsion des mouvements de colonisation. C'est le cas dans le nord de l'Ontario, du Québec et au Nouveau-Brunswick. Saint-Quentin et Kedgwick sont des exemples[13]. Est-il permis de penser que les régions acadiennes vivent alors une période de changements en agriculture? Une chose est sûre, un journal comme *L'Évangéline* s'intéresse beaucoup à cette activité économique. Entre 1887 et 1910, il s'y publie 760 articles relatifs à des questions agricoles. Pour ce journal, l'agriculture peut contribuer à empêcher l'émigration et à susciter un sentiment d'appartenance à un milieu et à une collectivité. Les rédacteurs sont alors conscients que cette industrie évolue rapidement partout au pays et que les fermiers acadiens se doivent d'avoir plus facilement accès à de l'information pertinente à l'avancement de leur entreprise.

Bien que le début du XXe siècle amène de grandes transformations dans le secteur de l'agriculture, les chiffres confirment que l'agriculture acadienne du Nouveau-Brunswick traîne la patte face aux régions anglophones de la province. Selon une opinion largement répandue à l'époque, l'attention accordée à l'industrie du bois et à la pêche fait que peu de temps est voué à la culture de la terre. Qui plus est, la croyance populaire veut que l'agriculture exige moins d'étude et de connaissances que d'autres métiers[14].

---

13. Jacques-Paul COUTURIER, *Un passé composé: le Canada de 1850 à nos jours*, Moncton, Éditions d'Acadie, 1996.

14. D.V. LANDRY, *Agricultural Commission of the Province of New Brunswick*, Report, Fredericton, Legislature of New Brunswick, 1909.

Quelques chiffres permettent d'avoir un portrait plus fidèle de l'agriculture acadienne du Nouveau-Brunswick durant la période à l'étude. Selon le recensement de 1901, les comtés à majorité acadienne de la province comptent environ 7,4 % des fermes du Nouveau-Brunswick et 6,6 % des acres en culture. Ces mêmes régions exploitent 12,9 % du nombre d'acres consacrées au blé et 8,8 % à la pomme de terre. En ce qui a trait au cheptel, celui des régions acadiennes représente environ 12 % du total de la province. Ici, on parle des bestiaux, des vaches, des moutons et des chevaux. En 1911, il y aurait 16 000 fermes acadiennes au Nouveau-Brunswick sur lesquelles sont défrichées 500 000 acres de terre. La région limitrophe au détroit de Northumberland compte 3130 fermes alors qu'il y en a 3207 dans la péninsule acadienne[15].

La commercialisation de l'agriculture connaît aussi un certain essor dans le comté de Kent. Il y a deux fromageries et deux beurreries en 1894, tandis qu'en 1900 on compte trois fromageries et cinq beurreries composant le complexe commercial et industriel de Bouctouche. S'y ajoutent un moulin à farine, un moulin à carder la laine, une machine à lattes, un magasin général et des entrepôts ; on est également équipé pour mettre les fruits en conserves. Mais, en 1908, un incendie ravage le complexe de Bouctouche portant un dur coup aux tentatives d'établir une industrie agricole viable dans la région. Il faut dire qu'avant l'incendie les rendements du complexe avaient diminué. Certains facteurs peuvent avoir joué tels la compétition féroce de l'industrie laitière du Canada central, des périodes de sécheresse ou encore le morcellement des terres arables.

Les Acadiens de l'Île-du-Prince-Édouard semblent s'en tirer mieux que leurs confrères néo-brunswickois puisqu'ils profitent de l'aide fournie par les nouveaux programmes des ministères fédéral et provincial de l'Agriculture. Quelques Acadiens s'associent aux fermiers des villages anglophones environnants pour fonder des fromageries. De plus, l'intérêt à l'endroit des sociétés agricoles se maintient dans les communautés acadiennes. À compter de 1901, comme au Nouveau-Brunswick, on parle plutôt d'instituts agricoles dont les activités sont variées mais semblent

---

15. Samuel ARSENAULT et RODOLPHE Lamarche », L'Évangéline : Le Fermier acadien et l'agriculture », dans Gérard BEAULIEU (sous la direction de), *L'Évangéline, 1887-1982 : Entre l'élite et le peuple*, Moncton, Éditions d'Acadie et Chaire d'études acadiennes, 1997, p. 199-228.

Groupe de fermiers à Urbainville, Île-du-Prince-Édouard en 1915.
Source : CRAÎPÉ, 1.129

dédoubler le mandat des sociétés agricoles. D'abord, les rencontres régulières fournissent aux agriculteurs l'occasion de partager leurs connaissances et leurs expériences. Les instituts achètent pour leurs membres des animaux de race, des instruments aratoires, des semences et des produits chimiques. Signalons aussi l'organisation d'institutions coopératives telles que des clubs d'expédition d'animaux sur le marché, des clubs d'étalons et des cercles de production d'œufs et l'organisation d'expositions agricoles à compter de 1904.

Nouveaux marchés pour les produits du bois

Dans l'industrie forestière du Madawaska, de la rivière Saint-Jean jusqu'à l'embouchure de la Grande Rivière, plus de 20 entrepreneurs exploitent la forêt entre 1880 et 1914. En 1897, de nombreux camps de bûcherons jalonnent les rives de la Grande Rivière. Par exemple, la camp de la Randolphe & Baker compte une soixantaine d'employés. Au printemps, la majeure partie du bois coupé dans la région emprunte le fleuve jusqu'à Saint-Jean avant d'être expédié à Portland, Maine, ou à New York.

Le boulevard Broadway à Grand-Sault au nord-ouest du Nouveau-Brunswick à la fin du XIXe siècle. Source : Archives publiques du Nouveau-Brunswick, reproduite par le CÉDEM, PB1-10.

En 1890, Thaddé Michaud construit un moulin à bois non loin de l'embouchure de la Grande Rivière. Le bois du moulin Michaud provient des deux rives de la rivière Saint-Jean. En 1904, la gare du Canadien Pacifique de Saint-Léonard déborde d'activité, en grande partie en raison de l'industrie forestière. Pendant la guerre de 1914-1918, ce moulin fabrique des boîtes de bois qui servent au transport du matériel militaire américain. Bien que plusieurs autres moulins francophones existent alors dans la région, leur importance économique ne se compare pas à celle du moulin Michaud. À Saint-Quentin, quelques moulins à bois démarrent rapidement avec l'arrivée de colons durant les années 1910. Ils emploient une trentaine d'hommes. Ces infrastructures démontrent l'importance du bois dans l'essor de ce nouveau village. Plusieurs colons de cette région passent l'hiver dans les chantiers.

Au nord-est du Nouveau-Brunswick, l'industrie forestière est en proie à de nombreux changements. Le bois de sciage est exporté à partir du port de Caraquet, du moins jusqu'en 1885. Dans la péninsule acadienne, plusieurs scieries fonctionnent entre 1883 et 1911. En 1883, une scierie à vapeur s'établit à Pokemouche et, après avoir été achetée par W.S. Loggie, elle brûle en 1911. En 1889, la scierie de la New Brunswick

Un moulin à scie à Inkerman au nord-est du Nouveau-Brunswick.
Source : ÉRVP, Shippagan.

Trading Co. ferme à Tracadie mais est rachetée par J.B. Snowball en 1895. Une autre scierie ouvre à Sheila près de Tracadie en 1897.

Mais les grands chambardements de l'industrie forestière du nord-est se produisent surtout dans la grande région de Bathurst. En 1897, l'entreprise Summer détient 200 milles carrés de concessions forestière et 400 milles carrés en 1907. La même année est fondée la Bathurst Lumber qui acquiert les intérêts que la firme Summer possède à Bathurst. En 1909, la Adams Burns vend à des intérêts américains, constitués en société sous le nom de Nepisiguit Lumber Co. Limited, sa scierie et ses concessions forestières situées sur la rivière Nepisiguit. Apparemment, la Adams Burns garda la propriété d'une autre scierie qu'elle possédait à Burnsville, à environ 40 milles à l'est de Bathurst. Elle garda aussi la propriété de certaines concessions qu'elle possédait près de Bathurst et qu'elle céda en 1911 à la Bathurst Lumber. En 1909, la Nepisiguit Lumber annonce qu'elle a l'intention de fabriquer de la pâte bien que ce projet ne se réalisa jamais. Suite à la faillite de cette compagnie en 1911, à partir de 1912 la Bathurst Lumber détient toutes les concessions forestières importantes le long des rivières entourant Bathurst. Bref, de 1897 à 1913, la région de Bathurst a connu une course folle à la concentration des concessions forestières.

Des activités d'industrie forestière ont aussi cours au sud-ouest de la Nouvelle-Écosse. En 1885, huit Acadiens de la baie Sainte-Marie forment une compagnie et bâtissent un moulin à Corberrie sur le lac Wentworth. Il y a déjà la compagnie d'Henri LeBlanc de Concession qui fonctionne jusqu'en 1899. Les billots coupés dans ces régions sont transformés en planches et acheminés chez les marchands McLaughlin à Pointe-de-l'Église ou encore chez Belliveau à l'Anse des Belliveau. Cette compagnie achemine par eau le bois dit de corde jusqu'à Boston et développe peu à peu un commerce atlantique, tout en exploitant deux moulins, un magasin et un chantier naval.

Conclusion

Les grands congrès nationaux débutant en 1880 représentent un catalyseur fondamental à ce nouvel élan de la société acadienne. Au choix des symboles nationaux, s'ajoutent des projets prioritaires relatifs à la colonisation, à l'agriculture, à l'éducation ou encore à l'acadianisation de l'Église catholique. Jusqu'en 1914, les Acadiens mettent l'accent sur la consolidation de leurs institutions. On n'a qu'à penser à toute l'énergie déployée pour mettre sur pied les premiers collèges acadiens, pour obtenir la nomination d'un premier évêque acadien et, finalement, s'assurer que la majorité des paroisses acadiennes des Maritimes soient desservies par des prêtres francophones. La grande collaboration existant entre l'élite cléricale et laïque permet de mener à bien plusieurs entreprises sociales tels le premier mouvement de colonisation et l'organisation des conventions nationales.

Par contre, le mouvement d'urbanisation et de déplacement de centaines d'Acadiens et d'Acadiennes vers les villes des Maritimes et de l'Est des États-Unis se poursuit. De meilleures conditions de travail et la quête d'une plus grande indépendance pour certains sont des facteurs jouant un grand rôle dans ce phénomène. Bien que le monde rural soit encore prédominant, un changement irréversible est enclenché. Comme les autres habitants du Canada, les Acadiens et les Acadiennes deviennent de plus en plus des citadins.

Mais, pour la majorité qui reste dans les Maritimes, la vie économique gravite toujours autour de la pêche, de l'agriculture et du bois.

Une certaine mécanisation permet d'alléger les labeurs des travailleurs en agriculture, dans les pêches et dans l'industrie forestière. Qui plus est, grâce au développement de la mise en conserve dans les pêches, un plus grand nombre de femmes ont accès à des emplois rémunérés en milieu rural.

CHAPITRE VI

Guerres mondiales et bouleversements économiques 1914-1950

L'Acadie propulsée sur la scène nationale et internationale

La période 1914-1950 est celle où le Canada se hisse au rang de nation sur la scène internationale. Sa participation aux deux guerres mondiales, la signature du Traité du flétan avec les États-Unis et la proclamation du statut de Westminster lui permettent de se distancer de l'Angleterre mais l'obligent à se rapprocher des voisins américains. Le pays est toutefois ébranlé par les deux crises de la conscription, par la crise économique et sociale des années 1930 de même que par une série de grèves parfois violentes. L'État fédéral entreprend une ère d'intervention dans les affaires économiques et sociales des Canadiens et la période est aussi marquée par la première reconnaissance du droit de vote aux femmes, par l'adoption du premier régime d'assurance hospitalisation et par l'entrée de Terre-Neuve dans la Confédération. Au Canada atlantique, les événements nationaux et la présence fédérale marquent de plus en plus les habitants. Également, les années 1920 sont témoins d'un effondrement industriel. À nouveau, les exportations font face à une compétition accrue sur les marchés internationaux et à des prix plus bas pour le poisson et le bois. L'émigration demeure une option privilégiée puisque durant les années 1920 près de 122 000 personnes laissent les Maritimes, dont plusieurs Acadiens et Acadiennes.

Entre 1914 et 1950, on assiste à peu de débats vraiment nouveaux dans la société acadienne. La nouvelle génération qui succède aux nationalistes du tournant du siècle ne réussit pas vraiment à renouveler les thèmes. L'élite et le clergé, toujours préoccupés par le sort social et économique des Acadiens, s'associent encore une fois dans deux grands projets que sont la deuxième vague de colonisation et l'implantation du régime coopératif. Sur la scène politique, les Acadiens prennent un peu plus de place en politique provinciale et fédérale. Comme leurs cousins québécois, ils s'opposent à deux reprises à la conscription. Cette option s'inscrit à l'encontre du message véhiculé par les élites et le clergé qui, jusqu'à preuve du contraire, ne s'opposent pas ouvertement à l'enrôlement forcé.

En juin 1931, il y a plus de 206 000 personnes d'origine française dans les provinces maritimes lors du recensement fédéral. En 1941, on en dénombre près de 245 000. C'est au Nouveau-Brunswick que la population d'origine française a le plus augmenté. Elle passe de 137 000 à 164 000 personnes au cours de la décennie. Dans les deux autres provinces, le nombre d'habitants d'origine française s'accroît de façon moins marquée. En 1941, on en recense plus de 66 000 en Nouvelle-Écosse comparativement à un peu plus de 56 000 en 1931, et à l'Île-du-Prince-Édouard, on en dénombre près de 15 000 en 1941 ; c'est environ 2000 de plus qu'en 1931. Même si la proportion de population d'origine française se maintient dans ces deux provinces, il y a toutefois une ombre au tableau : l'assimilation est dévastatrice chez les francophones. Le taux d'assimilation dépasse 37 % en Nouvelle-Écosse et atteint 28 % à l'Île-du-Prince-Édouard. Cependant, au Nouveau-Brunswick, le taux d'assimilation diminue au cours de la décennie ; moins de 4 % des Acadiens n'y parlent plus le français en 1941.

Le politique

La promotion du français : un enjeu politique ?

La période 1914-1950 démontre bien que le nombre d'Acadiens sur la scène politique augmente. Mais on constate également une volonté d'affirmation politique identitaire acadienne. En d'autres mots, l'élite acadienne et, jusqu'à un certain point, le peuple réalisent qu'en raison de l'augmentation de leur poids démographique, du moins au Nouveau-Brunswick, il est maintenant envisageable d'exercer des pressions sur l'appareil politique sans pour autant dépendre des politiciens acadiens

La rue principale à Moncton au sud-est du Nouveau-Brunswick vers 1950.
Source : Collection privée de la famille Émile Landry.

qui, de toute manière, demeurent d'abord et avant tout attachés aux idéaux de leurs partis politiques respectifs.

Il ne fait pas de doute, la volonté de l'élite acadienne de voir s'accentuer l'usage du français dans la vie des Acadiens et des Acadiennes prend une tournure politique entre 1914 et 1950. Comme résultat, les relations entre francophones et anglophones sont parfois tendues. En 1929, à la suite des pressions des loges orangistes, le Premier ministre J.B.M. Baxter annule le règlement 32 du ministère de l'Éducation, favorisant une plus grande utilisation du français dans les écoles du Nouveau-Brunswick. Durant les années 1930, il arrive que l'on parle de « French Domination » durant les campagnes électorales et que des lettres du « Ku Klux Klan » circulent.

Les Acadiens ne se limitent pas à l'avancement du français dans la sphère publique mais s'attaquent aussi au privé. En 1934, la Société L'Assomption de Moncton lance une campagne qui aspire à accroître le pouvoir économique chez les francophones, en même temps que de promouvoir l'usage de la langue française. Elle demande la collaboration de la population, même au moyen de circulaires, incitant les Acadiens à utiliser leur pouvoir de consommateur. Il faut insister pour être servi en français auprès des commerçants récalcitrants, quitte à porter plainte en cas de refus. Dès avril 1935, la réplique de « l'English Speaking League » est cinglante : elle lance une campagne de boycottage de tout ce qui est français. C'est ainsi que les Acadiens de Moncton sont victimes d'une série de congédiements.

Bien que la stratégie acadienne de promotion du français dans le domaine privé doit alors admettre un échec — du moins à Moncton —, elle a pour effet de démontrer aux Acadiens que la promotion du français peut facilement devenir un enjeu politique et que le poids démographique des Acadiens commence à inquiéter les anglophones plus radicaux.

La députation acadienne

Sur la scène politique provinciale en général, il est évident que les libéraux dominent chez les circonscriptions à majorité acadienne, du moins au Nouveau-Brunswick. Quatre comtés votent libéral de manière constante dans toutes les élections à compter de la Première Guerre mondiale : Gloucester, Northumberland, Kent et Westmorland. Dans ces régions, la proportion d'Acadiens est plus que significative. Dans les comtés du nord de la province, tels Kent et Gloucester, se développent des allégeances politiques conditionnées par les préoccupations ethniques et économiques. De 1917 à 1956, le nombre de députés francophones à la législature du Nouveau-Brunswick se situe entre 7 et 10 jusqu'en 1944 pour ensuite se stabiliser à 13 de 1948 à 1956. C'est une période dominée par les libéraux qui remportent six des huit élections provinciales. Ils reçoivent d'ailleurs l'appui presque inconditionnel des comtés à forte majorité francophone tels Gloucester, Kent et Madawaska. À partir des élections de 1927 remportées par les libéraux grâce à un appui massif de l'électorat acadien, on associe étroitement le Parti libéral aux Acadiens. Au cabinet provincial, onze francophones occupent des postes de ministres entre 1917 et 1957. À l'Île-du-Prince-Édouard, Aubin-Edmond Arsenault, nommé premier ministre de la province en 1917 mais défait aux élections provinciales de 1919, est le premier Acadien à prendre la direction d'une province canadienne.

Bien que le nombre d'Acadiens en politique augmente substantiellement sur la scène provinciale, il ne fait aucun doute que le libéral P.J. Véniot se démarque des autres par ses réalisations. Durant la première partie des années 1920, alors qu'il est en politique provinciale, Véniot

P.J. Véniot. Source: CÉA, PA1-1721

obtient plus de 1 200 000 $ du fédéral pour la construction routière dans la province. Il représente un nouveau type de politicien acadien: il a du succès dans les affaires, il est membre de l'élite séculière et n'est pas étroitement associé aux causes acadiennes traditionnelles. Suite à sa défaite électorale de 1925, il devient membre du cabinet des ministres du gouvernement fédéral. C'est d'ailleurs lors des élections provinciales de 1925 que les anglophones radicaux se manifestent de concert avec le Ku Klux Klan. C'est une campagne anti-française et anti-catholique qui fait son chemin dans les circonscriptions à majorité anglophone. Sauf pour Victoria et Restigouche, les résultats du vote divisent nettement les anglophones et les francophones. Les libéraux de Véniot ne remportent que 11 des 37 sièges en jeu.

Au Nouveau-Brunswick, lors des douze élections fédérales entre 1917 et 1958, les circonscriptions de Restigouche-Madawaska, Gloucester et Kent appuient les libéraux massivement. Entre 1917 et 1953, 15 députés acadiens sont élus dont trois conservateurs et onze libéraux. Quelques politiciens acadiens se démarquent du groupe. Joseph-Enoil Michaud, libéral pour Restigouche-Madawaska entre 1933 et 1945, siège au Conseil des ministres d'abord aux pêches puis aux transports. La carrière d'Onésiphore Turgeon s'échelonne de 1922 à 1944, à la fois

Vincent Pottier, sénateur acadien de la Nouvelle-Écosse.
Source : CÉA, E39894.

comme libéral pour Gloucester et sénateur. En 1928, P.J. Véniot, alors membre du cabinet de Mackenzie King, clame que son gouvernement avait mis à exécution au moins huit des dix recommandations de la commission Duncan, visant à relancer l'économie des Maritimes. Pour l'Île-du-Prince-Édouard et la Nouvelle-Écosse, on connaît certes les politiciens d'origine acadienne sans pour autant en savoir beaucoup sur les intentions de vote des Acadiens. Les Acadiens de la Nouvelle-Écosse doivent attendre en 1935 avant de voir l'un des leurs, Vincent Pottier, du sud-ouest de la province, devenir député à Ottawa.

Cette époque voit aussi les femmes demander le droit de vote et, à l'échelle provinciale, elles l'obtiennent en Nouvelle-Écosse en 1918 et l'année suivante au Nouveau-Brunswick, bien qu'elles ne puissent pas obtenir le droit de se présenter comme candidate. L'Île-du-Prince-Édouard emboîte le pas en 1922. À l'échelle nationale, certaines l'obtiennent aux élections de 1917. Il s'agit des infirmières militaires, des épouses, mères, sœurs et filles majeures des soldats enrôlés dans l'armée. Le gouvernement Borden désire surtout donner une voix aux personnes qui sont plus susceptibles d'appuyer la décision d'imposer la conscrip-

Le vote féminin et les politiciens acadiens

Comme au siècle précédent, les femmes acadiennes ont encore de la difficulté à convaincre les leaders acadiens du bien-fondé d'exercer leur droit de vote, au même titre que les Acadiens. Plusieurs exemples peuvent être cités. En 1917, Jean G. Robichaud, homme d'affaires du comté de Gloucester, en parlant du droit de vote pour les femmes, « *Je pense que l'adoption d'une telle mesure pourrait abaisser la femme en la détournant de son rôle noble et essentiel pour l'exposer aux remous de la vie politique* ». Pour sa part, Pierre J. Veniot, futur Premier ministre du Nouveau-Brunswick (1923-1925), parle des machinations de la femme du tsar de Russie et de celle du roi de Grèce en rapport à la Première Guerre mondiale. À la fin de 1917, il en remet en disant que ce serait une erreur que de forcer les femmes à accepter une chose dont elle ne veulent pas. Alphonse Sormany, médecin dans Gloucester et député opposé au vote des femmes, soutient que si les femmes sortent de leur sphère, il en résulterait « *le suicide collectif* ». Même en 1926, Alfred Roy, éditorialiste à *L'Évangéline*, écrit que « l'immense majorité des Acadiens, je pense bien, verrait sans objection le rappel de la loi qui donne le droit de vote aux femmes ». Pour sa part, dans un numéro de 1932, le *Fermier Acadien* demande aux femmes, surtout francophones, de rester au foyer. « ...la femme est l'ange gardien du foyer, où elle règne par la grâce, la douceur et l'amour... la femme n'a pas sa place dans la vie publique, que ce soit à l'Assemblée législative, dans les cours de justice, dans les rangs de la police ou même dans les bureaux de scrutin ».

Source : Espeth Tulloch, *Nous les soussignées : un aperçu historique des femmes du Nouveau-Brunswick, 1784-1984,* Conseil consultatif sur la condition de la femme du Nouveau-Brunswick, 1985, p. 22.

tion. Le droit de vote aux élections fédérales est étendu à toutes les femmes à compter de 1918.

L'électorat acadien et les conscriptions

Les deux crises de la conscription, soit celles de 1917 et de 1942, offrent aux Acadiens et Acadiennes la possibilité de se prononcer sur une importante question nationale. À ces deux occasions, les Acadiens affichent des sentiments semblables à ceux du peuple québécois. Il semble que d'éminentes personnalités acadiennes appuient la conscription, bien que cette hypothèse gagne à être fouillée. Par exemple, quelle est la position prise par l'évêque de Saint-Jean Mgr Édouard LeBlanc à ce sujet ? Si LeBlanc a toujours favorisé une participation acadienne à la guerre, il n'a jamais été catégorique sur la question de l'enrôlement forcé. Du moins, il n'en est jamais fait mention dans ses discours. Qui plus est, le primat de l'église catholique canadienne, le cardinal Bégin, s'y oppose[1].

Le gouvernement d'Union (fédéral) ne fait élire aucun candidat conscriptionniste dans les régions acadiennes du Nouveau-Brunswick aux élections fédérales de 1917. D'ailleurs, la majorité des électeurs de l'Île-du-Prince-Édouard et de la Nouvelle-Écosse votent pour les députés anti-conscriptionnistes libéraux de Wilfrid Laurier. Au Nouveau-Brunswick, les gains libéraux se concentrent massivement au nord de la province. Les Acadiens de l'ensemble des Maritimes suivent le courant même dans des régions mixtes telles Yarmouth-Clare, Cap-Breton-Richmond, Inverness, Cumberland et Westmorland (N.-B.).

Il demeure certain que les Acadiens expriment plus discrètement que le Québec leur opposition à la participation du Canada aux guerres européennes. Il est probable que des Acadiens soient alors alarmés par l'action et l'expression des sentiments canadiens-français et que des soldats acadiens s'inquiètent de l'opinion des Québécois. Mais il faut comprendre que, pour les soldats acadiens, cela pouvait se traduire par un ralentissement des renforts pour repousser les forces allemandes. Malgré l'opposition acadienne à la conscription, il ne faut pas passer sous silence la réaction de plusieurs appelés anglophones lorsque vient le temps de s'engager. Au sud du Nouveau-Brunswick, en novembre 1917, des 6250 appelés sous les drapeaux, la très grande majorité anglophone, 5500 demandent l'exemption. À Lunenburg en Nouvelle-Écosse, 35 jeunes pêcheurs anglophones refusent de prendre leur formulaire d'inscription et décident de retourner sur les bancs de pêche. Des « déserteurs » acadiens sont poursuivis à Bouctouche et ailleurs dans le comté de Kent, menant à des échanges de coups de feu avec la police. Vingt Acadiens sont alors emprisonnés à Saint-Jean.

Quant au référendum national de 1942 sur la conscription, les trois circonscriptions à forte majorité acadienne du Nouveau-Brunswick — Madawaska, Gloucester et Kent — répondent par la négative, alors que Restigouche et Westmorland votent non dans des proportions de 40 % et

1. Commentaire personnel de Neil Boucher, directeur du Centre acadien de l'Université Sainte-Anne de Pointe-de-l'Église en Nouvelle-Écosse et spécialiste en histoire religieuse acadienne.

48 % respectivement, en grande partie à cause du vote acadien. Au Madawaska, par exemple, les citoyens rejettent l'appel de leur député, le ministre Enoil Michaud, dans une proportion de 82 %. À cette occasion, les députés acadiens à Ottawa multiplient les interventions. Ainsi, le député libéral de Kent aux Communes, Aurel D. Léger, estime que la conscription est un facteur de division. Son collègue libéral de Gloucester, le docteur Clarence Veniot, attaque les partisans de la conscription en expliquant que l'attachement des Acadiens à la France diffère de celui des Anglo-Saxons pour l'Angleterre. Pour Véniot, le service militaire outre-mer doit reposer sur le principe du libre choix.

Tableau 9

Résultats du plébiscite de 1942 dans les circonscriptions des Maritimes ayant au moins 25 % de la population d'origine française

Circonscriptions	*Pop. d'origine française*	*Oui*	*Non*
Prince (Î.-P.-É.)	28 %	78 %	22 %
Inverness-Richmond	36 %	56 %	44 %
Shelburne-Yarmouth-Clare	26 %	71 %	29 %
Gloucester	85 %	41 %	59 %
Kent	79 %	31 %	69 %
Northumberland	27 %	71 %	29 %
Restigouche-Madawaska	70 %	40 %	60 %
Westmorland	42 %	69 %	31 %

Source : Ronald Cormier, *Les Acadiens et la Seconde Guerre mondiale*, Moncton, Éditions d'Acadie, 1996, p. 44.

Des Acadiens répondent à l'appel des armes

La position acadienne face aux deux conscriptions de 1917 et de 1942 ne signifie pas que des Acadiens ne répondent pas à l'appel des armes. Au contraire, en considérant le nombre d'enrôlés acadiens des Maritimes par rapport à la population acadienne totale, la participation peut être qualifiée d'excellente. Malheureusement, comme dans le cas du vote acadien, il y a lacune dans nos connaissances sur la participation acadienne de l'Île-du-Prince-Édouard et de la Nouvelle-Écosse, du moins pour la Première Guerre. Plusieurs paroisses acadiennes contribuent à un

Les officiers du 165e régiment en 1917. Source : CÉA, P131-A1.

fonds patriotique pour venir en aide aux soldats à l'automne 1915 et en novembre, des comités de recrutement se forment à Moncton et à Bathurst pour organiser un bataillon acadien. Par contre, cette initiative n'est pas nécessairement vue d'un bon œil à Bathurst où, selon certains, cela constitue une menace pour le recrutement d'hommes dans le 132e bataillon dirigé par des officiers anglophones. Des bureaux de recrutement sont ouverts à Moncton et Shediac et des sessions de recrutement ont lieu au nord-est du Nouveau-Brunswick et dans les paroisses acadiennes de la Nouvelle-Écosse.

Éventuellement, le 165e bataillon compte au moins 55 membres de la région Shediac–Cap-Pelé. En janvier 1916, des soldats de Gloucester appartenant au 165e bataillon acadien partent de Saint-Jean, Nouveau-Brunswick. En mars 1917, le bataillon acadien passe en Angleterre, quoiqu' il ne verra jamais le combat en tant qu'unité distincte. Au nord-ouest, on signale aussi des rassemblements patriotiques de recrutement pour le 236e bataillon du Nouveau-Brunswick. En 1916, au moins 1200 Acadiens figurent dans les 132e et 165e bataillons, en plus de 3000 autres éparpillés parmi d'autres bataillons des Maritimes, incluant 500 dans le 10th PEI

Cyriaque Daigle était l'officier à la tête du 165e bataillon en 1917.
Source : CÉA, PA1-3021.

Highlanders. À l'heure actuelle, l'état de la recherche ne permet pas d'évaluer correctement la participation acadienne de la Nouvelle-Écosse et de l'Île-du-Prince-Édouard à la Première Guerre mondiale.

Après la guerre, les vétérans acadiens sont représentés par la Great War Veteran's Association et, comme leurs confrères anglophones, demandent de nouveaux vêtements et des compensations pour salaire perdu. Ils demandent aussi la sécurité économique pour les veuves, des emplois pour eux-mêmes et obtiennent quelques concessions dont l'accès gratuit à l'éducation technique et à des logements. Les vétérans acadiens figurent donc parmi les premiers exemples concrets de l'intégration de la société acadienne aux cadres canadien et maritime.

Lors du deuxième conflit mondial, le Canada entre en guerre le 10 septembre 1939, soit une semaine après la Grande-Bretagne et la France. En décembre, la 1re Division d'infanterie traverse en Angleterre. Dans les Maritimes, comme durant la Première Guerre, le clergé acadien appuie les campagnes de collectes de fonds destinées à financer l'effort de guerre. Mgr Norbert Robichaud, archevêque de Moncton, encourage les Acadiens à prendre une part plus active aux campagnes de souscription et les

Soldats acadiens dans l'artillerie durant la Deuxième Guerre mondiale.
Source : Collection privée de la famille Émile Landry.

comtés acadiens du Nouveau-Brunswick répondent généreusement. Le Madawaska se classe premier au Canada, à l'occasion de la campagne du second emprunt de la Victoire, en souscrivant 214 % de son objectif, soit une somme de 961 950 $. Selon les chiffres du *Moncton Transcript*, les comtés francophones se situent très près de la moyenne provinciale et trois d'entre eux, Kent, Madawaska et Restigouche, la dépassent d'au moins 10 %. Signalons l'effort de la Société L'Assomption, qui achète pour 500 000 $ d'obligations.

Bon nombre de jeunes Acadiens s'enrôlent dès les premiers mois de la guerre. Pourtant, l'armée ne prête aucune attention particulière aux Acadiens. C'est ce qui fait dire au député fédéral de York-Sunbury au Nouveau-Brunswick que l'armée manque d'égards à leur endroit. Ainsi, l'armée laisse entendre aux intéressés de la côte nord du Nouveau-Brunswick que, s'ils consentent à payer leurs propres dépenses, ils peuvent se rendre à Fredericton, ville située à plus de 500 km de leur région. En fait, plusieurs Acadiens s'enrôlent dans les régiments du Québec et d'autres en Nouvelle-Écosse. Peu importe si les Acadiens possèdent la formation scolaire et les habiletés techniques requises par la marine et l'aviation, il n'en demeure pas moins qu'ils doivent suivre leur formation militaire en anglais. Néanmoins, l'armée de terre offre à certaines recrues acadiennes la possibilité de s'entraîner en français. Malgré tout, les Acadiens s'enrôlent en grand nombre, et les motifs de leur décision sont variés: patriotisme, identification à une cause, sens du devoir ou recherche de l'aventure. Beaucoup s'enrôlent pour la solde puisqu'en pleine crise économique les emplois sont rares.

Bien qu'il soit difficile d'arrêter des chiffres définitifs sur les effectifs acadiens, quelques données sont disponibles. Ainsi, le régiment North Shore est composé d'un cinquième d'Acadiens. Le Carleton and York compte également un assez grand nombre de soldats d'origine acadienne. On peut dire la même chose pour le 8th Princess Louise's New Brunswick Hussars, les New Brunswick Rangers, les North Nova Scotia Highlanders et les Halifax Rifles. À l'Île-du-Prince-Édouard, les Acadiens représentent environ 16 % de la population masculine d'âge militaire — de 18 à 37 ans —, et tout indique que leur taux de participation est peut-être plus élevé que celui de leurs concitoyens d'origine anglaise. En Nouvelle-Écosse, plusieurs Acadiens des comtés de Clare, d'Argyle, de Yarmouth et de Digby servent dans les rangs du Halifax Rifles dont ils composent environ 5,8 % des effectifs. De manière globale, environ 23 000 Acadiens des provinces maritimes servent sous les drapeaux au cours de la Deuxième Guerre, soit environ 20,2 % de tous les enrôlements dans les provinces maritimes. En 1945, comme les autres vétérans canadiens, les soldats acadiens revenus chez eux sont admissibles à des allocations en matière de soins médicaux et de formation facilitant la réintégration du marché du travail.

Tableau 10

Acadiens parmi les pertes du régiment North Shore, 1939-1945

	Pertes	*Acadiens*	*% d'Acadiens*
Tués	375	69	18,4
Blessés	865	176	20,3
Total	**1 240**	**245**	**19,8**

Source: Ronald Cormier, *Les Acadiens et la Seconde Guerre mondiale*, Moncton, Éditions d'Acadie, 1996, p. 89.

Le social

Francisation de l'enseignement: les infrastructures

Après la Première Guerre Mondiale la société acadienne — mais surtout son élite — constate avec une certaine satisfaction les progrès accomplis depuis les années 1880. Par contre, certains grands projets demeurent inachevés: l'assimilation fait toujours des ravages, le système d'enseignement public ne répond pas encore convenablement aux attentes des Acadiens, l'acadianisation de l'Église et le réseau des collèges classiques doivent êtres parachevés et, finalement, il faut resserer davantage les liens avec la francophonie, question d'obtenir des appuis de l'extérieur dans la promotion des grands dossiers.

Malgré certains progrès réalisés dans la mise sur pied d'infrastructures scolaires acadiennes, la situation demeure déficiente dans certains milieux. Au Nouveau-Brunswick, la réalité quotidienne des salles de classe ne répond pas encore aux attentes des élèves et des enseignants acadiens. En 1924, des enseignants et enseignantes du Madawaska revendiquent de meilleures salles de classe et plus de volumes en français. Malgré ce pénible constat, les choses s'améliorent puisqu'à la même époque le gouvernement du Nouveau-Brunswick centralise l'administration scolaire au niveau des comtés afin d'assurer une meilleure représentation régionale. Il développe un réseau d'écoles secondaires et un système de transport d'écoliers par autobus. En 1936, avec la fondation de l'Association acadienne d'éducation du Nouveau-Brunswick, les Acadiens ont maintenant une structure permettant de mieux cerner les problèmes scolaires. Sans compter qu'en 1944 un assistant au surintendant en chef des écoles est chargé de s'occuper de la population acadienne.

Dans les années 1940, les écoles situées dans les milieux ruraux acadiens sont désavantagées par rapport à celles qui existent dans les villes. Les installations scolaires des campagnes sont rudimentaires: un petit édifice d'une ou deux classes, où les enfants sont regroupés autour d'un poêle à bois et qui ne dispose pas de toilettes intérieures. En 1944, 405 des 473 écoles de l'Île-du-Prince-Édouard ont une seule pièce. Même si l'enseignement se fait en français dans plusieurs communautés acadiennes, les élèves francophones doivent apprendre à l'aide de manuels scolaires de langue anglaise. Il n'est donc par surprenant de constater que c'est dans les régions acadiennes que le taux d'analphabétisme est le plus

L'École de Haut-Shippagan au nord-est du Nouveau-Brunswick vers 1920.
Source : CDND.

élevé. Dans les comtés du Nouveau-Brunswick où les Acadiens forment la majorité ou une minorité importante — plus de 20 % —, il peut être deux fois plus élevé que la moyenne provinciale.

Une école rurale en 1922

Élisabeth Paulin est née en 1915 et en 1922 elle entre à la petite école rurale d'Évangéline au nord-est du Nouveau-Brunswick. Malgré les conditions difficiles dans lesquelles fonctionnent les écoles rurales acadiennes, des infrastructures même très rudimentaires semblent alors fort attrayantes pour plusieurs jeunes Acadiens et Acadiennes entrant à l'école pour la première fois.

« J'avais tellement hâte de commencer vu que nous entrions dans une école neuve. Le mobilier consistait d'un vieux pupitre pour la maîtresse avec deux chaises ; il y avait toujours une chaise en plus pour recevoir la visite. Pour les élèves, il y avait un grand banc en planche qui faisait le tour de l'école, avec une planche sur le devant pour placer nos livres. Il y avait aussi un poêle à bois au milieu du plancher et dans un coin il y avait un sceau pour l'eau à boire que les plus grands élèves allaient puiser à la source. Dans ce décor nous étions tous parfaitement heureux. »

Source : Élisabeth Paulin-Landry, 83 ans. Entrevue réalisée par Nicolas Landry pour un projet de synthèse en histoire acadienne, le 6 juillet 1998.

Programme d'enseignement

À l'Île-du-Prince-Édouard, vers 1929, plus de la moitié des écoliers acadiens fréquentent des écoles où le français n'est pas du tout enseigné. Rendu en 1937, dans les 62 écoles des centres acadiens, le programme du cours français se borne à la lecture, à la grammaire, à la dictée et un peu de composition. Les pressions politiques et les pétitions amènent le ministère de l'Éducation à préparer un nouveau programme pour les écoles acadiennes en 1939 ; le français devient la langue d'enseignement jusqu'en sixième année, sauf pour les mathématiques en 4e, 5e et 6e, et 10 % de l'enseignement général est fait en anglais. Dans le domaine de l'enseignement privé, les couvents de Tignish, de Miscouche et de Rustico se voient obligés d'abandonner, entre 1902 et 1922, leur statut d'écoles privées pour s'intégrer au système des écoles publiques afin de bénéficier des subsides gouvernementaux. On y constate une réduction de l'enseignement en français.

Dans la province néo-écossaise, afin d'améliorer le français, le congrès national des Acadiens, en 1930, désigne un comité devant étudier la question de l'enseignement de cette langue et faire des recommandations à cet effet. Suite à cette requête, le gouvernement accepte l'enseignement en français pour les six années du primaire et l'utilisation de l'anglais dans seulement 7 % du temps d'enseignement. On permet aussi l'usage d'un manuel d'histoire en français.

Formation des maîtres

Encore en 1920, l'Université Sainte-Anne de Pointe-de-l'Église ne peut toujours pas donner des cours en éducation pour pallier à la pénurie d'enseignants acadiens dans la province. Ce n'est qu'en 1941 que Sainte-Anne reçoit la permission du ministère de l'Éducation d'offrir des cours d'été pour accommoder du personnel enseignant bilingue, incluant des Acadiens. Les cours cessent en 1946 alors que la grande majorité des instituteurs du sud-ouest de la province détiennent maintenant un brevet permanent. À l'Île-du-Prince-Édouard, le Bureau d'éducation ne prend aucune mesure pour donner une formation adaptée aux instituteurs et institutrices des écoles acadiennes. De 1938 à 1948, des professeurs canadiens-français très compétents viennent dans la province insulaire donner des cours d'été. Au Nouveau-Brunswick, l'Association des instituteurs acadiens fait des pressions pour que les cours d'été dispensés par les collèges acadiens aux enseignants soient reconnus par le ministère de l'Éducation, ce qui est fait en 1947.

Une étudiante acadienne à l'École normale

En 1936, Élisabeth Paulin d'Évangéline dans la péninsule acadienne écrit des examens d'entrée lui permettant de s'inscrire à l'École normale de Fredericton pour obtenir son brevet d'enseignement. « J'avais hâte de partir pour pouvoir en finir et avoir ma licence pour enseigner. J'avais nullement réfléchi à ce qui m'attendait à Fredericton. Une ville complètement anglophone ainsi que l'école avec tous ses professeurs. Lorsque j'ai eu mes résultats d'examens j'avais réussi tous les sujets avec une moyenne de 74,5 %. Quel soulagement ! Deux semaines après mon arrivée, le vicaire de notre paroisse est venu me demander pour enseigner le catéchisme à l'école aux enfants qui se préparaient à recevoir la confirmation. Au début septembre, première journée de classe, 46 enregistrements de la 1re à la 8e année. Tous les livres étaient en anglais excepté la lecture française, la grammaire et l'histoire du Canada. Pendant mes trois premières années, les institutrices étaient payées quand le secrétaire du district scolaire pouvait ramasser un peu d'argent ; quelquefois je pouvais recevoir 2 $ par mois, mais ça dépassait jamais 5 $ dans un mois. Le reste du salaire était payé lorsque le secrétaire recevait l'octroi du gouvernement qui arrivait au début du deuxième terme et l'autre au début des vacances d'été. »

Source : Élisabeth Paulin-Landry, 83 ans. Entrevue réalisée par Nicolas Landry pour un projet de synthèse d'histoire acadienne, 6 juillet 1998.

Parachèvement du réseau des collèges acadiens

Pour compléter le réseau d'établissements d'enseignement supérieur acadien du Nouveau-Brunswick, les Eudistes fondent, en 1944, un autre collège au Nouveau-Brunswick ; le collège Saint-Louis à Edmundston. Quant aux jeunes Acadiennes, ce n'est que dans les années 1940 qu'elles ont accès à un tel enseignement. En 1943, la Congrégation des religieuses de Notre-Dame du Sacré-Cœur ouvre un collège féminin à Saint-Joseph-de-Memramcook — transféré à Moncton en 1949 — et cette même année les Religieuses Hospitalières de Saint-Joseph font de même à Saint-Basile avec le Collège Maillet. Les étudiantes suivent les mêmes cours que leurs confrères masculins d'Edmundston sauf que l'étude de la langue

Pensionnaires devant le Couvent de Saint-Basile au nord-ouest du Nouveau-Brunswick en 1923. Source : CÉDEM, PC 1-12

grecque est remplacée par les arts domestiques. De manière générale, les Hospitalières souhaitent préparer des jeunes filles aux possibiliités de carrière dans la santé. À noter qu'une école ménagère, inaugurée en 1947 à l'Académie de l'Hôtel-Dieu de Saint-Basile, connaît une grande expansion.

À compter des années 1929-1930, les collèges classiques sont de plus en plus témoins de manifestations théâtrales, littéraires et musicales. C'est le lancement d'une véritable littérature qui semble dominée par le genre de monographie régionale où la place d'honneur est réservée aux fondateurs et à l'élite cléricale et religieuse. Ces ouvrages ont tout de même pour avantage de renseigner les Acadiens sur l'ensemble de l'Acadie à une époque où les déplacements sur de longues distances ne sont pas à la portée de tous. Les pièces de théâtre des années 1930 relatent des thèmes telles l'émigration acadienne vers les États-Unis et la lutte des Acadiens pour des écoles françaises. Avec la fondation du Collège Maillet en 1949, Saint-Basile devient un centre culturel mettant à l'honneur la

Fanfare du Collège Sainte-Anne au sud-ouest de la Nouvelle-Écosse vers 1927.
Source : CÉA, 1796

musique, le chant, l'art dramatique, le ballet et le folklore. À l'extérieur des collèges, des Acadiens et Acadiennes commencent à s'illustrer sur la scène musicale professionnelle. On pense entre autres au violoniste Arthur LeBlanc et à la cantatrice Anna Malenfant.

Il est à noter que les collèges Saint-Anne, de Bathurst et de Saint-Joseph continuent d'attirer des jeunes Acadiens, quelques Québécois et quelques Franco-Américains, surtout à Pointe-de-l'Église. En ce qui a trait aux jeunes Acadiens de l'Île-du-Prince-Édouard, ils comptent pour environ 273 inscriptions à Saint-Joseph durant la période à l'étude.

L'acadianisation de l'Église : une victoire décisive ?

Entre les deux guerres, la langue et la religion sont des éléments indissociables dans la stratégie d'avancement social de l'élite acadienne. Dans le domaine de la religion, l'esprit anglicisant du clergé catholique de langue anglaise se fait sentir surtout à partir des années 1920, entre autres à l'Île-du-Prince-Édouard. Ainsi, les Acadiens commencent à perdre du terrain quant à l'usage du français dans la vie religieuse de leurs paroisses.

Des paroisses à forte proportion de fidèles acadiens passent ainsi aux mains de curés pratiquement unilingues anglais incapables de respecter la langue et la culture d'une bonne partie de leurs ouailles. Certains d'entre eux sont même opposés à la cause acadienne. Cette situation est grave dans la mesure où elle ralentit l'effort de promotion et de préservation de la langue française et de l'identité acadienne. La pénurie de prêtres acadiens ou de prêtres bilingues justifie rarement cette situation. En 1937, le clergé du diocèse de Charlottetown comprend 70 prêtres dont huit sont Acadiens, mais seulement quatre d'entre eux œuvrent dans l'île ; les autres sont affectés aux îles de la Madeleine.

Chez les prêtres acadiens de l'Île-du-Prince-Édouard, plusieurs sont à la tête de divers mouvements socio-économiques et religieux dans le but d'assurer le plein épanouissement de la communauté acadienne. Mais la réussite de tels projets tient aussi à la générosité des paroissiens qui offrent leur aide en temps, en nature et en espèces. Ainsi, chaque homme de la paroisse contribue un certain nombre de journées de travail à la construction d'édifices religieux ou encore à l'entretien des cimetières. Souvent les paroissiens font don de produits agricoles que le curé peut vendre au profit du fonds de construction. Une autre contribution importante à la vie paroissiale acadienne de l'île vient des femmes. À compter de 1920, plusieurs Acadiennes adhèrent à la Catholic Women's League, une organisation s'intéressant à l'éducation catholique, à la famille et à l'œcuménisme. Vers 1936, le curé de Baie-Egmont, le père François-Xavier Gallant, demande à ses paroissiennes enrôlées dans l'organisation du Women's Institute, de se former en une société catholique française sous le vocable Dames du Sanctuaire. Éventuellement, on en retrouve un chapitre dans presque chaque district scolaire, remplaçant dans la plupart des cas le Women's Institute.

Malgré les succès atteints dans l'établissement des structures religieuses de l'Église acadienne, l'obtention d'un diocèse acadien pour le sud du Nouveau-Brunswick s'avère difficile. Au cours des années 1930, les évêques de Saint-Jean — Mgr Édouard LeBlanc — et de Chatham — Mgr Patrice-Alexandre Chiasson — sollicitent l'appui de l'archevêque de Halifax pour la division du diocèse de Saint-Jean. L'argument démographique est important puisque, de 1921 à 1931, la population catholique du diocèse de Saint-Jean augmente de 17 688 personnes. Également, la création d'un archevêché à Moncton risque d'augmenter le prestige et

Mgr Arthur Melanson, premier archevêque de Moncton.
Source : CÉA, PB1-238.

l'influence des catholiques dans les cercles gouvernementaux et ainsi favoriser un meilleur système scolaire. Finalement, le nouvel évêché comprendrait 47 000 diocésains alors qu'il en resterait 31 000 pour celui de Saint-Jean.

Mais cette démarche soulève l'opposition des prêtres anglophones du diocèse de Saint-Jean qui demandent au délégué apostolique de refuser la demande des évêques acadiens. Fait à signaler, le mouvement de résistance reçoit l'appui des prêtres anglophones de l'Université Saint-Joseph de Memramcook, alors institution bilingue. C'est finalement le 18 mars 1936 que le Vatican annonce la création de l'archevêché de Moncton et la nomination de Mgr Patrice Bray, d'origine irlandaise, à l'évêché de Saint-Jean. Le 1er décembre, Rome informe Mgr Arthur Melanson qu'il est nommé premier archevêque de Moncton. À signaler qu'en 1938 le siège du diocèse de Chatham est transféré à Bathurst. Les années 1940 sont marquantes pour l'Église acadienne puisqu'elle reçoit ses structures présentes. En 1944 le diocèse d'Edmundston est créé pour la région du nord-ouest du Nouveau-Brunswick et, en 1953, la baie Sainte-Marie en Nouvelle-Écosse est détachée du diocèse de Halifax pour former le diocèse de Yarmouth.

Resserrement des liens avec la francophonie

L'éducation et la religion, bien que constituant deux éléments fondamentaux de la promotion du français, ne sont pas aussi efficaces s'ils ne bénéficient pas du soutien moral de la France et du Québec. Pour espérer obtenir une plus grande utilisation du français, les leaders acadiens savent depuis longtemps qu'il est impératif d'entretenir des liens plus étroits avec l'ancienne mère-patrie et le Québec. Ce qui attire l'intérêt des Français pour l'Acadie, c'est l'épopée historique de celle-ci, ses difficultés, son « martyr ». Au siècle précédent, il semble que, par ses écrits sur la population française en Amérique, Rameau de Saint-Père aspire à stimuler l'intérêt des Français et à leur démontrer les avantages de relations culturelles et économiques avec le Canada français. Mais, au XXe siècle, l'événement marquant de ces relations est peut-être l'initiative de l'historien français Émile Lauvrière qui, en 1920, fonde un comité France-Acadie grâce auquel le ministère des Affaires étrangères envoie en Acadie de généreux colis de livres, de films et de disques ; des bourses d'études sont aussi obtenues en France pour les Acadiens et les Acadiennes dans plusieurs domaines. Quant au Québec, certains établissements d'enseignement supérieur acceptent de mettre des bourses d'études à la disposition de la jeunesse acadienne[2].

Entre 1919 et 1939, 200 articles de l'hebdomadaire *L'Évangéline* portent sur les rapports entre l'Acadie et le Québec. Au cours des années 1920 et 1930, bon nombre de nationalistes québécois ne croient plus au bilinguisme. Le Québec est alors animé par plusieurs associations de jeunes nationalistes qui n'ont pas leur équivalent en Acadie tels le Conseil de la vie française en Amérique, l'Association canadienne pour l'éducation de langue française, organisme fondé au Québec pour appuyer le développement des communautés françaises en Amérique et au Canada. Jusque dans les années 1930-1940, les Québécois tentent de comprendre les Acadiens surtout par leur histoire.

---

2. Jean-Roch Cyr, « Un aperçu des relations France-Acadie, 1860-1940 », *Les Cahiers de la Société historique acadienne*, vol. 13, n 4, 1982, p. 160-179.

Émile Lauvrière deviendra un grand promoteur de la cause acadienne en France.
Source : CÉA, PB1-30.

La langue française a aussi ses défenseurs dans la capitale fédérale et l'Acadie profite des retombées de la mise sur pied d'organismes voués à cette fin. En 1926, une société secrète, l'Ordre de Jacques Cartier, est fondée à Ottawa, ayant pour objectif initial la défense des fonctionnaires francophones fédéraux et la création d'un contrepoids aux loges maçonniques anglaises. Par la suite, son mandat s'élargit à la promotion des intérêts économiques et sociaux des francophones catholiques du Canada. Plusieurs religieux et agronomes sont membres de l'Ordre de Jacques-Cartier. En Acadie, cette société compte parmi ses membres les promoteurs les plus actifs de la coopération chez les Acadiens du Nouveau-Brunswick. L'apparition de l'Ordre y est facilitée par l'existence depuis 1932 d'une section acadienne de l'Association canadienne de la jeunesse catholique dans le diocèse de Chatham.

Les membres du comité exécutif de la section acadienne de l'Association canadienne de la jeunesse catholique se retrouvent aussi au sein de l'Ordre. La première chancellerie à voir le jour au Nouveau-Brunswick est celle de Campbellton en 1933. Après Shippagan et Edmundston, une commanderie est établie à Moncton en 1935. D'autres voient le jour à l'Île-du-Prince-Édouard, à Chéticamp et à Pointe-de-l'Église en Nouvelle-Écosse. Agissant de concert, les chancelleries exercent une grande influence dans différents domaines de la société acadienne : ainsi, elles appuient le mouvement de retour à la terre proposé par l'abbé Arthur Melanson et favorisent la création, en 1936, de l'Association acadienne d'éducation au Nouveau-Brunswick.

L'économie

Les pêcheurs s'organisent

De manière générale, la période de l'entre-deux-guerres apparaît très difficile pour le milieu maritime et plusieurs pêcheurs ont de la difficulté à faire vivre leur famille. En 1927, le gouvernement fédéral décide de former une commission royale d'enquête chargée d'écouter ce que les pêcheurs ont à dire. À Bas-Caraquet, Pierre P. Morais s'avère être un grand promoteur de l'organisation des pêcheurs. Son objectif ultime : pousser les pêcheurs à s'organiser pour expédier et vendre leurs produits. En fait, les présentations devant la commission soulèvent nombre de problèmes et suggèrent des solutions : des moyens de transport plus rapides pour acheminer le poisson vers les grands centres, de meilleurs prix pour la morue, encourager l'industrie du poisson frais, la mise sur pied d'une école des pêches, une réglementation plus sévère pour protéger le homard, des entrepôts frigorifiques, la création d'un ministère fédéral consacré uniquement aux pêches, l'abolition des chalutiers et la mise sur pied de prêts à long terme pour les pêcheurs.

Un résultat positif dans le sillon de la Commission d'enquête est la création, un peu partout aux Maritimes, de cercles d'étude et d'associations démontrant la détermination des pêcheurs de s'unir pour revendiquer. À l'époque, les pêcheurs acadiens ne bénéficient pas des mêmes avantages que les agriculteurs. Ce sont plutôt les fermiers qui tirent profit du soutien des leaders acadiens qui, pour la plupart, croient davantage à l'agriculture comme outil privilégié de développement économique et social. À Chéticamp, la première coopérative acadienne est fondée en 1915 pour la mise en marché du poisson, ce qui amène certains marchands à refuser du crédit aux pêcheurs se joignant à la coopérative. À

La « homarderie » (mise en conserve) de la Coopérative des pêcheurs de Baie-Egmont, à Abram Village à l'Île-du-Prince-Édouard. Source : CRAÎPÉ, 52.8

l'Île-du-Prince-Édouard, un grand nombre de pêcheurs n'ont aucun contrôle sur les moyens de production, n'étant pas propriétaires des bateaux et des agrès de pêche. Comme pour plusieurs Acadiens du Cap-Breton et du nord-est du Nouveau-Brunswick, ils sont des employés souvent endettés envers leurs employeurs. Une forme plus officielle d'association de pêcheurs naît à Tignish en 1923, sur le modèle coopératif. Les pêcheurs membres s'occupent à la fois de la mise en boîte du homard et de sa mise en marché. D'autres associations surgissent à Mont-Carmel (1931), Rustico-Nord (1936) et Baie-Egmont (1938). Tout ça résulte en de meilleurs prix de revient pour les pêcheurs.

Au nord-est du Nouveau-Brunswick aussi, des efforts de coopération se font jour chez les pêcheurs de Shippagan, Lamèque et Miscou et conduisent à la création d'une association de pêcheurs de la paroisse civile de Shippagan. Vient ensuite l'Association des pêcheurs de Gloucester forte de 665 membres. Les pêcheurs savent maintenant où est expédié leur poisson et connaissent le prix de vente sur les marchés et les profits qui leur reviennent. C'est finalement en novembre 1929 que le fédéral commence à réagir aux recommandations de la Commission d'enquête. Le résultat ultime est cependant le regroupement des diverses associations en une organisation centrale, soit les Pêcheurs-Unis des Maritimes en 1930. D'autres initiatives gouvernementales viennent plus tard telle celle du Nouveau-Brunswick qui, en 1946, crée la Commission des prêts aux pêcheurs qui joue un rôle déterminant dans la modernisation de la flotte acadienne et dans l'industrialisation des pêches en général.

Comme pour les militaires acadiens, les pêcheurs ont maintenant l'option de s'intégrer dans une structure à l'échelle des Maritimes pour défendre leur intérêts. Il n'en demeure pas moins que, comme en agriculture, le fossé s'élargit entre les composantes d'industrialisation et de capitalisation de la pêche. La majorité des pêcheurs côtiers travaillent dans un contexte saisonnier d'économie domestique, reposant sur des prix de revient inférieurs au niveau de subsistance et dépendant grandement sur le travail non rémunéré des femmes et des enfants.

Naissance du mouvement coopératif

L'ambiance de coopération qui règne chez les pêcheurs des Maritimes s'inspire fortement du mouvement de théologie sociale des année 1920. Ce dernier a un effet très marqué sur le Mouvement Antigonish mené par l'Université Saint-François-Xavier, où les activistes sociaux font la promotion d'une réforme rurale par l'éducation coopérative et des adultes. Fermiers et pêcheurs, à l'intérieur de groupes d'étude, sont invités à faire part de leurs problèmes et à proposer des solutions concrètes. Le concept de la production sous forme coopérative est alors applicable à divers types d'entreprises tels les crèmeries, la mise en conserve, les usines de poisson, le transport, le marketing et l'achat en gros. En 1938, pour l'ensemble des Maritimes, le Mouvement Antigonish compte environ 50 000 membres en activité dans 42 magasins, 17 usines de mise en conserve du homard, 10 usines de poisson, 140 caisses « Credit Union », 2390 cercles d'étude dont 1500 en Nouvelle-Écosse, 500 au Nouveau-Brunswick et 390 à l'Île-du-Prince-Édouard.

À titre d'exemples d'expansion, les communautés acadiennes de l'est de la Nouvelle-Écosse jouent un rôle important dans le mouvement coopératif des années 1930. Parmi les 24 communautés du comté d'Inverness, il n'y en a que trois qui sont considérées acadiennes. Pourtant, 10 des 36 coopératives du comté se trouvent dans ces trois communautés. Dans le comté de Richmond, neuf des 17 communautés sont considérées acadiennes et elles possèdent 20 des 27 coopératives. La coopération favorise la participation des clercs et de fermiers, de pêcheurs et d'agronomes à un vaste mouvement de restauration sociale. Plusieurs prêtres, par le prestige de leurs fonctions et leur expertise, donnent un élan

Le père Livain Chiasson fut l'un des pionniers du mouvement coopératif au nord-est du Nouveau-Brunswick. Source : CÉA, E261816

décisif à la naissance de la coopération. Que ce soit par des sermons, la participation à des cercles d'étude, l'élection à un poste administratif, le clergé acadien fournit un apport vital au succès de la coopération. Les hommes et les prêtres ne sont pas les seuls à s'intéresser à la coopération. L'engagement des femmes s'explique par le fait qu'elles gèrent le budget familial et remplacent les hommes partis au front au cours de la Deuxième Guerre mondiale.

Agriculture et colonisation

Malgré l'essor du mouvement coopératif, les agriculteurs demeurent la plus menacée des classes sociales des Maritimes à l'époque. À la fois l'urbanisation et l'émigration semblent effriter la vitalité de la société

Chargement de tonneaux de pommes de terre à Rivière-Verte au nord-ouest du Nouveau-Brunswick en 1923. On transportait ensuite le tout à Edmundston par voie ferrée du Canadien Pacifique. Source : CÉDEM, PC3-146.

rurale. Le nombre de fermes amorce un déclin à long terme, même si la taille moyenne de celles qui survivent augmente. Au Nouveau-Brunswick, le nombre de fermes diminue de 6 % durant les années 1920 et la quantité d'acres cultivées baisse de 3 %. Le pourcentage de la population rurale ne vivant plus de l'agriculture va en augmentant. Ceux habitant à la campagne deviennent de plus en plus engagés dans un cycle saisonnier d'occupations économiques incluant, entre autres, la pêche, la coupe du bois, la construction, le travail sur les routes ou dans les ports de mer.

Les recensements de l'époque démontrent bien que l'agriculture acadienne du Nouveau-Brunswick se compare difficilement avec la majorité des autres régions de la province. Jusque vers 1941, comparativement au reste de la province, le nombre de fermes acadiennes augmente. La hausse est en partie attribuable aux vagues de colonisation. Le nord-est du Nouveau-Brunswick, bien qu'ayant le plus grand nombre de fermes, a les superficies défrichées moyennes les plus petites de la province.

Entre 1914 et 1950, les thèmes reliés à l'agriculture et à la colonisation forment toujours une dimension importante de l'idéologie cléricale dans les domaines social et économique. L'Église tente de retenir à la terre une population extrêmement prolifique et de plus en plus mobile.

Mgr Joseph-Augustc Allard fut le fondateur de la colonie acadienne d'Allardville au nord-est du Nouveau-Brunswick.
Source CÉA, PB1-294b

Collectivement, la plupart des promoteurs cléricaux de la colonisation regroupent leurs efforts dans le Comité des prêtres colonisateurs du diocèse de Chatham, fondé en 1933 par l'abbé Joseph-Auguste Allard, superviseur de la colonisation et principal promoteur de la nouvelle colonie d'Allardville.

En 1936, est fondée la Société de colonisation et d'éducation agricole du diocèse de Chatham. Durant les années 1930, l'économie du nord de la province demeure dominée par les grandes entreprises et le mouvement de colonisation semble constituer une adaptation d'une partie de la population à l'économie. Les colons puisent les revenus nécessaires à leur survie et au maintien de leur mode de vie rural dans la coupe et la vente du bois qui se trouve sur les lots. Mais plusieurs autres facteurs contribuent au mouvement de colonisation auquel participent un grand nombre d'Acadiens, dont l'absence de programmes sociaux, le manque de secours pour les chômeurs de la part des gouvernements et le peu de protection offerte aux travailleurs par l'entreprise privée, en l'occurrence l'industrie forestière[3].

À un autre échelon, les gouvernements fédéral, provincial et municipaux utilisent la colonisation pour remplacer les programmes de secours aux chômeurs. Quant aux entreprises forestières, elles en tirent des approvisionnements en bois et une main-d'œuvre à bon marché. Pour sa part, le clergé catholique francophone, malgré les difficultés de démarrage, en profite pour remettre à l'honneur son projet de développement rural pour les Acadiens. Entre 1930 et 1939, le gouvernement du Nouveau-Brunswick accorde plus de 4400 lots de colonisation répartis dans la plupart des comtés de la province, une moyenne de 440 lots par année. C'est cependant dans les comtés du nord, où se trouvent 86,3 % des lots destinés à la colonisation, que se concentrent les activités liées au retour à la terre. À eux quatre, Gloucester, Restigouche, Madawaska et Northumberland représentent 81,1 % de tous les lots émis par billet de concession.

Malgré les avantages pouvant découler du mouvement de colonisation, peut-on dire que ce fut un succès ? Il semble que non. Dans un premier temps, le discours du clergé décourage le développement de la pêche en présentant la colonisation comme la seule solution aux problèmes des pêcheurs. Les conséquences de cette politique sont de retarder de plus d'une génération l'émergence d'un nouveau projet collectif acadien discuté à la convention de Moncton en 1927. Avant cette convention, la couverture accordée aux pêcheurs se limite trop souvent aux pertes de vie, d'emploi, etc. Ainsi, dans la péninsule acadienne, même si la colonisation freine un peu l'émigration, elle est vouée à un échec. Elle ne répond pas aux besoins économiques des pêcheurs[4]. Dans un deuxième temps, l'élite acadienne semble avoir du mal à comprendre la nécessité de combiner plus d'une activité économique pour survivre entre 1914 et 1950. Le clergé pense que la fondation de nouvelles colonies

---

3. Jean-Roch Cyr, « La colonisation dans le nord du Nouveau-Brunswick durant la crise économique des années 30 », dans Jacques-Paul Couturier et Phyllis E. LeBlanc (sous la direction de), *Économie et société en Acadie, 1850-1950 : Nouvelles études d'histoire acadienne*, Moncton, Éditions d'Acadie, 1996, p. 97-128.

4. Samuel Arsenault, « La charrue, voilà ce qu'il faut à un Acadien : géographie historique de la Péninsule acadienne », *Revue de l'Université de Moncton*, vol. 27, nº 1, 1994, p. 97-126.

permettrait aux pêcheurs de se sortir du cycle d'endettement imposé dans les pêches, la plupart du temps aux mains d'entrepreneurs anglophones. Pourtant, une fois sur les nouvelles terres, un bon nombre d'Acadiens travaillent pour des entrepreneurs forestiers, encore anglophones.

La révolution des pâtes et papiers

Durant les années 1914-1950, les activités découlant du secteur forestier semblent en expansion, surtout au Nouveau-Brunswick. L'industrie des pâtes et papiers se révèle alors un secteur d'avenir pour l'économie de la province. C'est en fait une véritable seconde révolution industrielle puisque des promoteurs de l'extérieur se montrent très intéressés de même que la « Fraser » à Edmundston et des compagnies de Bathurst. Le gouvernement provincial facilite l'implantation de cette industrie par de généreux transferts de terres de la Couronne au profit des compagnies. Par le fait même, l'industrie traditionnelle du bois équarri se trouve relayée à l'arrière-plan.

En 1914 ouvre le premier d'une nouvelle génération de moulins à pâte à Bathurst, découlant de la présence de la Bathurst Lumber Company. Cette dernière détient presque toutes les terres de la Couronne entourant le havre de Bathurst, soit 1035 milles carrés. Pour sa part, l'International Company possède 1069 milles carrés de terre de la Couronne en location sur la Miramichi autour du port de Dalhousie. Au nord-ouest, la Fraser Company Ltd. ouvre son usine de pâte chimique d'Edmundston en 1918. Quant à la Restigouche Company, elle est formée en 1928 et construit un moulin à Atholville. Bien qu'un bon nombre d'Acadiens forment la main-d'œuvre de ces usines, ils n'ont pas accès aux postes de direction ou de cadres. Ils n'ont simplement pas les capitaux nécessaires pour contrôler les leviers de développement de ce secteur.

Si les activités forestières de la région de la baie Sainte-Marie ne se comparent pas à celles du Nouveau-Brunswick par leur taille, il n'en demeure pas moins que la Première Guerre mondiale stimule la reprise de la construction navale des navires de bois, abandonnée depuis 1890. La Compagnie Belliveau est la plus active pendant cette période, tant pour la construction navale que dans le commerce des planches avec les Antilles. En 1914, cinq millions de pieds de bois provenant des lots de Clare sont vendus pour un revenu d'environ 60 000 $ et on parle du

Le moulin Fraser (papeterie) fut construit en 1918 à Edmundston au nord-ouest du Nouveau-Brunswick. Source : CÉDEM, PC3-47

double pour 1920 et de 12 millions de pieds pour 1930. Fait à signaler, jusqu'en 1928, les compagnies de bois ne paient aucune taxe sur leurs lots de terre ou leurs opérations commerciales. Mais, en 1931, la Compagnie Parker-Eakins débourse 3500 $ en taxes et cesse ses opérations dans Clare. À compter des années 1930, il n'y a pour ainsi dire que des Acadiens dans l'industrie du bois dans cette région.

Débuts de syndicalisation chez les Acadiens

Alors que l'intégration urbaine acadienne se poursuit, les travailleurs acadiens sont peu à peu sensibilisés à l'action syndicale. Au début du XXe siècle, la syndicalisation est présente surtout chez les travailleurs et les travailleuses des domaines de compétence fédérale comme les chemins de fer. Ce n'est qu'en 1913 qu'est fondée la Fédération des travailleurs du Nouveau-Brunswick qui, jusqu'à 1950, représente les travailleurs et les travailleuses sur la scène provinciale. La participation des Acadiens au sein de la fédération semble être négligeable au début et plus importante avec les années. Tout de même, l'Acadien C.A. Melanson de Moncton est président de la fédération en 1919 et 1920. Aux congrès, on ne retrouve qu'un Acadien sur 32 délégués en 1933, 10 sur 75 en 1939 et 15 sur 78 en 1942. Il ne semble pas que les droits des Acadiens soient une priorité pour l'organisme. La section locale 29 de la Fraternité internationale des ouvriers de la pulpe, du sulfite et des moulins à papier — FIOPSM — est mise sur pied à Edmundston en 1918. Elle offre un cas intéressant d'activité syndicale pour cette période. La très grande majorité de ses membres sont des francophones. Les réunions se tiennent en secret par crainte de congédiements et cette section ne sera reconnue qu'en 1938 par la Compagnie Fraser. Il est aussi probable que la section locale de Bathurst (1920) comprenne un grand nombre de travailleurs acadiens[5].

Contrairement à ce qui se passe en Nouvelle-Écosse durant la même période, les travailleurs acadiens sont très peu touchés par les mouvements de grève. Malgré tout, des articles sont publiés par l'élite acadienne qui s'inquiète de ce qui se passe dans d'autres régions du pays en matière de conflits de travail et de syndicalisation. Mgr François-Amédée Bourgeois publie une série d'articles dans *L'Évangéline* où, entre autres, il analyse les grèves de l'Ouest du Canada, de Moncton et d'Amherst. Selon lui, c'est une erreur de croire que les classes patronale et ouvrière sont ennemies l'une de l'autre. Les salaires sont la cause des grèves et un salaire suffisant doit permettre au travailleur de subsister. Un autre membre de l'élite, l'éditorialiste Alfred Roy, condamne toute forme de syndicalisme non catholique et explique que les travailleurs et les travailleuses acadiens doivent adhérer à ces syndicats.

Deux secteurs où la syndicalisation est peu développée à l'époque sont la pêche et l'industrie forestière. Dans les pêches, la plupart des usines sont de petite taille. La situation va cependant changer avec la venue de compagnies telle la Gordon Pew, à Caraquet, en 1939. En 1949, une bataille s'engage pour la représentation des employés. C'est l'arrivée à Caraquet de la Canadian Fish Handlers Union qui provoque des craintes de l'implantation du communisme. Cette même année, les bûcherons du comté de Restigouche se regroupent en un syndicat. Le bûcheron est alors le plus exploité et le plus mal traité des travailleurs. Un des dirigeants du syndicat est Lauréat Drapeau, de Balmoral, et la grande

---

5. Raymond LÉGER, « L'évolution des syndicats au Nouveau-Brunswick de 1910 à 1950 », *Égalité*, n° 31, printemps 1992, p. 19-40.

majorité des bûcherons sont des Acadiens. À Edmundston, à l'usine Fraser, la première convention collective n'est signée qu'en 1938. De manière générale, cette période voit les Acadiens suivre l'évolution normale de l'adhésion syndicale. Dans la plupart des cas, les travailleurs et les travailleuses adhèrent à un syndicat qui a une histoire et qui fait partie des structures syndicales les plus importantes.

La crise économique des années 1930

Les phénomènes de coopération, de colonisation et de syndicalisation sont tous, à un degré ou un autre, affectés par les soubresauts de la crise économique des années 1930. Si, de manière générale, on suppose que la crise affecte autant les Acadiens que les autres Canadiens, il est difficile de tracer un portrait fiable de la situation acadienne en général. La tradition orale et l'historiographie traditionnelle ont toujours soutenu que les Acadiens du milieu rural ont moins souffert que ceux du milieu urbain. Au moins, l'Acadie rurale bénéficie d'une agriculture et d'une pêche de subsistance. La coopération et la colonisation ne visent-elles pas toutes deux à amoindrir les effets de la crise ? Les répercussions de la crise sur les habitants des Maritimes se comprennent mieux lorsqu'on observe les chiffres. Pour l'ensemble des Maritimes, de 1929 à 1933, la valeur de la production du bois baisse de 75 %, celle du poisson de 47 %, de l'agriculture de 39 % et du charbon de 45 %. Le nombre d'emplois manufacturiers chute de 38 % et la production d'acier de 62 %. En 1933, le revenu per capita de la région est de 185 $ alors que la moyenne canadienne est de 262 $.

L'aide fédérale, de par sa structure, apporte peu de soulagement aux provinces et aux municipalités plus pauvres du nord du Nouveau-Brunswick. Au milieu des années 1930, les municipalités des comtés de Northumberland, Restigouche et Gloucester sont pratiquement en faillite. Dans Gloucester, durant l'hiver 1936, les 12 000 personnes bénéficiaires de l'aide directe reçoivent un peu plus de 1 $ par mois chacune. Dans les milieux ruraux, l'aide est administrée par des comités de volontaires ou des officiers paroissiaux. La Nouvelle-Écosse et le Nouveau-Brunswick ne sont pas en mesure de respecter le principe du « matching-grant » du fédéral qui leur permettrait d'obtenir plus d'argent. En 1933, leur endettement gruge respectivement 55 % et 35 % de leurs revenus.

L'intérieur du magasin général de Théophile Landry à Pokemouche au nord-est du Nouveau-Brunswick durant les années 1930. Pendant la crise économique, les propriétaires acadiens de petites entreprises rurales ou urbaines n'ont d'autre choix que d'accorder davantage de crédit à leurs clients. Source : Collection privée, Famille Émile Landry

Cette même année, les Maritimes sont habitées par 10 % de la population canadienne mais ne reçoivent que 3,5 % de l'aide directe ; ce sera 2 % en 1938-1939.

Même si cette aide semble être accordée au compte-gouttes, cela n'empêche pas que des rumeurs de fraude persistent à l'endroit des bénéficiaires du secours direct dans les comtés de Northumberland, Restigouche et Gloucester. Le Conseil municipal de Gloucester décide néanmoins de resserrer les critères d'admission aux secours directs et, en octobre 1933, il l'arrête complètement. De septembre 1932 à la fin de juin 1933, il avait déboursé le tiers des 179 000 $ versés dans le comté.

Également, en 1937, l'administration de la ville de Bathurst adopte la devise « Pas de pain sans travail », résultant de sa décision de mettre fin au secours direct. La ville offre plutôt aux chômeurs du travail tel l'enlèvement de la neige à 20 sous l'heure à raison de 10 heures par jour. En adoptant cette mesure, la ville pense économiser près de 10 000 $ pour l'année[6].

Tableau 11[7]

Secours directs dans quelques comtés du Nouveau-Brunswick en 1934

Comté	Montant
Saint John	237 449,18 $
Northumberland	216 532,71 $
Gloucester	170 142,28 $
Restigouche	59 016,08 $
Westmorland	24 612,70 $
Kent	22 805,26 $
Madawaska	21 065,62 $

Un peu partout dans les communautés acadiennes des Maritimes, la crise frappe durement les pêcheurs, les bûcherons, les agriculteurs de métier et les chômeurs ruraux et urbains qui ne possèdent pas de lopin de terre pour assurer leur subsistance. On assiste à une chute des prix des produits de pêche, à une diminution importante des activités forestières primaires et secondaires et à une baisse des prix des produits agricoles en raison de la fermeture des marchés extérieurs et du recours à l'agriculture. Dans les Maritimes, même en 1941, les effets de la grande dépression ne sont pas tout à fait disparus. Les travailleurs comptent encore de huit à dix semaines de travail de moins que la moyenne de 1931 et les revenus, notamment ceux des Acadiens travaillant dans le secteur primaire, n'ont pas augmenté depuis 10 ans.

6. *L'Évangéline*, 26 octobre 1933 et 28 janvier 1937.
7. *L'Évangéline*, 8 mars 1934.

La drave sur la rivière Saint-Jean au nord-ouest du Nouveau-Brunswick à la fin des années 1940. Source : CÉDEM, PC3-138

Conclusion

Si les régions acadiennes en milieux ruraux sont peut-être moins affectées par la crise économique qu'ailleurs aux Maritimes, la période 1914-1950 n'en demeure pas moins marquée par de grandes épreuves. À la fois les deux guerres mondiales et l'émigration ont non seulement pour effet de perturber l'évolution démographique des Acadiens mais elles démontrent également que l'Acadie est toujours grandement dépendante des humeurs des gouvernements et du climat économique. Les succès mitigés de la vague colonisatrice des années 1930 remettent en question le leadership du clergé et de l'élite acadienne et n'empêchent pas l'émigration acadienne de se poursuivre, du moins jusqu'en 1929. Là où les communautés rurales acadiennes se rangent rapidement derrière ses leaders, c'est à l'occasion de l'implantation du mouvement coopératif puisqu'il englobe à la fois les pêches, l'agriculture et l'épargne.

La collaboration entre le clergé et l'élite a aussi des suites heureuses en éducation puisque l'on continue le développement du réseau des collèges acadiens et l'on fait de nouveaux progrès dans l'enseignement du français. La promotion du français devient un dossier de nature plus politique, endossé jusqu'à un certain point par la députation acadienne qui devient plus importante. Un nouveau domaine de revendication réside dans l'intérêt que démontrent les travailleurs acadiens envers la syndicalisation. Ce phénomène semble gagner d'abord les secteurs industriel, urbain et forestier, pour ensuite se propager vers les usines d'apprêtage de poisson.

CHAPITRE VII

Nouveaux enjeux et nouveaux débats 1950-2000

L'Acadie en quête d'un meilleur avenir collectif

L'Acadie, comme les Maritimes, est pratiquement intégrée dans un processus d'uniformisation économique et sociale canadien durant la deuxième moitié du XXe siècle lorsque le fédéral procède à l'implantation de politiques sociales qui visent à améliorer le sort de tous les Canadiens. La scène provinciale du Nouveau-Brunswick et du Québec est également marquée pas des réformes sociales profondes et par l'affirmation nationaliste. Depuis 1963 environ, l'Acadie connaît des transformations qui sont parmi les plus importantes depuis l'époque des conventions nationales des années 1880-1890. Ces transformations laissent paraître des ambiguïtés difficiles à résoudre et qui imposent des solutions neuves et la nécessité d'un regard différent sur des problèmes fondamentaux. Durant les années 1960 et 1970, les Partis acadien et québécois se forment, bien que le premier ne soit pas en mesure de s'affirmer au même titre que le second.

Les communautés acadiennes des Maritimes tentent d'accroître leur contrôle sur des facteurs influant leur avenir collectif: rouages administratifs plus représentatifs des Acadiens et des Acadiennes, statut officiel pour la langue française, institutions culturelles plus dynamiques, cohésion communautaire et développement économique. Ce ne sont là que quelques-uns des nombreux dossiers préoccupant encore les francophones des Maritimes. Bien que l'on compte actuellement sur un nombre important d'institutions acadiennes passablement dynamiques,

La baie Sainte-Marie au sud-ouest de la Nouvelle-Écosse est l'une de ces communautés rurales acadiennes ayant à relever le défi de la diversification économique à l'aube du XXIe siècle. Source : CA

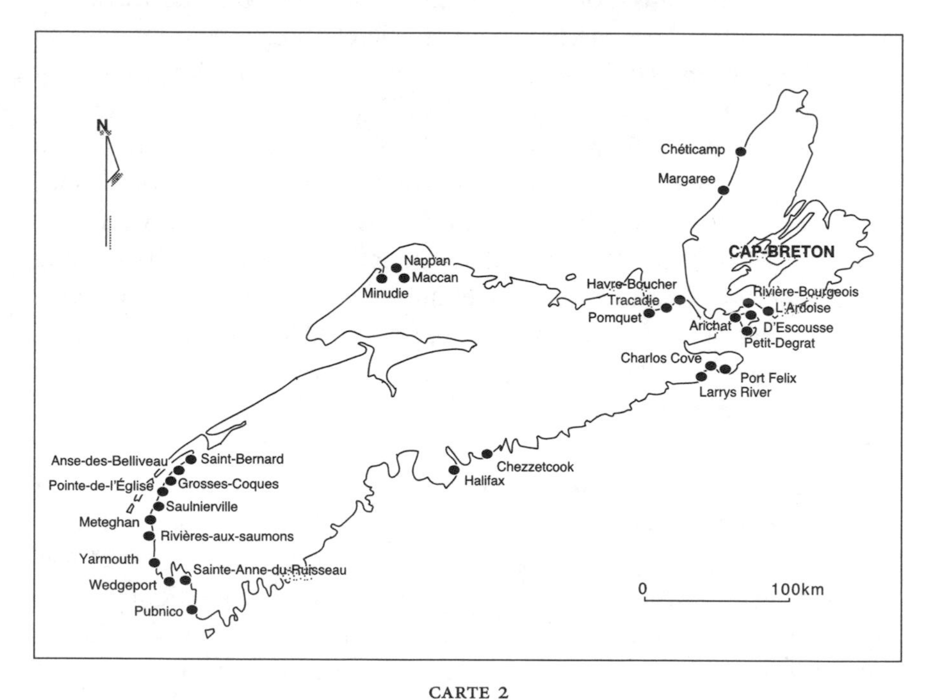

CARTE 2

Les communautés acadiennes de la Nouvelle-Écosse. Source : Jean Daigle, *L'Acadie des Maritimes* [...], Chaire d'études acadiennes, Université de Moncton, 1993, p. 750.

il n'en demeure pas moins que l'on doit désormais compter avec un certain déclin des effectifs. De plus, l'assimilation fait des ravages dans plusieurs régions acadiennes. Il y a donc passablement d'incertitudes qui hantent les communautés acadiennes des Maritimes.

Le politique

La représentation acadienne en politique

À vrai dire, seuls les Acadiens du Nouveau-Brunswick présentent un poids démographique significatif pour détenir une certaine influence politique à Ottawa. De 1953 à 1990, le nombre de députés acadiens néo-brunswickois sur la scène fédérale se chiffre à environ une vingtaine, en majorité des libéraux. Quelques-uns méritent des mentions en raison de leur longévité. Le plus important est probablement Roméo LeBlanc qui, de 1972 à nos jours, est tour à tour député, ministre, sénateur et gouverneur général. Il demeure député du comté de Kent tout au long de sa carrière en politique. Jean-Eudes Dubé et Bernard Valcourt, respectivement des comtés de Restigouche et de Madawaska, sont également députés et ministres ; le premier entre 1962 et 1975 et le second entre 1984 et 1993. Un autre représentant du nord-ouest est Eymard Corbin qui est actif en politique de 1968 à 1984 comme député et sénateur. En 1999, la Chambre des communes compte cinq députés fédéraux francophones du Nouveau-Brunswick soit la moitié des députés que cette province envoie à Ottawa. Les deux autres provinces ne possèdent aucun député acadien dans la capitale nationale, sauf la Nouvelle-Écosse où le député fédéral Mark Muise est d'origine acadienne. À l'Île-du-Prince-Édouard, en août 1999, Melvin Perry devient le premier sénateur acadien à Ottawa. Pierrette Ringuette-Maltais devient la première Acadienne de l'Atlantique à être élue député à la Chambre des communes en 1993.

Cependant, sur la scène provinciale autant que fédérale, et ce pour l'ensemble de l'Acadie des Maritimes, aucun politicien ne marque autant le XXe siècle que Louis J. Robichaud. Originaire du comté de Kent, diplômé du Collège de Bathurst et de l'Université Laval, Robichaud se lance en politique dans la vingtaine, déjà convaincu de l'importance d'instaurer une plus grande justice sociale au Nouveau-Brunswick.

En juin 1960, les Néo-Brunswickois le portent au pouvoir à titre de premier Premier ministre acadien élu. L'avocat de 35 ans domine la scène

Roméo LeBlanc, député, ministre fédéral, sénateur et Gouverneur-général.
Source : CÉA, E38804.

politique de la province durant les années 1960. Aux élections de juin, un nombre record d'électeurs se présente aux urnes et les libéraux s'assurent 50 % du vote populaire contre 47 % pour les conservateurs. Les libéraux remportent les circonscriptions à prédominance francophone et mixte. Robichaud mène délibérément une campagne excluant le caractère ethnique ou culturel et il ne recherche pas l'appui de son propre peuple en faisant appel à sa sympathie nationaliste. Il fait les mêmes promesses à tous les Néo-Brunswickois en insistant pour dire qu'à titre de Premier ministre il est d'abord Canadien et Néo-Brunswickois avant d'être Acadien. Il désire venir en aide à tous ses compatriotes puisque son parti se veut celui de la réforme et du peuple.

Durant la période 1960-1970, le gouvernement Robichaud instaure quelques-uns des programmes les plus controversés et les plus progressistes dans l'histoire de la province. Pas toujours bienvenues, parfois pas nécessairement de grandes réussites, ces lois permettent, entre autres, la reconnaissance du droit de négociation collective dans la fonction

Louis J. Robichaud, premier Premier ministre acadien élu au Nouveau-Brunswick.
Source : CÉA, E40176

publique, la nomination d'un protecteur du citoyen provincial, une loi sur les langues officielles et l'adoption d'un système d'assurance maladie (sans primes). Par contre, l'initiative la plus retentissante consiste en l'implantation d'un imposant programme de réforme sociale permettant d'améliorer grandement les structures municipales, les soins de santé, l'éducation et l'administration de la justice. L'ensemble de ces démarches est connu sous le terme « Chances égales pour tous ». En somme, il s'agit d'instaurer des réformes permettant de diminuer les écarts socio-économiques existant entre les régions de la province.

Son successeur, le conservateur Richard Hatfield, remporte l'élection de 1970 et se maintient aux rênes du pouvoir jusqu'en 1987 parce qu'il a à son service une organisation politique très efficace, parce que ses opposants libéraux n'arrivent pas à se remettre sur pied après leur défaite de 1970, parce qu'il réussit à construire une alliance électoraliste entre Acadiens et anglophones, parce qu'il sait présenter adroitement à l'opinion publique son projet de reconnaissance des Acadiens et parce qu'il mène une gestion prudente des affaires de la province. C'est en partie grâce au gouvernement Hatfield que les articles les plus importants de la loi reconnaissant l'égalité des deux communautés linguistiques se trouvent enchâssés dans la charte canadienne en 1982. Il promulgue certains

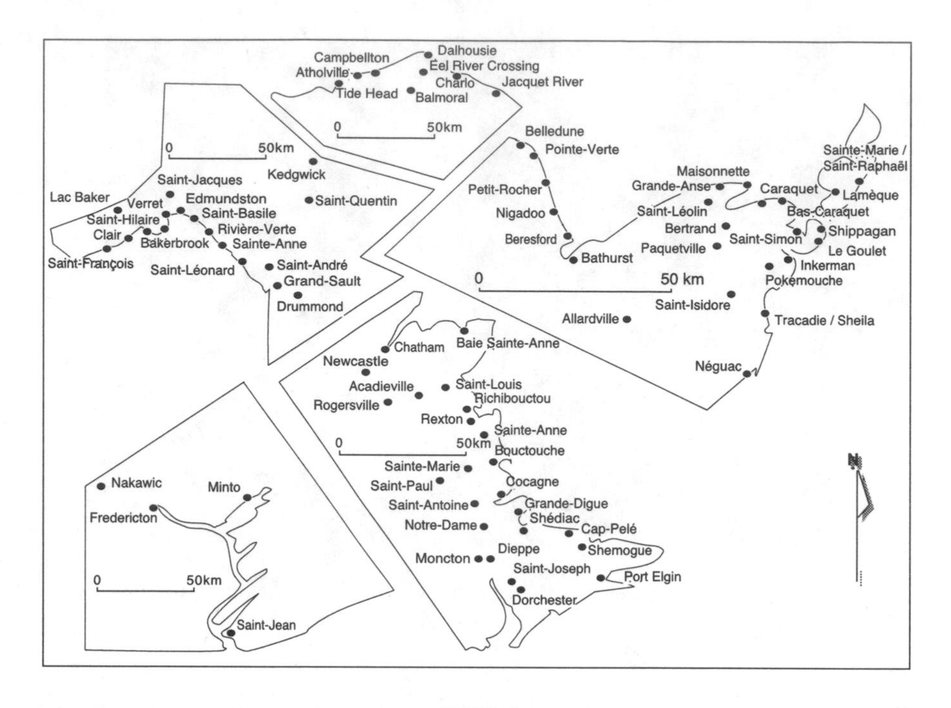

CARTE 3

Les communautés acadiennes du Nouveau-Brunswick. Source : Jean Daigle, *L'Acadie des Maritimes* [...], Chaire d'études acadiennes, Université de Moncton, 1993, p. 430.

articles de la loi qui ne l'étaient pas sous Robichaud. Cela place la loi 88 à l'abri d'une éventuelle remise en question par la province. Malheureusement, ce genre de loi n'existe pas pour les Acadiens des deux autres provinces maritimes.

C'est aussi durant la longue administration Hatfield que des militants et militantes francophones fondent le Parti acadien (PA), dont l'une des options politiques est la scission de la province pour former un territoire acadien ayant le statut de province. Il semble alors exister une volonté chez les Acadiens d'obtenir l'autonomie là où ils sont en majorité. Les membres du PA sont conscients qu'ils ne peuvent pas aspirer à détenir le pouvoir politique, en raison du contexte minoritaire de la communauté acadienne et ils visent plus à politiser les Acadiens qu'à remporter des sièges[1]. Les partis traditionnels craignent que la division des votes

---

1. Roger Ouellette, *Le Parti acadien : de la fondation à la disparition, 1972-1982*, Moncton, Chaire d'études acadiennes, Université de Moncton, 1992.

Donatien Gaudet, militant acadien de longue date. Entre autres, au sein du Parti acadien. Source : CÉA, E37446.

n'affaiblisse davantage les francophones. Mais des observateurs de l'époque rappellent aux politiciens acadiens des vieux partis que ces derniers doivent reconnaître les aspirations légitimes des Acadiens.

Le PA est toutefois divisé par certaines tensions existant entre les militants du nord et ceux du sud de la province. Sans compter que les politiques conciliantes du gouvernement Hatfield à l'endroit des Acadiens ont pour effet de miner les appuis au PA. N'empêche que la présence du PA contribue sans doute à sensibiliser toute la province au besoin de s'occuper davantage de la question acadienne. La Convention d'orientation de 1979, grand rassemblement visant à définir les orientations politiques de l'Acadie du Nouveau-Brunswick, est considérée par certains comme un événement marquant la fin du néo-nationalisme acadien. Peu après en 1982, le PA cesse ses activités. La dimension

Gilles Thériault et Jean-Louis Collette, candidats du Parti acadien en 1974.
Source : CÉA, E1 8823.

politique de la question acadienne devient moins centrale dans les préoccupations des Acadiens et des Acadiennes. C'est maintenant la préoccupation du bien-être individuel qui semble primer sur l'action collective. Avec l'arrivée au pouvoir des libéraux de Frank McKenna en 1987, le gouvernement du Nouveau-Brunswick a pour stratégie d'exercer une gestion financière serrée et de promouvoir la province afin d'attirer des entreprises de l'extérieur. Il va sans dire que, comme ailleurs au Canada, des compressions budgétaires importantes sont imposées dans la santé, dans les services sociaux et en éducation. La fermeture d'écoles rurales, en raison de la baisse du nombre d'élèves, provoque des incidents violents à Saint-Sauveur et à Saint-Simon au nord-est de la province. Par ailleurs, suite à une entente entre le fédéral et le provincial en 1993, la loi 88 est enchâssée dans la constitution canadienne ; reconnaissant formellement l'égalité des deux communautés linguistiques officielles du Nouveau-Brunswick. En 1999, le Parti libéral de Camille Thériault est défait par celui du jeune chef conservateur Bernard Lord.

En Nouvelle-Écosse, les premiers ministres qui se succèdent à partir de Robert Stanfield, à la fin des années 1950, font généralement preuve d'une nouvelle ouverture d'esprit à l'endroit de la communauté acadienne. Par exemple, un ministre de l'Éducation acadien est nommé pour la première fois au milieu des années 1960. Élu d'abord en 1983, Guy LeBlanc, député de Clare, occupe plusieurs postes clés au Cabinet, y compris ceux de ministre des Services communautaires, de ministre des Pêches et de ministre de l'Éducation. Il est aussi nommé ministre responsable des Affaires acadiennes en 1988. En 1984, la grande circonscription du comté de Yarmouth est divisée de façon à assurer une représentation acadienne d'Argyle. Cette démarche semble avoir un effet positif sur l'échiquier politique puisqu'à l'issue des élections de septembre 1988 trois Acadiens sont membres du gouvernement conservateur.

En fait, les Acadiens de cette province n'ont jamais été si bien représentés à la législature néo-écossaise. L'Acadie néo-écossaise est également assez bien représentée sur la scène fédérale depuis la fin des années 1960. Entre autres, par Louis R. Comeau, élu en 1968 pour représenter South West Nova et ce, jusqu'en 1974. Au Cap-Breton, Francis LeBlanc est élu à la Chambre des communes en 1988 en tant que député libéral. En 2000, Wayne Gaudet, Michel Samson et Neil LeBlanc représentent l'électorat acadien à Halifax. À l'Île-du-Prince-Édouard, Léonce Bernard est élu au provincial en 1975 et est nommé ministre de l'Industrie et plus tard des Affaires communautaires et culturelles de la province. La formation, en 1977 du Comité consultatif acadien du gouvernement provincial constitue un événement important dans les relations entre la communauté acadienne et le gouvernement de l'île. À l'heure actuelle, Robert Maddix est le seul député acadien à Charlottetown. Aubin Doiron est devenu lieutenant-gouverneur en 1979.

Le lobbying acadien

Les politiciens ne sont pas les seuls acteurs à laisser leurs traces dans le paysage politique. De plus en plus, un nombre croissant d'organismes acadiens de toutes sortes émergent un peu partout aux Maritimes. C'est ainsi qu'en 1956 un secrétariat permanent de la Société nationale des Acadiens (SNA) est mis sur pied. Mais, comme les Acadiens de l'Île-du-Prince-Édouard ont déjà leur propre société provinciale, la Société Saint-Thomas-d'Aquin, et que ceux de la Nouvelle-Écosse font de même en 1967 en établissant la Fédération des francophones de la Nouvelle-Écosse, la SNA a tendance à devenir en fait le mouvement socioculturel

Le père Léger Comeau en 1979. Ce nationaliste de la baie Saint-Marie a milité sans relâche pour la cause acadienne en Nouvelle-Écosse. Source : CÉA, E36 347.

des seuls Acadiens du Nouveau-Brunswick. C'est pourquoi, en 1973, ces derniers fondent la Société des Acadiens du Nouveau-Brunswick (SAANB) et la SNA redevient un organisme interprovincial à qui on confie le mandat de s'occuper des problèmes communs aux trois groupes acadiens en même temps que des relations extérieures. Ces organismes font face à de grands défis au cours de la dernière décennie. La SAANB connaît des problèmes financiers en 1998, sans doute en bonne partie redevables aux réductions des subventions fédérales destinées au secteur culturel. Même son de cloche en Nouvelle-Écosse où la Fédération des Acadiens de la province éprouve énormément de difficulté à maintenir une stabilité au poste de directeur général.

De plus en plus, les organismes acadiens assument un peu le rôle de chien de garde des intérêts acadiens face au renforcement substantiel du rôle des gouvernements provinciaux dans des services et des institutions autrefois gérés par les Acadiens et les Acadiennes. Au Nouveau-Brunswick, contrairement à d'autres provinces, le gouvernement provincial mène une très grande centralisation des pouvoirs législatif, exécutif et administratif. Et cette tendance à la centralisation s'accentue durant la dernière décennie —1987-1997 — comme le confirment la récente réforme en éducation, les fusions de municipalités imposées unilatéralement, l'organisation de la fonction publique centrale sous la forme d'équipes mixtes plutôt qu'homogènes et dualistes, la « maritimisation » de l'éducation supérieure, qui réduit progressivement la dualité dans ce secteur à une valeur symbolique, etc. Cette centralisation, sans mécanismes distinctifs, propres à la communauté acadienne, réduit considérablement l'autogestion de la communauté acadienne[2].

L'Acadie dans l'espace francophone

Comme au siècle précédent, les organismes acadiens sont conscients de l'importance de cultiver les relations avec les deux principaux acteurs de la francophonie canadienne et française, soit le Québec et la France. Durant les années 1960, les Premiers ministres Louis Robichaud du Nouveau-Brunswick et Jean Lesage du Québec entretiennent des relations de bon voisinage, encouragées et nourries par les hauts fonctionnaires. En décembre 1969, le gouvernement du Nouveau-Brunswick et celui du Québec signent un accord de coopération et d'échanges en matière d'éducation, de culture et de communications à Fredericton. Le gouvernement Lesage fait, entre autres, un don au journal *L'Évangéline*, tout comme le gouvernement français. Il n'exige pas la création d'une délégation du Québec au Nouveau-Brunswick, ce qui aurait été mal perçu par les anglophones. Une délégation est établie à Moncton, le 3 mars 1980, sous l'administration Hatfield[3].

Les relations entre le Nouveau-Brunswick et la France consistent principalement en des visites et audiences du consul de France à Halifax ou de l'ambassadeur à Ottawa qui effectue des visites régulières dans la région atlantique. C'est ainsi que Louis Robichaud propose à l'ambassadeur français, Raymond Bousquet, qu'un consulat de France soit établi à Moncton, le Premier ministre expliquant que les francophones sont

2. André Leclerc *et al.*, *L'Acadie à l'heure des choix. L'avenir politique et économique de l'Acadie du Nouveau-Brunswick*, Moncton, Éditions d'Acadie, 1996.

3. Robert Pichette, *L'Acadie par bonheur retrouvée : De Gaulle et l'Acadie*, Moncton, Éditions d'Acadie, 1994.

Gilbert Finn a occupé plusieurs postes clés au sein des institutions acadiennes de la deuxième moitié du XXe siècle. Entre autres au sein de la Société mutuelle L'Assomption et à titre de recteur de l'Université de Moncton. Il occupa aussi le poste de lieutenant-gouverneur de la province du Nouveau-Brunswick. Source : CÉA, E37446.

concentrés surtout au Nouveau-Brunswick. En 1964, une chancellerie détachée du consulat général de France à Halifax est maintenue jusqu'en novembre 1966 alors que la chancellerie de Moncton est élevée au rang de consulat. Un contexte favorable à des contacts réguliers entre la France et l'Acadie se concrétise entre autres lors de la visite, en juin 1966, d'une délégation de la Société historique acadienne à Belle-Île-en-Mer. Parmi les délégués acadiens, Gilbert Finn, gérant général de la Société mutuelle L'Assomption. Suite à des rencontres avec Philippe Rossillon, promoteur acharné de l'Acadie en France, le docteur Léon Richard, président de la Société nationale des Acadiens, s'adresse au général de Gaulle, pour attirer l'attention du gouvernement français. C'est ce qui mène à la visite de quatre leaders acadiens en France en 1968, soit Léon Richard, Calixte Savoie, Gilbert Finn et Euclide Daigle.

Le comité exécutif de la SNA met sur pied, en novembre 1967, un comité spécial pour les relations franco-acadiennes. Du côté de la francophonie internationale, l'Acadie se dote de structures représentatives, le

Nouveau-Brunswick français étant plus actif que les deux autres provinces maritimes. Membre à titre de « gouvernement participant » de l'Agence de coopération culturelle et technique depuis 1977, le Nouveau-Brunswick invite généralement les représentants de la SAANB à faire partie de la délégation aux réunions de l'Agence. Il en est de même pour les rencontres du Sommet de la francophonie, où se retrouvent des représentants de la SNA et de la SAANB. Le Nouveau-Brunswick a par ailleurs des ententes particulières avec le Québec et la France concernant la coopération culturelle. Les députés francophones du Nouveau-Brunswick, de la Nouvelle-Écosse et de l'Île-du-Prince-Édouard sont également membres de l'Association internationale des parlementaires de langue française.

Par ailleurs, les Acadiens participent à plusieurs organismes privés ou semi-privés qui favorisent les échanges et la coopération au sein de la francophonie internationale : l'Association France-Canada, les Amitiés acadiennes, l'Association des universités partiellement ou entièrement de langue française, etc. Dans cette foulée de l'affirmation acadienne, l'Organisation des Nations unies pour l'éducation, la science et la culture — UNESCO — a reconnu le Congrès mondial acadien de 1994 à Moncton comme une activité de la Décennie mondiale du développement culturel — 1988-1997.

Le social

L'acadianisation du système d'éducation

Bien intégrés ou non dans la modernité canadienne qui s'affirme de plus en plus à compter des années 1960, les Acadiens doivent continuer de mener de vieux combats pour assurer le maintien et, dans une certaine mesure, le développement de l'éducation en français et l'usage de cette langue dans le quotidien des Acadiens et des Acadiennes. Ceci, non seulement à la maison mais également dans le milieu de travail de même que dans les services publics et parapublics. En 1963, la Commission Byrne propose une réforme en profondeur du système scolaire du Nouveau-Brunswick. À partir de 1964, il y a deux sous-ministres de l'Éducation ; l'un anglophone et l'autre francophone. Dès 1966, l'administration et le financement de l'éducation sont centralisés et le nombre de districts scolaires passe de 422 à 33. À compter de 1970, presque tous les manuels sont disponibles en français. Le gouvernement, dans l'optique d'assurer une représentation équitable des francophones et des anglophones au sein des districts scolaires, se réserve le droit de nommer la moitié de leurs membres. Désormais, la grammaire et la composition françaises figurent au programme des examens du ministère de l'Éducation. Bien que le personnel francophone du ministère commence alors à augmenter, les minorités francophones des villes néo-brunswickoises doivent continuer à livrer de longues luttes pour obtenir des écoles exclusivement francophones durant les années 1970 : Fredericton, Saint-Jean, Moncton, Campbellton, Dalhousie, Bathurst et Richibouctou. Heureusement, les années 1980 marquent l'abolition des écoles et des classes bilingues, des outils d'assimilation dévastateurs pour les francophones.

En Nouvelle-Écosse, en 1974, la province met sur pied une commission royale d'enquête sur l'éducation. Elle recommande que la loi scolaire soit modifiée de façon à garantir l'accès à des programmes en français dans toutes les agglomérations où au moins 10 % de la population est francophone. En juin 1981, le gouvernement provincial décide de modifier la Loi sur l'éducation par le projet de loi 65. Cela marque un tournant dans l'histoire de l'éducation des Acadiens dans cette province. Cette loi confère aux écoles acadiennes un statut légal longtemps attendu, elle établit des lignes directrices relatives au nombre de classes françaises et anglaises, et elle assure enfin la création d'un programme d'étude qui comprend l'histoire et la culture acadiennes. D'ailleurs, d'après les manuels scolaires utilisés en Nouvelle-Écosse, le peuple acadien n'existe plus, et trois siècles de son histoire restent dans l'ombre.

Bien que la loi 65 soit adoptée le 15 juin 1981, les réformes s'accomplissent très lentement et s'avèrent beaucoup plus complexes que ne l'avaient prévu le ministère de l'Éducation et les conseils scolaires locaux néo-écossais. En 1984 s'ajoute le droit de gérance relatif aux écoles de langue française. Beaucoup de parents s'opposent aux changements proposés puisque ceux-ci font augmenter le nombre de classes qui dispensent l'enseignement en français. Or, les autorités acadiennes responsables de l'éducation considèrent cela comme une mesure essentielle afin de freiner le taux d'assimilation. D'ailleurs, une étude effectuée en 1987 confirme que l'anglais s'infiltre dans les foyers acadiens depuis deux générations. On étudie à la fois les habitudes linguistiques, le style de vie et les activités de loisir.

Tableau 12

Répartition des jeunes Acadiens de la Nouvelle-Écosse (en %) selon la langue parlée au foyer, par région, 1987

Région	*Français*	*Anglais*	*Les deux langues*
Chéticamp	56	5,2	37,9
Île Madame	9	18	73
Pomquet	4,5	4,5	90,9
Clare	68,8	6,5	24,6
Argyle	46,7	15,9	34,4
Halifax	13	43,5	43,5

Source : Alphonse Deveau et Sally Ross, *Les Acadiens de la Nouvelle-Écosse : hier et aujourd'hui*, Moncton, Éditions d'Acadie, 1995, p. 241.

Au départ, les parents acadiens craignent que « trop » de français ne compromette l'avenir de leurs enfants dans une province anglaise. Ils ont grandi dans les années 1950 et 1960, à une époque où la majorité anglophone est peu tolérante envers les gens qui parlent français en public. Bref, en 1984, la mère ou le père acadien moyen n'a aucune raison de croire que son enfant peut être avantagé par un enseignement en français.

Très tôt, il devient évident que la protection du français ne peut se réaliser sans le respect des réalités linguistiques des diverses communautés acadiennes en Nouvelle-Écosse. Par exemple, l'information écrite provenant des écoles et envoyée aux parents est fournie dans les deux langues. Deux grandes controverses marquent l'implantation d'écoles acadiennes soit celles de Chéticamp en 1985 et de Sydney entre 1986 et 1989. En 1996, les Acadiens de la Nouvelle-Écosse obtiennent enfin la gestion de leurs écoles. Il existe maintenant en Nouvelle-Écosse le Conseil scolaire acadien provincial qui englobe des écoles des districts d'Inverness, de Richmond, Clare et Argyle. Mais il comprend aussi des écoles à Greenwood, Pomquet, Halifax, Sydney, Truro et Bridgewater. Au cours des années 1990, cette question des écoles françaises mobilise beaucoup d'énergie chez les leaders acadiens néo-écossais. En mai 1999, le gouvernement libéral de Nouvelle-Écosse décide de bâtir plusieurs nouvelles écoles dont quelques-unes exclusivement françaises. Cette

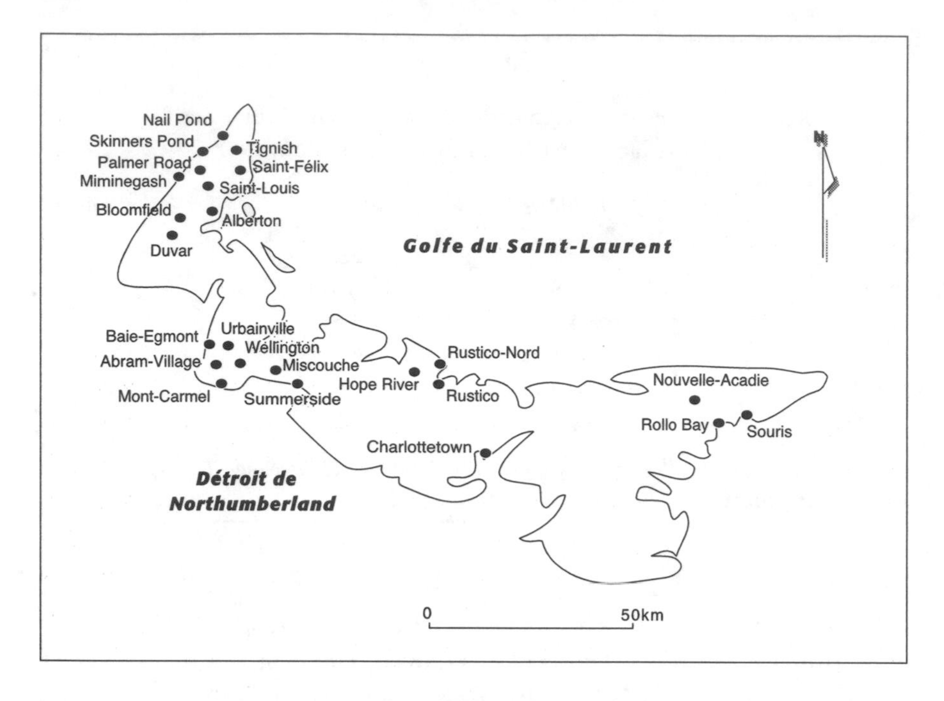

CARTE 4
Les communautés acadiennes de l'Île-du-Prince-Édouard.
Source : Jean Daigle, *L'Acadie des Maritimes* [...], Chaire d'études acadiennes, Université de Moncton, 1993, p. 844.

décision est cependant remise en question par le nouveau gouvernement conservateur dans son budget de 2000-2001.

Dans les communautés acadiennes de l'Île-du-Prince Édouard, comme partout ailleurs dans la province, se manifeste un intérêt grandissant à l'égard de l'éducation depuis la venue des allocations familiales et des subsides gouvernementaux destinés à l'amélioration et à la construction des écoles. Cependant, au début des années 1950, des études révèlent que les enfants acadiens quittent l'école trop tôt, notamment entre la sixième et la neuvième année. Ces communautés font toujours face à une pénurie d'enseignants francophones compétents ; de nombreuses écoles acadiennes sont donc obligées d'employer des instituteurs et des institutrices anglophones.

En 1953, la Société Saint-Thomas-d'Aquin de l'Île-du-Prince-Édouard continue son programme de prêts et de bourses et lance un plan d'aide financière destiné à procurer aux écoles acadiennes des instituteurs et des institutrices titulaires d'une bonne formation. Les dirigeants de la Société discutent également de la possibilité de fonder une école française pour les élèves du secondaire, afin de pallier le manque d'éducation française. L'idée mène à la création de l'École régionale Évangéline, à Abram-Village, en 1960. Les élèves acadiens y suivent le programme régulier anglais du ministère de l'Éducation avec un peu de grammaire et de littérature française. À l'extérieur de la région Évangéline, les élèves acadiens fréquentent les différents « high schools » établis surtout à partir de 1960. En 1966, une enquête démontre que seulement 50,5 % des élèves d'origine acadienne comprennent et parlent le français. Une véritable réforme est amorcée avec la loi de 1971 qui divise l'île en cinq unités régionales administrées par un conseil scolaire élu de quinze membres. Les services administratifs du ministère comprennent aussi un département des programmes français. L'unité 5 est majoritairement francophone et le français y est en pratique enseigné comme langue première.

Par contre, la consolidation a pour effet d'éliminer plusieurs petites écoles acadiennes, dont 17 dans le comté de Prince. À compter de 1974, l'aide financière du Secrétariat d'État permet l'introduction du programme d'immersion française et l'amélioration de l'enseignement du français langue seconde dans toutes les écoles de l'île. En 1980, un amendement à la loi scolaire donne accès à l'éducation en français là où le nombre d'écoliers de langue maternelle française le justifie. Le droit à la gestion scolaire est obtenu en 1988, suivi de près par la mise en place d'une commission scolaire francophone provinciale en 1990. En janvier 2000, la Cour suprême du Canada rend un jugement qualifié d'historique en faveur des parents francophones de l'Île-du-Prince-Édouard. Le verdict oblige le gouvernement à construire des écoles françaises du moins à Summerside et à Charlottetown. D'autres communautés francophones des Maritimes pourraient bien profiter du jugement dans les prochaines années.

Du collégial à l'université

La restructuration des établissements universitaires permet aux Acadiens et aux Acadiennes d'avoir accès à une meilleure formation postsecondaire au début des années 1960. En fait, c'est suite à un mémoire présenté en 1960 au Cabinet de Louis Robichaud qu'une commission royale d'enquête est mise sur pied et produit le rapport Deutsch en 1962. Ce dernier recommande la création d'une université à Moncton avec affiliation des collèges à cette nouvelle institution. En 1963 est donc créée l'Université de Moncton par la fusion des trois collèges universitaires alors existants, soit Sacré-Cœur (Bathurst), Saint-Joseph (Memramcook) et Saint-Louis (Edmundston). À Shippagan, les religieuses de Jésus-Marie fondent un collège pour filles en 1960. En 1963, le collège est annexé à celui de Bathurst. Un autre collège pour filles, celui de Maria Assumtia, fondé par les Filles de Marie de l'Assomption, est lui aussi annexé au collège de Bathurst et il fonctionne de 1965 à 1969. Un deuxième rapport, en 1967 celui-là, suggère que l'Université de Moncton soit désignée établissement public dirigé par des laïcs. Les collèges affiliés sont alors intégrés à la faculté des arts de l'université. Subséquemment, en 1974, le Collège de Bathurst ferme ses portes et, l'année suivante, le rapport LeBel propose une université à trois campus, soit Moncton, Edmundston et Shippagan.

Le gouvernement Robichaud accorde un intérêt important à l'enseignement postsecondaire puisqu'en 1967 il lui alloue 20 millions de dollars. À l'Université Sainte-Anne aussi des changements importants prennent place suite aux événements mouvementés de 1968-1970. Non seulement les Eudistes se retirent-ils de l'administration du collège mais le gouvernement provincial néo-écossais semble souhaiter la fermeture de l'institution en faveur d'un collège communautaire situé à Yarmouth ou à Meteghan. Suite à une longue lutte pour préserver leur institution, les Acadiens et Acadiennes de la baie Sainte-Marie héritent finalement d'une université à part entière sous administration laïque, comme pour celle de Moncton.

Dans le domaine littéraire, à compter de 1958, avec la publication de *Pointe-aux-Coques* d'Antonine Maillet, une nouvelle orientation est donnée à la production artistique : la mer et la dramatique tiennent dorénavant une grande place. Dans la foulée du mouvement de contestation de l'Université de Moncton, plusieurs jeunes auteurs dénoncent ceux qui sont jugés responsables de la situation difficile dans laquelle vivent les Acadiens. Les Laval Goupil, Raymond LeBlanc, Guy Arsenault, Germaine Comeau et Herménégilde Chiasson contribuent tous, par leurs écrits, à forger certaines facettes de l'identité acadienne. Au début des années 1970, la fondation des Éditions d'Acadie et du Théâtre populaire

Depuis la fin des années 1980, l'Université Sainte-Anne connaît une importante expansion de ses infrastructures. Source CA.

d'Acadie aide grandement à la diffusion des œuvres acadiennes. Au cours des années 1980, les sujets exploités par une nouvelle génération de romanciers acadiens font place à une littérature du présent. Depuis lors, la poésie, de par son nombre d'auteurs et de publications, s'avère le genre littéraire dominant. Là aussi, on se distance des thèmes nationalistes pour s'ouvrir au monde. Serge-Patrice Thibodeau est probablement celui qui s'est le plus démarqué sur la scène nationale et même internationale.

À côté de la littérature et du théâtre, la sculpture, la peinture, la photographie, la céramique, la lithographie, le multimédia et le cinéma font également leur marque. Bien que la musique traditionnelle acadienne ait retrouvé ses lettres de noblesse durant les années 1970 avec en tête le groupe 1755, des artistes acadiens se sont aussi signalés dans le domaine classique telles Rose-Marie Landry et Nathalie Paulin. Quelques artistes ont laissé leur marque par la longévité de leur carrière et par l'importance de leur discographie. On pense entre autres à Édith Butler et à Angèle Arsenault. Il ne faudrait pas oublier la contribution des congrégations religieuses qui continuent d'offrir des cours de musique aux jeunes élèves. Bien sûr certaines réformes du système d'éducation ont un peu dilué le rôle des congrégations dans ce domaine. À titre d'exemple, en 1969 c'est le transfert des classes du secondaire de l'Hôtel-Dieu de

Durant les années 1990, de nouveaux groupes musicaux réussissent à faire leur marque à l'extérieur de l'Acadie, dont le groupe Grand Dérangement de la Nouvelle-Écosse. Source : CA.

Activités culturelles étudiantes au campus Saint-Louis-Maillet d'Edmundston en 1976. Source : CÉDEM, PB1-19.

Saint-Basile à l'École régionale et en 1972 c'est la fusion du Collège Maillet au Collège Saint-Louis annonçant ainsi la fin de l'École de musique des Hospitalières. Depuis 1980, l'Hôtel-Dieu poursuit sa vocation musicale en soutenant l'œuvre des Petits Violons de Saint-Basile fondée par Lionel Daigle. D'autres exemples existent dont le Conservatoire de musique de la péninsule acadienne et les toujours très populaires Petits Chanteurs d'Acadie.

Le français dans la vie publique

C'est une chose de réaliser des gains dans l'enseignement en français mais encore faut-il que les Acadiens et les Acadiennes soient en mesure d'utiliser le français à titre de citoyen. Par exemple, la Loi sur les langues officielles, adoptée le 1er juillet 1969 par Ottawa, conduit éventuellement à la procédure permettant de tenir des procès en français en 1976. Au début des années 1980, huit juges sur 23 sont bilingues à la Cour provinciale du Nouveau-Brunswick alors que c'est 5 sur 15 pour la Cour de comté. C'est aussi l'adoption de la Charte canadienne des droits et libertés, en 1982, qui a le plus servi à faire avancer les dossiers linguistiques et culturels au Canada. L'article 23 garantit des droits scolaires aux minorités linguistiques provinciales et permet d'intenter des actions devant les tribunaux dans l'espoir de faire préciser et faire respecter les garanties relatives aux établissements scolaires.

Malgré cela, à l'Île-du-Prince-Édouard comme en Nouvelle-Écosse et au sud-est du Nouveau-Brunswick, l'assimilation fait d'importants ravages après la Seconde Guerre mondiale. Selon le recensement de 1951, l'Île-du-Prince-Édouard compte 15 477 insulaires d'origine ethnique française mais seulement 8477 (58 % environ) sont de langue maternelle française. En 1971, la situation a visiblement empiré. Sur 15 325 personnes d'origine ethnique française, 7365 (48 %) déclarent avoir appris le français comme langue maternelle. Au début des années 1980, plus de 50 % des Acadiens insulaires sont unilingues anglais. Plusieurs communautés acadiennes sont presque totalement anglophones. Au Nouveau-Brunswick, en 1951, 93,7 % des citoyens d'origine francophone déclarent le français comme langue maternelle ; en 1960, le taux a chuté à 90,7 %. Le Nouveau-Brunswick possède la plus forte concentration d'Acadiens. En 1996, 239 730 sur une population totale de 738 133 ou 32,5 %. En Nouvelle-Écosse c'est 3,8 % (35 040) et à l'Île-du-Prince-Édouard 4,9 % (5555).

Malgré une baisse de ferveur religieuse à compter des années 1960, les Acadiens fréquentent toujours en très grand nombre des lieux de pèlerinage tel le sanctuaire de Sainte-Anne-du-Bocage près de Caraquet au nord-est du Nouveau-Brunswick. Source : Collection privée, Famille Émile Landry.

Fait à noter, l'absence de prêtres de langue française pour desservir les régions où est concentrée une importante partie de la population acadienne et francophone préoccupe toujours la communauté acadienne. À l'Île-du-Prince-Édouard, les Acadiens présentent des requêtes à leur évêque à quatre reprises entre 1946 et 1965. Elles soulignent avant tout le manque de services religieux en français dans les paroisses où les Acadiens se trouvent en grand nombre. Alors que les curés unilingues anglais desservent des paroisses acadiennes, des prêtres acadiens sont placés dans des paroisses totalement anglophones. Mais en 1991, un évêque acadien est nommé, soit Mgr Joseph Vernon Fougère, originaire de la Nouvelle-Écosse. Également, les prêtres acadiens sont presque totalement absents de la hiérarchie ecclésiastique. Vers la fin des années 1960 et au cours des années 1970, une plus grande place est accordée à la langue française dans le diocèse. Certaines paroisses reçoivent des curés acadiens pour la première fois depuis cinquante ans.

La société acadienne du Nouveau-Brunswick, elle, fait cependant face à un problème de recrutement sacerdotal. Pour l'archevêché de Moncton seulement, l'âge moyen des 35 prêtres francophones actifs est de 59 ans en 1991, et de 54 ans pour les 10 prêtres anglophones. Cette année-là, déjà 11 paroisses du diocèse sont sans curé résident[4]. De plus en plus, de nombreux prêtres doivent desservir plus d'une paroisse dont les presbytères sont vides.

Les médias acadiens en expansion

Bien sûr, la présence de médias francophones constitue un outil pouvant promouvoir le français et freiner l'assimilation. Par exemple, le journal *L'Évangéline* devient quotidien en septembre 1949 avec environ 8 000 abonnés. C'est d'ailleurs durant les années 1950 que l'influence de *L'Évangéline* dans la formulation du nationalisme acadien s'est le mieux articulée. Bien que le journal accumule les déficits, des collectes publiques le maintiennent à flot. En 1965, ce quotidien passe sous l'administration de L'Assomption Mutuelle-Vie, avant d'être transféré, en 1974, à une entreprise sans but lucratif, les Œuvres de presse acadiennes. De 1971 à 1982, le nombre d'abonnés passe de 8000 à 21 000 en 1980 pour retomber à 17 000 en 1982. Suite à la fermeture définitive de ce quotidien, *L'Acadie nouvelle* prend la relève. De 1952 à 1991, en plus de *L'Évangéline* —1887-1982 —, il existe 24 autres journaux acadiens, tous des hebdomadaires sauf *Le Matin* —1986-1988 — de Moncton et *L'Acadie nouvelle* —1984 — de Caraquet. En Nouvelle-Écosse, *Le Petit Courrier* est publié depuis 1937 et connaît lui aussi des problèmes financiers. Pour sa part, *La Voix acadienne* de Summerside fonctionne depuis 1975.

À la veille de la Deuxième Guerre mondiale, les quelque 700 000 francophones des provinces maritimes sont encore privés des services en français de Radio-Canada. En 1947, la station de radio privée CHNC de New Carlisle, en Gaspésie, est associée à Radio-Canada et dessert une bonne partie des francophones des Maritimes. Bien que la station CJEM d'Edmundston commence ses activités en 1944, son rayon est limité à la région du Madawaska.C'est suite au mémoire du père Clément Cormier déposé devant la commission Massey en 1950, que les choses commencent à bouger et en février 1954 CBAF est inauguré à Moncton. Mais ce

4. Léon Thériault, « L'Acadie de 1763 à 1990, synthèse historique », *L'Acadie des Maritimes* [...], sous la direction de Jean Daigle, Chaire d'études acadiennes, Université de Moncton, 1993, p. 45-92.

Les bureaux du quotidien provincial *L'Acadie nouvelle* à Caraquet au nord-est du Nouveau-Brunswick. Source : *L'Acadie nouvelle*

Clément Cormier fut fondateur de l'Université de Moncton et auteur d'un mémoire déposé devant la commission Massey en 1950. Il fut sans l'ombre d'un doute en bonne partie responsable de la venue de Radio-Canada à Moncton. Source : CÉA, PB1-136.

n'est qu'en 1959 que la majorité des francophones des autres régions bénéficient de postes relais. La télévision de Radio-Canada, elle, arrive à Moncton en décembre 1959 mais, comme la radio, on tarde à étendre le service à l'ensemble des Maritimes. À compter de la fin des années 1970, un grand nombre de radios privées et communautaires sont lancées dans les trois provinces pour mieux desservir les Acadiens et les Acadiennes.

Les mouvements contestataires

Bien que l'élite acadienne et cette nouvelle bourgeoisie militent de plain-pied pour faire avancer les causes de l'éducation et de l'usage du français, la fin des années 1960 voient poindre les actions d'une nouvelle couche de la société acadienne : ses étudiants et ses étudiantes. En fait, les étudiants et les étudiantes de l'Acadie des Maritimes suivent un courant international. Le militantisme étudiant devient monnaie courante sur la scène universitaire nord-américaine des années 1960. Au Nouveau-Brunswick, un usage plus institutionnalisé du français se révèle un enjeu important chez la communauté étudiante acadienne dès la fin des années 1960. Moncton, ville du sud-est de la province, a une longue histoire de conflits et de tensions entre la minorité acadienne et la majorité anglaise. Dans ce contexte, l'année 1968 marque un tournant dans l'histoire du rapport interculturel entre la collectivité acadienne, qui compose environ 35 % de la population de la ville, et le groupe anglophone majoritaire[5].

En février 1968 la rencontre symbolique entre le maire anglophone, Leonard C. Jones, et un groupe d'étudiants francophones de l'Université de Moncton a lieu dans la salle du Conseil de l'hôtel de ville à propos des droits linguistiques des Acadiens dans la ville. Par la même occasion, une manifestation est organisée au cours de laquelle les étudiants réclament plus de français à Moncton. En plus des événements de l'affrontement avec Jones, les étudiants boycottent les cours pendant dix jours pour protester contre une hausse des frais de scolarité. Le 20 février, pour la première fois dans l'histoire de la province, une manifestation a lieu

5. Barbara LeBlanc, « Tête à tête et Charivari à Moncton : rencontre inter-culturelle entre les Acadiens et les Anglophones de Moncton », *Les Cahiers de la Société historique acadienne*, vol. 27, n° 1, janvier-mars 1996, p. 4-18.

Manifestation étudiante à l'Université de Moncton en 1969.
Source : CÉA, UM001987-A

devant l'édifice de l'Assemblée législative. À l'Université Sainte-Anne, la grève étudiante de l'automne 1968 a pour but fondamental de garder cette institution à Pointe-de-l'Église. Elle est alors sujette à de multiples rumeurs de fermeture.

Une autre cause acadienne qui suscite l'appui des étudiants universitaires est l'affaire Jackie Vautour. À l'époque, l'expansion du réseau atlantique des parcs nationaux se fait à grands pas. Celui de Kouchibouguac est ouvert en 1969. Durant les années qui suivent, Jackie Vautour et sa famille symbolisent la résistance de ceux et celles qui refusent d'accepter l'expropriation. Le fédéral offre 20 670 $ à Vautour alors que ce dernier réclame 150 000 $. Sa résidence est détruite en novembre 1976 et en mars 1977 sa famille est expulsée d'un motel à Richibouctou. À noter que Vautour continue sa lutte à l'aube de l'an 2000. D'autres manifestations secouent aussi le monde ouvrier en Acadie. Au nord de la province, Nigadou voit sa mine fermer, provoquant 300 mises à pied. La disparité économique provinciale entre le nord et le sud est véhémentement dénoncée et l'annonce d'un investissement fédéral-provincial de 10 millions de dollars pour créer 3000 emplois temporaires n'apaise pas les esprits. À Bathurst, 3000 manifestants se rassemblent sur le campus du Collège le 16 janvier pour écouter les discours du ministre fédéral Jean Marchand et de

Jacquie Vautour en 1979. À la fin des années 1990, il défrayait encore la manchette relativement à des droits de pêche aux coques sur le littoral du parc Kouchibouguac. Source : CÉA, E40925.

la syndicaliste acadienne Mathilda Blanchard. Là aussi, les promesses du ministre ne viennent pas à bout de la hargne des travailleurs et des travailleuses.

La cause féministe

Ce n'est qu'en 1955 que le fédéral annule une loi empêchant les femmes mariées de travailler dans la fonction publique. L'année suivante, le gouvernement de la Nouvelle-Écosse décrète que, dorénavant, ce sera salaire égal à travail égal entre les hommes et les femmes. À l'époque, le Women's Atlantic Council n'a que deux chapitres officiels aux Maritimes soit à Saint-Jean et à Moncton. Étrangement, cet organisme ne figure pas sur une liste de 22 organismes féminins qui demandent une loi semblable à celle de Nouvelle-Écosse pour le Nouveau-Brunswick, en janvier 1960. Durant la période à l'étude, les emplois féminins prépondérant sont dans l'enseignement, le travail social, les soins infirmiers et le travail de bureau. Au niveau des valeurs sociales, une femme décidant de quitter un mari même violent ou adultère n'est pas admissible à l'assistance sociale.

Mathilda Blanchard, grande syndicaliste acadienne au nord-est du Nouveau-Brunswick. Cette photo remonte à 1972.
Source : CÉA, E35487.

Les mères célibataires se retrouvent souvent marginalisées par la société. Pourtant, environ 20 % de la main-d'œuvre rémunérée des Maritimes est alors féminine. La majorité de ces femmes sont célibataires, divorcées ou veuves. Entre 1967 et 1973, la région atlantique affiche une augmentation annuelle du nombre de femmes sur le marché du travail soit 8,5 % comparativement à 8,1 % pour l'ensemble du pays. En 1971, les familles monoparentales de femmes ont un revenu moyen de 4112,25 $ dans l'Atlantique contre 5074 $ pour le Canada. Les syndicats sont encore dominés par des hommes et peu préoccupés par les causes féministes.

Le Conseil national des femmes et la Fédération canadienne du Business and Professional Women's Club recrutent des membres aux Maritimes. Ces deux organismes militent pour que les femmes jouent un rôle plus important dans les cercles politiques et économiques. Avec l'émergence du mouvement féministe des années 1960, les Acadiennes sont aux prises avec le même genre de problème que leurs concitoyennes anglophones ou amérindiennes. À l'occasion de séances publiques tenues par la Commission royale d'enquête sur la condition de la femme en 1967, un petit groupe d'Acadiennes de Moncton y présente un mémoire. Le groupe y dénonce la discrimination dans l'emploi dans le secteur public, celle faite aux femmes chefs de famille, l'absence de services publics, etc. Ce mouvement mène à la formation du premier regroupement provincial des femmes du Nouveau-Brunswick en 1974[6]. L'année suivante, le gouvernement de Richard Hatfield adopte une loi créant le Conseil consultatif sur la condition de la femme. Durant cette décennie, les Acadiennes militent aussi pour la création de districts scolaires homogènes, défendent les regroupements des assistés sociaux, etc. Depuis, de nouveaux organismes féminins ont vu le jour, dont celui des Dames d'Acadie.

Les femmes en politique

Plusieurs événements importants jalonnent l'histoire des femmes à partir de 1950. Par exemple, du côté des Amérindiennes, en 1951, une modification apportée à la loi fédérale sur les Indiens permet aux Amérindiennes vivant dans les réserves de voter aux élections de la bande et d'occuper des postes électifs dans le conseil de bande. C'est dans ce contexte qu'Irène Bernard est élue au conseil de bande de la réserve de Tobique. En 1963, les Amérindiennes vivant dans les réserves ont enfin le droit de voter aux élections provinciales du Nouveau-Brunswick et en 1971 Margaret LaBillois, une ménagère, est élue chef de la bande de la réserve de Eel River Bar, devenant la première Amérindienne de la province à occuper ce poste. Chez les Acadiennes, en 1967, Mathilda Blanchard, coiffeuse et organisatrice syndicale originaire de Caraquet, devient la première femme à se présenter à la direction d'un parti provincial, soit le Parti progressiste-conservateur. Quelques années plus tard, sa fille Louise est élue chef du Parti acadien. C'est la première fois qu'une femme est portée à la tête d'un parti politique au Nouveau-Brunswick.

Source : Elspett Tulloch, *Nous les soussignées : un aperçu historique des femmes du Nouveau-Brunswick, 1784-1984*, Conseil consultatif sur la condition de la femme du Nouveau-Brunswick, 1985, p. 65-66.

6. Danielle Fournier, « Quelques jalons du mouvement des femmes en Acadie », *Égalité*, automne 1983, p. 37-52.

La Fédération acadienne de la Nouvelle-Écosse entreprend, en 1981, un projet intitulé « Étude sur les besoins de la femme francophone en Nouvelle-Écosse ». Cette recherche s'intéresse à de multiples facettes tels le travail, les loisirs, la religion, l'éducation et la sensibilisation à la condition féminine. L'étude renferme dix recommandations portant sur la diffusion de l'information et l'amélioration des services dans les régions rurales. Les résultats de travaux et de conférences menés en 1982 et 1983 démontrent que le besoin d'information persiste dans les régions. Alors que les Acadiennes de Chéticamp mettent l'accent sur certains aspects de la formation et de l'information, celles de Clare soulignent la nécessité d'offrir plus de ressources et de services.

Urbanisation et exode vers les provinces riches

Il va de soi qu'après la Seconde Guerre mondiale les Acadiens et les Acadiennes sont partie prenante du processus d'urbanisation accéléré que connaissent le Canada et les Maritimes. En fait, deux phénomènes sociaux cohabitent : l'exode vers les villes de jeunes diplômés à la recherche de travail et l'importance de la ville en tant que nouveau pôle de pouvoir pour la société acadienne. À titre d'exemple, beaucoup de jeunes du nord-est et du nord-ouest du Nouveau-Brunswick s'installent à Moncton, Fredericton et Saint-Jean. Encore faut-il que ce soit des villes des Maritimes puisqu'un bon nombre d'Acadiens et d'Acadiennes quittent les Maritimes pour de grandes cités telles Montréal, Toronto, Calgary ou Vancouver. Mais ils ne sont pas les seuls à le faire puisque 82 000 personnes quittent le Canada atlantique durant les années 1950, incapables de se trouver un emploi. Entre 1966 et 1971, le Nouveau-Brunswick perd 35 233 habitants même si l'urbanisation s'accroît.

En effet, durant les années 1970, le sud du Nouveau-Brunswick s'urbanise et prend de l'expansion avec l'accroissement de l'appareil public provincial à Fredericton, les activités portuaires et de construction navale à Saint-Jean et l'expansion des infrastructures de services à Moncton. Ces trois villes profitent du changement d'orientation dans le développement régional, favorisant maintenant le développement urbain et non plus rural. Alors qu'au Nouveau-Brunswick la population urbaine passe de 46,5 % à 56,9 % entre 1961 et 1971, la grande agglomération de Halifax-Dartmouth compte 23,7 % de la population provinciale néo-écossaise.

En raison du resserrement des critères d'admissibilité imposés aux Canadiens désirant émigrer aux États-Unis, le mouvement migratoire vers ce pays a passablement diminué comparativement à la période précédente —1914-1950.

Il est très difficile d'avancer des chiffres sur le nombre d'Acadiens et d'Acadiennes vivant à l'extérieur des provinces maritimes. Nous entendons par là ceux et celles nés ici et ayant décidé de partir pour des raisons économiques, familiales ou autres. Dans le cas des Acadiens vivant à Montréal, par exemple, il est complexe de les départager des Québécois dans les recensements. Il y en aurait au moins 300 000 durant les années 1980. Comme destination d'émigration, Montréal dépasse le simple motif économique. Les Acadiens et les Acadiennes s'y rendent aussi pour y étudier ou encore dans l'espoir de percer sur la scène artistique. Il existait au moins trois associations acadiennes dans la métropole durant les années 1980. La plus ancienne est certes le Club universitaire acadien fondé vers 1960, Les Acadiens en ville, qui débute en 1976 et le Rassemblement des Acadiens et Acadiennes à Montréal, qui voit le jour à la fin des années 1980.

À la fin des années 1950, plusieurs Acadiens se dirigent aussi vers Toronto et le sud de l'Ontario, attirés par les nombreux emplois industriels. À la fin des années 1970, l'Ouest canadien en général et Vancouver en particulier sont l'objet d'une autre vague d'émigration acadienne. Il y existe alors un grand nombre d'emplois très rémunérateurs, surtout à Calgary, puisque l'Alberta connaît un développement important de son industrie pétrolière. Au milieu des années 1980, les Acadiens représentent environ 19 % des 100 000 francophones de la métropole ontarienne. Ce phénomène existe toujours durant les années 1990.

L'économie

En 1950 il existe deux Canada atlantique ; l'un largement rural et isolé, l'autre essentiellement urbain et pleinement intégré dans la culture nord-américaine. Débute alors l'époque de la bureaucratisation et de la centralisation des structures. Mais cette ère de changements se caractérise aussi par un développement matériel pour les citoyens de la région puisque la majorité d'entre eux aspirent maintenant à l'électricité, la plomberie intérieure, un réfrigérateur et, éventuellement, une automobile.

Chômage et revenus

De 1945 à 1960, la dépendance des Maritimes par rapport à l'exploitation des ressources primaires se poursuit. La valeur de la production augmente quoique le progrès technologique réduit les emplois dans ce secteur. Ainsi, entre 1951 et 1961, le nombre d'hommes dans l'industrie primaire chute de 50 000; soit de 49 %, dans la pêche et le trappage, de 37 %, dans l'industrie forestière de 24,5 % et dans les mines de 22,2 %. En 1961, 4000 personnes de moins qu'en 1951 travaillent dans le secteur manufacturier. Au début des années 1960, le taux de chômage des régions acadiennes est de 6,7 % comparativement à 3,9 % pour le Canada. En 1986, le chômage atteint 20 % de la population active des régions acadiennes en regard de 10 % pour le pays. Par contre, dans les régions urbaines du sud du Nouveau-Brunswick, le taux d'activité des Acadiens et des Acadiennes s'élève à plus de 67 %. En juin 1999 les taux de chômage sont de 14 % à l'Île-du-Prince-Édouard, 10,7 % au Nouveau-Brunswick et 10 % en Nouvelle-Écosse, soit au-dessus de la moyenne nationale de 8 %.

C'est surtout dans le domaine du commerce et des services que les nouveaux emplois se créent aux Maritimes. En 1961, les services gouvernementaux emploient près de 100 000 personnes. Plus tard, à compter de 1975, des régions acadiennes profitent de la stratégie de décentralisation administrative du fédéral, visant à renforcer l'engagement du fédéral envers le développement régional. Des localités telles Bathurst — assurance chômage —, Shediac — pensions — et Yarmouth — postes —, en sont des bénéficiaires. Un bon nombre d'Acadiens et d'Acadiennes s'y trouvent un emploi grâce à leur bilinguisme. En 1960, le gain moyen des salariés dans les régions acadiennes des Maritimes représente 75 % de la moyenne canadienne et, en 1985, il se situe à 73 %. Ces chiffres sont toutefois inférieurs à ceux des régions anglophones des Maritimes. Quant au revenu par habitant, dans les régions acadiennes il se situe à 66 % de la moyenne nationale, contre 78 % pour les régions anglophones.

Il est également à signaler que les transferts fédéraux représentent 22 % des revenus dans les régions acadiennes contre 16 % pour les régions anglophones. Les principales régions acadiennes des Maritimes se divisent en deux groupes : alors que Westmorland, Restigouche, Madawaska et Yarmouth sont au-dessus de la moyenne acadienne, Kent, Victoria, Digby, Northumberland et Gloucester tirent de l'arrière. Dans

Groupe de travailleurs du nord-ouest du Nouveau-Brunswick vers 1955.
Source : CÉDEM, PC1-102

le premier groupe les revenus équivalent à 73 % de la moyenne nationale et ils se chiffrent entre 57 % et 67 % dans le deuxième groupe. Pour l'ensemble des Acadiens et des Acadiennes des Maritimes, le revenu moyen par travailleur est à 75 % de la moyenne nationale contre 85 % pour les anglophones. Dans les régions acadiennes, la proportion de gens d'âge actif occupant un emploi augmente, passant de 47 % en 1961 à 59 % en 1986. Les régions acadiennes doivent s'adapter à une logique qui leur est imposée de l'extérieur. Les facteurs provoquant ces changements seraient les politiques gouvernementales, l'évolution des conditions du marché, l'application des technologies et la montée entrepreneuriale[7].

La production du minerai au Nouveau-Brunswick dépasse en valeur tous les autres secteurs durant les années 1960 alors que la valeur des produits forestiers double. Il faut dire que ces deux secteurs sont les plus grands bénéficiaires des subsides directs des gouvernements. Par contre,

---

7. Maurice Beaudin et André Leclerc, « Économie acadienne contemporaine », *L'Acadie des Maritimes* [...], sous la direction de Jean Daigle, p. 251-298.

la pêche, l'agriculture et la forêt, secteurs économiques traditionnels pour beaucoup d'Acadiens, connaissent des problèmes cycliques, surtout à compter des années 1980. On pense à des problèmes de mise en marché pour les trois secteurs et de surexploitation de la ressource en pêche et, jusqu'à un certain point, dans l'industrie forestière. À titre d'exemples, durant les années 1980 et 1990, des moulins à pâte et papier sont affectés : celui d'Atholville ferme, des pertes d'emplois sont signalées à ceux de Dalhousie et d'Edmundston. Au Nouveau-Brunswick, 19 000 personnes travaillent dans le secteur forestier en 1997 tandis qu'à l'Île-du-Prince-Édouard seulement 0,6 % de l'ensemble des salariés en dépendent en 1996. Comme partout ailleurs, la rationalisation et l'informatisation sont parfois la cause de pertes d'emplois. Les droits de coupe sur les terres de l'État constituent aussi un dossier épineux pour le gouvernement du Nouveau-Brunswick. Durant les années 1990, le chômage, les emplois saisonniers et les disparités régionales sont encore des réalités qui touchent les régions acadiennes des Maritimes, malgré le développement accru dans certains secteurs des ressources naturelles, notamment ceux des mines et de la tourbe au nord-est de la province.

Les stratégies gouvernementales de développement régional

L'État providence fédéral, qui prend rapidement place après la Deuxième Guerre mondiale, se préoccupe de plus en plus des stratégies pouvant permettre aux économies régionales, dont celle de l'Atlantique, de rattraper celle du Canada central. Deux événements politiques sont à l'origine de l'engagement progressif de l'État fédéral envers les régions canadiennes défavorisées, surtout les régions acadiennes. En 1958, le rapport de la commission Gordon sur les perspectives économiques du Canada amène le fédéral à reconnaître les aspects sectoriels et régionaux particuliers du sous-développement au pays. Suivent des politiques fédérales plus concrètes visant à créer des emplois et à réduire les disparités régionales, entre autres en milieu rural. L'autre événement politique marquant est l'élection, en 1960, de Louis J. Robichaud dont le gouvernement participe à de nombreux programmes de développement fédéraux-provinciaux. Entre 1969 et 1976 la majorité des montants consacrés au développement régional vont au Canada atlantique. Le gros des fonds est injecté entre 1970 et 1974 suivi d'une diminution constante jusqu'en 1984 et d'une certaine remontée jusqu'en 1989.

À partir des années 1960 donc, plusieurs régions acadiennes de l'Île-du-Prince Édouard et du Nouveau-Brunswick peuvent ainsi bénéficier d'importants programmes de développement économique, permettant de réaliser un certain rattrapage. Bien qu'environ 150 millions de dollars sont investis, ces programmes ne permettent pas aux régions de s'outiller suffisamment pour gérer leur propre croissance dont le nord-est du Nouveau-Brunswick. Zone fortement rurale et à prédominance francophone, cette région présente au tournant des années 1960 tous les symptômes d'une région sous-développée. Désignée territoire pilote sous la loi d'aménagement régional et de développement agricole (ARDA), elle profite dès 1966 d'une première entente fédérale-provinciale destinée a rompre le cycle du sous-développement. L'entente suggère que tout programme de développement rural doit être orienté vers des activités non agricoles. Certains intervenants pensent même à déplacer des populations vers des pôles soi-disant de croissance. Durant les années 1970 les efforts de développement sont plutôt axés vers les milieux urbains et industriels. En 1974, la signature de plusieurs ententes-cadres entre le fédéral et les provinces s'étend sur 10 ans. À titre d'exemple, le nord-est du Nouveau-Brunswick et l'Île-du-Prince-Édouard bénéficient de l'Entente auxiliaire (1977-1981). D'autres ententes suivent, pour porter à plusieurs centaines de millions de dollars l'aide financière directement octroyée à ces deux régions jusque vers 1986.

Ces projets de développement économique permettent la mise en place d'un réseau d'infrastructures telles celles de nature touristique ou industrielle[8]. En 1988 la création de l'Agence de promotion économique du Canada atlantique (APRCA), avec un budget d'environ un milliard de dollars, assure une présence fédérale en développement régional jusqu'en 1995 au moins. Cette agence a des bureaux provinciaux et régionaux et la population acadienne des Maritimes en tire profit.

À compter des années 1970, le degré d'urbanisme représente donc un facteur de développement économique très important au Canada et aux Maritimes. D'après les chiffres disponibles, la proportion d'entreprises appartenant à des Acadiens aux Maritimes est presque égale à la pro-

---

8. Maurice Beaudin et Donald J. Savoie, *La lutte pour le développement: le cas du Nord-Est*, Sillery et Moncton, Presses de l'Université du Québec et Institut canadien de recherche sur le développement régional, 1988.

portion de francophones. De plus, ces entreprises engagent des travailleurs dans une même proportion. Les Acadiens participent donc sensiblement de la même façon que les anglophones au développement économique des Maritimes, leur retard étant le même que celui que l'on connaît dans les régions rurales anglophones. L'urbanisation croissante des Acadiens ne peut avoir qu'une conséquence : l'imbrication de plus en plus étroite des économies acadienne et anglophone. Il devient ainsi plus difficile de parler d'une économie acadienne à mesure que les Acadiens s'intègrent dans l'économie régionale. Fondé en 1979, le Conseil économique du Nouveau-Brunswick devient le plus important réseau d'entrepreneurs francophones dans cette province. La région Évangéline de l'Île-du-Prince-Édouard possède aussi son propre organisme de soutien aux entreprises, soit la Société de développement de la Baie acadienne fondée en 1995.

Cette diversification économique s'accentue aussi à l'Île-du-Prince-Édouard, où la population tire maintenant ses revenus d'une plus grande variété d'activités et non plus seulement de la pêche et de l'agriculture. Les petites entreprises emploient un grand nombre d'Acadiens, notamment dans le domaine de la construction, du transport, de l'entretien et de la réparation des automobiles, de la restauration, du commerce, etc. Le domaine coopératif demeure très vivant dans la pêche, la forêt, le tourisme et la santé. De plus en plus d'Acadiens et d'Acadiennes entrent dans les professions libérales et leur nombre augmente peu à peu dans la fonction publique.

L'agriculture

L'agriculture est toujours présente dans certaines régions acadiennes, surtout au Madawaska, dans le sud-est du Nouveau-Brunswick et à l'Île-du-Prince-Édouard. Dans cette province, les Acadiens ont parfois de la difficulté à suivre le rythme des grands changements. Leurs petites fermes mal drainées et le manque de capitaux et d'instruction ne facilitent pas la modernisation de leurs exploitations. Les organisations agricoles perdent de leur élan et la jeunesse se désintéresse de plus en plus de cette activité traditionnelle. Face à cette situation alarmante, la Société STA, sous le leadership de l'agronome J.-Edmond Arsenault, met sur pied un comité d'agriculture en 1944. Les efforts de ce comité conduisent à

Le magasin coopératif d'Abram-Village, une succursale de la Coopérative de Wellington à l'Île-du-Prince-Édouard. Source : CRAÎPÉ, 52.17.

l'obtention de bourses offertes par l'École d'agriculture de Sainte-Anne-de-la-Pocatière au Québec, avec l'appui financier des gouvernements de l'île et du Québec. De 1945 à 1961, au moins 20 fermiers en profitent.

Le comité d'agriculture de l'île participe aussi à l'organisation de cercles de jeunes éleveurs. C'est ainsi qu'un certain nombre de cercles de jeunes éleveurs de volailles et de bétail sont mis sur pied dans les paroisses de Rustico, Mont-Carmel et Baie-Egmont. C'est à cet endroit qu'est inaugurée la Coopérative des fermiers acadiens en 1955, permettant aux agriculteurs de s'unir pour la mise en marché des pommes de terre, l'exploitation d'une meunerie, l'achat en commun, etc. Malgré ces initiatives, le glissement des Acadiens vers une position marginale dans l'agriculture se poursuit jusqu'à nos jours. Ce n'est pas une situation exclusive aux Acadiens de l'île puisque, durant les années 1960, la tendance est la même en Atlantique qu'ailleurs au Canada ; le nombre de fermes diminue mais celles qui demeurent prennent de l'expansion et de moins en moins de personnes dépendent de cette industrie. En fait, la main-d'œuvre agricole du Canada atlantique décline de 43 % entre 1956 et 1971.

Alors qu'au Nouveau-Brunswick la taille moyenne des fermes augmente de 30 % durant les années 1960, à l'Île-du-Prince-Édouard la population agricole passe de 33,2 % à 19,1 %. Selon le recensement fédéral de 1996, le comté de Prince, où l'on retrouve le plus fort pourcentage d'Acadiens à l'île, compte 756 fermes soit 34 % du total des fermes dans cette province. La même année le Madawaska en compte 189 (5,6 %) alors que les comtés de Kent et de Westmorland en comptent 648 (19 %). Bien que l'agriculture ait périclité fortement au nord-est du Nouveau-Brunswick, les récents efforts de diversification économiques font place à de nouvelles initiatives dans le domaine des petits fruits par exemple.

L'industrie des pêches : crise de la ressource

Comme pour l'agriculture, les régions des Maritimes dépendant des pêches sont frappées très durement après la Deuxième Guerre mondiale. Une plus grande marginalisation devant l'efficacité des flottes de pêche hauturière, la centralisation des infrastructures portuaires et des usines de transformation et la forte compétition étrangère font que les pêcheurs côtiers ont peu d'avenir. Au fur et à mesure que les pêches tombent sous le contrôle des grandes compagnies, les travailleurs de l'industrie doivent s'adapter. Plusieurs familles se retirent des pêches alors que d'autres exigent une réorganisation de cette industrie. Une étape importante vers le mieux-être des pêcheurs est franchie en 1956 lorsqu'ils sont déclarés admissibles à recevoir l'assurance chômage. Ils sont dorénavant considérés comme des salariés et non comme des travailleurs indépendants. En 1957, la nouvelle Canadian Seafood Worker's Union exige que le fédéral établisse une garde-côtière et impose une zone limitrophe de 12 milles marins sur les bateaux de pêche étrangers. L'association demande aussi que les travailleurs de l'industrie soient couverts par le Workmen's Compensation Act, les rendant admissibles à des payes de vacance et aux régimes de pension.

Même si la période 1940-1980 est témoin d'une certaine diversification économique, l'industrie de la pêche demeure essentielle pour la communauté acadienne insulaire. Cette industrie fournit un nombre considérable d'emplois de pêcheurs, d'aide-pêcheurs et d'employés d'usine. Les coopératives demeurent cependant les plus gros employeurs dans leurs milieux. Comme dans les autres communautés de pêche des Maritimes, la majorité de ces emplois sont saisonniers et ne durent pas plus de six mois. Pendant le reste de l'année, ceux qui ne parviennent pas à trouver un autre emploi profitent du programme de l'assurance chômage qui leur assure un revenu régulier pendant la saison morte.

Les premiers drageurs voient le jour au début des années 1960. Il s'agit de chalutiers servant à la fois pour les pêches de la morue, du hareng et du crabe. Source : ERVP, Shippagan.

Dans la région de Clare en Nouvelle-Écosse, les usines de traitement du poisson connaissent un développement marqué à compter des années 1950 et en viennent à dominer l'économie de la région. C'est le résultat non seulement d'une diversification des pêches mais aussi d'une augmentation de l'effort de pêche. Depuis le début des années 1960, le nombre d'usines d'apprêtage est passé de 7 à plus d'une vingtaine. Par exemple, une compagnie acadienne locale est équipée d'une douzaine de pétoncliers de 65 pieds et d'une usine spécialisée dans la réfrigération et l'empaquetage des pétoncles. Entre 1945 et 1960, d'autres usines se spécialisent dans la production du filet de poisson frais. Au début des années 1980, près de 50 % de la force de travail active de Clare est liée au secteur des pêches et la moitié de la vingtaine d'usines en activité sont des entreprises familiales. L'industrie emploie plus de 750 travailleurs saisonniers et près du double durant la saison de la rave du hareng. Chez les travailleurs saisonniers réguliers, près de 50 % sont des femmes, alors que chez les « temps partiels » et les occasionnels, cette proportion grimpe à 80 %. Dans la région de la côte sud-ouest de la Nouvelle-Écosse, dans le comté de Yarmouth où près de 30 % de la population est acadienne, on exporte pour plus de 50 millions de dollars par année en produits de la mer.

Au Nouveau-Brunswick, la commercialisation du crabe fait figure de révolution dans l'industrie des pêches du nord-est de la province. Elle rapporte beaucoup aux pêcheurs et aux transformateurs même si les contingents ne sont pas aussi élevés que le souhaitent les pêcheurs, les transformateurs et la province. Au début des années 1980 les débarquements de crabe sont d'environ 10 000 tonnes et les conditions de l'offre évoluent à l'avantage des pêcheurs acadiens. En fait, de 1980 à 1982, les débarquements ont plus que doublé et leur valeur à presque triplé. L'industrie du poisson de fond, elle, est en assez bonne santé jusque vers 1989, alors que c'est à nouveau le marasme. Malgré la restructuration partielle de l'industrie au niveau des entreprises, le problème de surpêche demeure. Les stocks de morue et autres espèces de poisson de fond ne peuvent aucunement soutenir les niveaux d'exploitation. Le crabe est lui-aussi menacé de surexploitation. Pour la seule région de la péninsule acadienne dans le nord-est du Nouveau-Brunswick, les districts de pêche de Caraquet, de Lamèque-Miscou et de Shippagan sont la source de près de 95 % du montant global des prises effectuées en 1996.

Il s'avère donc que, pour les populations acadiennes du littoral des Maritimes, l'industrie des pêches est un véritable mode de vie. Les Acadiens qui travaillent sur des bateaux de pêche ou dans des usines de transformation n'ont pas à quitter leur région pour gagner leur vie. L'industrie des pêches soutient de nombreuses autres activités économiques, telles que la construction et la réparation des bateaux, la fabrication et la vente d'équipements de pêche, le transport, l'entreposage, la distribution, etc. Il importe cependant de reconnaître que l'industrie lutte contre plusieurs obstacles. La pêche étant fortement saisonnière, les grandes usines de transformation demeurent rarement ouvertes plus de la moitié de l'année. Une catégorie de travailleurs se retrouvant en mauvaise position durant les années 1990 sont les employés et les employées d'usines d'apprêtage. Non seulement en raison des courtes saisons et de la diminution de la ressource mais aussi à cause de la réforme de l'assurance chômage, devenue l'assurance emploi. Le fédéral resserre les règles d'admissibilité et réduit la période maximale de prestation. Plusieurs ont de la difficulté à accumuler suffisamment d'heures de travail pour recevoir leurs prestations.

La syndicalisation dans les pêches

En 1980, dans la péninsule acadienne du Nouveau-Brunswick, il y a seulement six usines qui transforment le crabe contre 11 en 1987 ; toutes sont non syndiquées. Les cinq usines syndiquées, qui accaparent 78,1 % des débarquements de crabe des neiges en 1980, n'en transforment plus que 38 % en 1987. C'est ainsi que les usines syndiquées, qui ont à subir une concurrence vive de la part des usines non syndiquées, peuvent se retrouver en position de faiblesse. Les usines non syndiquées n'ont pas à assumer les mêmes coûts en main-d'œuvre et disposent donc d'une certaine marge de manœuvre pour négocier leur approvisionnement en matière première auprès des pêcheurs ; elles sont par conséquent avantagées dans la lutte que mènent les différentes entreprises pour s'alimenter en ressources halieutiques.

Source : Yvon Godin et Réjean Bellemare, « Vers une concertation pour la reconstruction de l'industrie des pêches », *Égalité*, printemps 1992, p. 157-172.

En cette fin du XIXe siècle, la grande entreprise industrielle conserve toujours un poids considérable dans l'économie des régions acadiennes des Maritimes. Elle contribue cependant de moins en moins à créer de nouveaux emplois. Également, l'essoufflement de l'État providence marque le renouveau entrepreneurial. Dans les régions acadiennes, l'intégration des femmes dans ce domaine semble plus lente qu'ailleurs puisqu'elles représentent 10 % seulement des entrepreneurs. Malgré de nombreuses difficultés, les régions acadiennes ont traversé une évolution positive vers une meilleure compréhension des facteurs, permettant une plus grande ouverture au monde des affaires.

Conclusion

Depuis 1950, la représentation acadienne en politique n'a fait que s'accentuer aux deux niveaux de gouvernement. Dans le domaine social, l'acadianisation du système d'éducation s'est poursuivie. Dans certains cas, le chemin pour y arriver a conduit les Acadiens jusqu'en Cour Suprême du Canada. Ce sont là les réalités des communautés acadiennes de l'Île-du-Prince-Édouard et peut-être éventuellement de la Nouvelle-Écosse. L'importance du français dans la vie publique a réalisé des progrès concrets, surtout au sud-est du Nouveau-Brunswick, où la venue du premier congrès mondial acadien et du Sommet de la francophonie a eu pour effet de sensibiliser davantage les municipalités et les gens d'affaires à l'importance d'offrir des services en français en plus de permettre à l'Acadie d'occuper une plus grande place dans l'espace francophone national et même international.

Sur la scène économique, la situation difficile des provinces maritimes continue d'encourager l'exode de plusieurs jeunes vers les provinces plus riches. Même dans un contexte de mouvance vers la nouvelle économie des technologies et des communications, la majorité des travailleurs et des travailleuses dépendent encore des ressources naturelles. Des crises importantes dans le domaine des pêches, la situation précaire de certaines usines de pâtes et papiers, la mécanisation du travail forestier : voilà autant de facteurs ayant pour effet de déstabiliser la vie économique acadienne.

Durant la deuxième moitié du xxe siècle, l'Acadie se retrouve dans une situation paradoxale. C'est-à-dire qu'au fur et à mesure qu'elle réalise des progrès politiques, sociaux et économiques, elle doit lutter contre un déclin persistant de ses effectifs humains. La décroissance de la natalité représente sans contredit le plus grand défi à relever à l'aube du nouveau millénaire.

Conclusion générale

De l'établissement de Sainte-Croix (1604) au deuxième Congrès mondial acadien de Louisiane (1999), les Acadiens et les Acadiennes ont eu à traverser nombre d'obstacles. Contre toute attente, la grande déchirure de 1755 ne réussit pas à mettre un terme au cheminement entrepris en 1604. Bien que les découpages chronologiques des chapitres de ce livre ne reflètent pas forcément la même approche que celle qui est préconisée par les synthèses traditionnelles, il n'en demeure pas moins que l'on se doit de se remémorer quelques étapes fondamentales du parcours acadien depuis 1604. Le fil conducteur de ce parcours historique est lié de près à toute la notion de territoire ou plutôt au fait qu'il peut paraître surprenant que les Acadiens et les Acadiennes aient pu survivre comme peuple, sans pour autant posséder de territoire défini. Ils occupent bien des espaces mais ne les possèdent pas en tant qu'entité nationale mais plutôt à titre individuel.

Toute la période dite pré-déportation (1604-1763) est marquée par des changements politiques, économiques et sociaux qui se lisent mieux si on les appuie sur une toile de fond événementielle. De 1604 à 1632, l'Acadie est peu peuplée et fait l'objet d'une modeste exploitation du commerce des fourrures et de la morue. Ce commerce ne nécessite pas un peuplement important et les Européens présents sur le territoire font figure à la fois d'entrepreneurs, d'intermédiaires et de pourvoyeurs pour les négociants européens. La période 1632-1670 est cruciale à plus d'un point de vue. Les deux grands seigneurs français présents sur le territoire acadien, La Tour et D'Aulnay, font du commerce quoique le deuxième y ajoute l'agriculture et la colonisation. En partie à cause de la méconnaissance de l'Acadie en France, ils s'affrontent sur le terrain et dans les officines du pouvoir à la Cour et au Massachusetts, jusqu'en 1650. Cette proximité géographique avec la Nouvelle-Angleterre est un autre trait marquant de la période puisqu'au moment de la mise en place de la colonie royale en 1670 les Acadiens et les Acadiennes ont déjà développé une politique de neutralité et d'accommodement avec leurs voisins américains. Jusqu'au traité d'Utrecht de 1713, signifiant la perte définitive de l'Acadie aux mains de l'Angleterre, la colonie acadienne change de mains à plusieurs reprises, expliquant ainsi cette politique de neutralité qui permet d'éviter une participation militaire et les menaces de représailles de l'un ou l'autre des deux belligérants que sont la France et l'Angleterre.

La période d'installation et d'enracinement de 1604-1713 fait place à une autre qui, contrairement, à la précédente, s'avère plutôt calme sur la scène militaire du moins jusqu'en 1744. C'est ce calme relatif qui permet, entre autres, aux Acadiens et aux Acadiennes de réaliser de grands progrès démographiques, économiques et géographiques. Bénéficiant de conditions moins contraignantes que les paysans européens, le peuple acadien réussit à s'étendre sur le territoire des Maritimes. On le trouve non plus seulement en Nouvelle-Écosse mais aussi à l'île Saint-Jean — Île-du-Prince-Édouard — et au sud-est du Nouveau-Brunswick actuel. Qui plus est, la présence de la colonie française de l'île Royale, bien que ne comptant qu'un très petit nombre d'Acadiens, représente une voisine rassurante. Du moins jusqu'à ce que l'accroissement de la présence britannique et la fondation d'Halifax laissent présager un conflit final.

Mais en dépit de tous ces dangers imminents, dont la menace d'une déportation massive en cas d'un refus de prêter le serment d'allégeance sans condition à l'Angleterre, le peuple acadien maintient que ses seules valeurs fondamentales reposent sur la possession des terres qu'il a fait prospérer et le bien-être de la famille. Cette quiétude sociale est ébranlée de fond en combe durant la période 1744-1763 lors des guerres d'empires qui forcent les Acadiens et les Acadiennes à se compromettre en faveur d'un des deux belligérants. Fidèle à leur politique de neutralité, les Acadiens en sont quittes pour une vaste déportation (1755) qui les éparpillent dans les colonies américaines, en France et en Angleterre. Par contre, un bon nombre d'Acadiens et d'Acadiennes réussissent à éviter la déportation en se cachant dans les bois. D'autres choisissent la résistance armée en petits groupes ou aux côtés des troupes canadiennes et françaises sur les plaines d'Abraham en 1759.

Le retour et le ré-établissement des Acadiens et des Acadiennes débutent avant 1763 quoiqu'il ne soit officiellement permis qu'à compter de cette date. Fait à signaler, le deuxième enracinement se fait ailleurs que dans les anciens établissements, maintenant occupés en bonne partie par des colons venus de la Nouvelle-Angleterre. Les nouvelles zones d'établissement se distinguent par leur éloignement et leur éparpillement sur le littoral de la Nouvelle-Écosse, du Cap-Breton, du nord-est, du sud-est, du nord-ouest du Nouveau-Brunswick et de l'Île-du-Prince-Édouard. De 1763 à 1850, cette nouvelle Acadie se donne de nouvelles assises agricoles, en y ajoutant des activités de pêche, de navigation et d'industrie forestière. L'Acadie voit aussi poindre un petit groupe de notables, quelques prêtres et de très modestes infrastructures institutionnelles. Ces dernières se développent davantage durant la période 1850-1880 pour ensuite prendre une expansion accélérée entre 1880 et 1914. Cette « renaissance acadienne » dont parle l'historiographie acadienne s'articule principalement durant cette période qui voit également les Acadiens et les Acadiennes délaisser quelque peu leur mode de vie rural pour s'intégrer dans une société urbaine et industrielle, ici aux Maritimes ou dans les États de la Nouvelle-Angleterre.

Jusqu'en 1950, le clergé acadien demeure un acteur important dans l'économie et dans la société acadienne. Il devient le maître d'oeuvre de deux vagues de colonisation de l'arrière-pays acadien et participe de plain-pied au mouvement de coopération débutant durant la crise économique des années 1930. Sur la scène politique, bien que le nombre de députés acadiens augmente, il ne semble pas y avoir de volonté politique acadienne distincte, du moins pas avant les années 1970. Par contre, les Acadiens expriment clairement leur point de vue sur la participation à l'effort de guerre. Bien qu'ils répondent en assez grand nombre à l'appel de recrutement volontaire en 1914 et en 1939, ceux du Nouveau-Brunswick votent à deux reprises contre la conscription militaire. Ce n'est qu'aux élections de 1960 que les Acadiens réussissent à porter au pouvoir le premier Premier ministre acadien élu, soit Louis J. Robichaud qui prend la tête du gouvernement du Nouveau-Brunswick.

De 1970 à 2000, les Acadiens et Acadiennes des trois provinces maritimes partagent quelques grandes préoccupations : mettre un frein à l'assimilation, obtenir des écoles françaises et profiter davantage d'une visibilité accrue dans la francophonie canadienne et internationale. En cette fin du XXe siècle, les défis auxquels font face les Acadiens et les

Acadiennes s'avèrent à la fois traditionnels et nouveaux : maintenir l'identité française du peuple acadien et éviter l'érosion de la population vers l'extérieur des Maritimes en quête d'emploi.

Au terme de ce survol d'environ quatre siècles d'histoire, on peut conclure que le cheminement du peuple acadien est marqué par les épreuves autant militaires, linguistiques, économiques, éducationnelles, religieuses que sociales. Mais d'autres défis guettent les Acadiens : cette Acadie sans frontière est aux prises avec trois réalités menaçant le maintien des forces vives démographiques soit le déclin des naissances, l'assimilation et l'exode vers l'extérieur en quête d'un mieux-être économique. Vivre en français demeure ainsi un défi sans cesse renouvelé. Par contre, le développement des réseaux francophones internationaux permet d'aspirer à un maintien des acquis et même à un développement accru. Il ne fait aucun doute que les réalités acadiennes ne sont pas les mêmes dans toutes les régions où résident des francophones. Le Nouveau-Brunswick demeure la province où les Acadiens et les Acadiennes bénéficient d'un poids politique important. D'un autre côté, du moins en matière d'éducation, les populations acadiennes de la Nouvelle-Écosse et de l'Île-du-Prince-Édouard semblent promises à un avenir meilleur. La grande réussite du peuple acadien, et cela tout au cours de son histoire, réside justement dans sa capacité à faire face à l'adversité et, en groupe ou de manière individuelle, à s'adapter à de nouvelles réalités pouvant remettre en question ses assises historiques. Il n'y a pas de doute que les défis du nouveau millénaire permettront encore une fois au peuple acadien d'exprimer sa grande capacité d'adaptation et sa volonté non seulement de survivre mais aussi de s'épanouir et de se développer.

Index

C

N

P

Q

R

S

T

U

V

W

Y

Bibliographie

Les lectrices et les lecteurs qui veulent consulter une bibliographie plus exhaustive de l'histoire de l'Acadie peuvent visiter le site Web du Groupe de recherche en histoire économique et sociale de l'Université de Moncton à l'adresse : http ://www.cuslm.ca/~clio/fenetre. Cette bibliographie découle des travaux de recherche des deux auteurs pour le présent ouvrage.

Alexander, David et Gerry Panting, « The Mercantile Fleet and its Owners : Yarmouth Nova Scotia, 1840-1884 », dans P.A. Buckner et David Frank (sous la direction de) *The Acadian Reader*, vol. 1, *Atlantic Canada before Confederation*, Fredericton, Acadiensis Press, 1985, p. 309-334.

Allain, Greg *et al.*, « La société acadienne : lecture et conjoncture », dans Jean Daigle (sous la direction de), *L'Acadie des Maritimes : études thématiques des débuts à nos jours*, Moncton, Chaire d'études acadiennes, Université de Moncton, 1993, p. 341-384.

Allain, Marie-Anne et Phyllis E. LeBlanc, « Les femmes pensionnaires à Moncton : une étude sociale et culturelle du recensement de 1901 », dans Nathalie Kermoal et Phyllis E. LeBlanc (sous la direction de), *Entre le quotidien et le politique : facettes de l'histoire des femmes francophones en milieu minoritaire*, Le Réseau national d'action d'éducation des femmes, Gloucester, Ontario, 1997, p. 27-50.

Andrew, Sheila, « Selling Education : The Problems of Convent Schools in Acadian New Brunswick, 1858-1886 », *Historical Studies*, vol. 62, 1996, p. 15-32.

——, « The Gauthier Girls : Growing up on Miscou Island, 1841-1847 », dans Hilary Thompson (sous la direction de), *Children's Voices in Atlantic Literature : Essays on Childhood*, Guelph Ontario, Canadian Children's Press, 1995, p. 85-94.

Ardouin, Laurence, « Les catholiques du nord-est du Nouveau-Brunswick face aux missionnaires, représentants de l'Église officielle entre 1798 et 1838 », *Études canadiennes*, vol. 21, 1986, p. 107-114.

ARSENAULT, Georges, « Les Acadiens et la politique à l'Île », *The Island Magazine*, n° 43, printemps 1998, p. 13-22.

——, Georges, *Les Acadiens de l'Île; 1720-1980*, Moncton, Éditions d'Acadie, 1987, 296 pages.

ARSENAULT, Samuel et Rodolphe LAMARCHE, « L'Évangéline : le Fermier acadien et l'agriculture », dans Gérard BEAULIEU (sous la direction de), *L'Évangéline, 1887-1982. Entre l'élite et le peuple*, Moncton, Éditions d'Acadie et Chaire d'études acadiennes, 1997, p. 199-228.

ARSENAULT, Samuel, « La charrue, voilà ce qu'il faut à un Acadien : géographie historique de la Péninsule acadienne », *Revue de l'Université de Moncton*, vol. 27, n° 1, 1994, p. 97-126.

BASQUE, Maurice, *De Marc Lescarbot à l'AEFNB : histoire de la profession enseignante acadienne au Nouveau-Brunswick*, Edmundston, Les éditions Marévie, 1994, 183 pages.

——, *Entre Baie et Péninsule. Histoire de Néguac*, Village de Néguac, 1991, 180 pages.

BASQUE, Maurice, *et al.*, *L'Acadie de l'Atlantique*, Moncton, SNA, CÉA, CIDEF-AFI, 1999, 146 pages.

BEAUDIN, Maurice et André LECLERC, « Économie acadienne contemporaine », dans Jean DAIGLE (sous la direction de), *L'Acadie des Maritimes : études thématiques des débuts à nos jours*, Moncton, Chaire d'études acadiennes, 1993, p. 251-298.

BEAUDIN, Maurice et Donald J. SAVOIE, *La lutte pour le développement : le cas du Nord-Est*, Montréal, Presses de l'Université du Québec, Institut canadien de recherche sur le développement régional, 1988, 282 pages.

——, *Les défis de l'industrie des pêches au Nouveau-Brunswick*, Moncton, Éditions d'Acadie, 1992, 282 pages.

BEAUDIN, Gérard et Fernand HARVEY (sous la direction de), *Les relations entre le Québec et l'Acadie. De la tradition à la modernité*, Québec et Moncton, Éditions de l'IQRC et Éditions d'Acadie, 2000, 295 pages.

BEAULIEU, Gérard, « Les médias en Acadie », dans Jean DAIGLE (sous la direction de), *L'Acadie des Maritimes : études thématiques des débuts à nos jours*, Moncton, Chaire d'études acadiennes, Université de Moncton, 1993, p. 505-542.

BERTRAND, Gabriel, « La culture de marais endigués et le développement de la solidarité militante en Acadie entre 1710 et 1755 », *Les Cahiers de la Société historique acadienne*, vol. 24, n° 4, 1993, p. 238-249.

BICKERTON, Carmen, *A History of the Canadian Fisheries in the Georges Bank Area*, Ottawa, Carleton University, 1983, 168 pages.

BOUCHER, Neil, « Le Bon Dieu parle français », *Les Cahiers de la Société historique acadienne*, vol. 23, nos 3 et 4, 1992, p. 135-142.

——, « Les Acadiens du Sud-Ouest de la Nouvelle-Écosse, 1760-1850 : quelques notions reconsidérées », *Les Cahiers de la Société historique acadienne*, vol. 21, n° 4, 1990, p. 73-92.

——, *Acadian Nationalism and the Episcopacy of Mgr Edouard-Alfred Leblanc of Saint John, New Brunswick (1912-1935) : A Maritime Chapter of Canadian Ethno-Religious History*, Thèse de doctorat, Dalhousie University, 1992, 385 pages.

Boudreau, Gérald C., « Doléances et indolence cléricales envers un peuple délaissé », *Les Cahiers de la Société historique acadienne*, vol. 23, nos 3 et 4, juillet-décembre 1992, p. 117-132.

Brebner, John Bartlet, *New England's Outpost: Acadia before the Conquest of Canada*, New York, Columbia University Press, 1927, 293 pages.

Brown, Desmond, « Foundations of British Policy in the Acadian Expulsion : A Discussion of Land Tenure and the Oath of Allegiance », *Dalhousie Review*, vol. 57, no 4, 1978, p. 709-725.

Brun, Josette, « Les femmes d'affaires en Nouvelle-France au xviiie siècle : le cas de l'île Royale », *Acadiensis*, vol. XXVII, no 1, automne 1997, p. 44-66.

——, « Marie de Saint-Étienne de La Tour », *Les Cahiers de la Société historique acadienne*, vol. 25, no 4, 1994, p. 244-262.

——, *Les femmes d'affaires dans la société coloniale nord-américaine : le cas de l'île Royale, 1713-1758*, 1994, Thèse de maîtrise, Université de Moncton, 125 pages.

Brun, Régis, *La ruée vers le homard des Maritimes*, Moncton, Michel Henry éditeur, 1988, 95 pages.

——, *Pionnier de la Nouvelle-Acadie : Joseph Gueguen, 1744-1825*, Moncton, Éditions d'Acadie, 1984, 161 pages.

Bumsted, J.M., *Land, Settlement and Politics on Eighteenth-Century Prince Edward Island*, Montréal, McGill-Queen's University Press, 1987, 238 pages.

Chaussade, Jean, *La pêche et les pêcheurs des provinces maritimes du Canada*, Montréal, Les Presses de l'Université de Montréal, 1983, 304 pages.

Clark, Andrew Hill, *Acadia : The Geography of Early Nova Scotia to 1760*, Madison, University of Wisconsin, 1968, 450 pages.

——, *Three Centuries and the Island : a Historical Geography of Settlement and Agriculture in Prince Edouard Island*, Toronto, University of Toronto Press, 1959, 287 pages.

Cormier, Clément, « Gilbert A. Girouard (1846-1885) : un brillant début de carrière », *Les Cahiers de la Société historique acadienne*, vol. 12, no 3, septembre 1981, p. 94-109.

Cormier, Michel et Achille Michaud, *Richard Hatfield : un dernier train pour Hartland*, Moncton et Montréal, Éditions d'Acadie/Libre Expression, 1991, 315 pages.

Cormier, Ronald, *Entre bombes et barbelés : témoins d'aviateurs et de prisonniers de guerre acadiens, 1939-1945*, Moncton, Éditions d'Acadie, 1990, 223 pages.

——, *J'ai vécu la guerre : témoignages de soldats acadiens, 1935-1945*, Moncton, Éditions d'Acadie, 1988, 248 pages.

——, *Les Acadiens et la Seconde Guerre mondiale*, Moncton, Éditions d'Acadie, 1996, 144 pages.

Cormier, Yves, *Les aboiteaux en Acadie, hier et aujourd'hui*, Moncton, Chaire d'études acadiennes, 1990, 109 pages.

Couturier, Jacques Paul et Phyllis Leblanc (sous la direction de), *Économie et société en Acadie, 1850-1950. Nouvelles études d'histoire acadienne*, Moncton, Éditions d'Acadie, 1996, 206 pages.

Couturier, Jacques Paul, « Splendeur et misère du sentiment prohibitionniste : étude des référendums sur la prohibition locale dans le comté de Westmorland, Nouveau-Brunswick, 1879-1899 », *Revue de l'Université de Moncton*, vol. 20, nº 1, 1987, p. 99-118.

——, *Construire un savoir : l'enseignement supérieur au Madawaska, 1946-1974*, Moncton, Éditions d'Acadie, 1999, 352 pages.

——, *Un passé composé : le Canada de 1850 à nos jours*, Moncton, Éditions d'Acadie, 1996, 418 pages.

Craig, Béatrice, « Agriculture et marché au Madawaska, 1799-1850 », *The River Review/La revue Rivière*, nº 1, 1995, p. 13-29.

——, « Patterns of Infant Mortality in the Upper St-John Valley French Population : 1791-1838 », *Human Biology*, vol. 55, nº 1, février 1983, p. 100-113.

Crowley, Terry, *Louisbourg : Forteresse et port de l'Atlantique*, Ottawa, Société historique du Canada, brochure nº 48, 1990, 31 pages.

Cyr, Jean-Roch, « La colonisation dans le nord du Nouveau-Brunswick durant la crise économique des années 30 » dans Jacques Paul Couturier et Phyllis E. Leblanc (sous la direction de), *Économie et société en Acadie, 1850-1950. Nouvelles études d'histoire acadienne*, Moncton, Éditions d'Acadie, 1996, p. 97-128.

——, « Un aperçu des relations France-Acadie, 1860-1940 », *Les Cahiers de la Société historique acadienne*, vol. 13, nº 4, 1982, p. 160-179.

D'Entremont, Clarence J., « La survivance acadienne en Nouvelle-Angleterre », dans Claire Quintal (sous la direction de), *L'Émigrant acadien vers les États-Unis, 1842-1950*, Québec, Conseil de la vie française en Amérique, 1984, p. 8-25.

Dagnaud, P. M., *Les Français du sud-ouest de la Nouvelle-Écosse*, Besançon (France), Librairie Centrale, 1905, 278 pages.

Daigle, Jean (sous la direction de), *L'Acadie des Maritimes : études thématiques des débuts à nos jours*, Moncton, Chaire d'études acadiennes, Université de Moncton, 1993, 908 pages.

——, *Les Acadiens des Maritimes*, Moncton, Centre d'études acadiennes, 1980, 691 pages.

Daigle, Jean et *al.*, « L'Acadie au temps du sieur Perrot », *Les cahiers de la Société historique acadienne*, 19e cahier, avril-juin 1968, p. 313-315.

Daigle, Jean, « Nos amis les ennemis : les marchands acadiens et le Massachusetts à la fin du xviie siècle », *Les Cahiers de la Société historique acadienne*, vol. VII, nº 4, décembre 1976, p. 161-170.

——, *Nos amis les ennemis : relations commerciales de l'Acadie avec le Massachusetts, 1670-1711*, 1975, Thèse de doctorat, University of Maine (Orono), 220 pages.

——, *Une force qui nous appartient : la Fédération des caisses populaires acadiennes*, Moncton, Éditions d'Acadie, 1990, 298 pages.

DESJARDINS, Georgette (sous la direction de), *Saint-Basile: Berceau du Madawaska, 1792-1992*, Montréal, Méridien, 1992, 451 pages.

DESJARDINS, Georgette et Corinne LAPLANTE, « Œuvres des Religieuses Hospitalières de Saint-Joseph du Nouveau-Brunswick (1868-1986) », *La Revue de la Société historique du Madawaska*, vol. XIV, n°s 1-2, janvier-juin 1986, p. 2-70.

DESJARDINS, Pierre-Marcel, Michel DESLIERRES et Ronald C. LEBLANC, « Les Acadiens et l'économique : de la colonisation à 1960 », dans Jean DAIGLE (sous la direction de), *L'Acadie des Maritimes : études thématiques des débuts à nos jours*, Moncton, Chaire d'études acadiennes, Université de Moncton, 1993, p. 207-250.

DEVEAU, Alphonse et Sally ROSS, *Les Acadiens de la Nouvelle-Écosse : hier et aujourd'hui*, Moncton, Éditions d'Acadie, 1995, 293 pages.

DICKASON, Olive Patricia, « La Guerre navale des Micmacs contre les Britanniques, 1713-1763 », dans Charles A. MARTIJN (sous la direction de), *Les Micmacs et la mer*, Montréal, Recherches amérindiennes au Québec, 1986, p. 233-248.

——, *Les Premières Nations*, Sillery, Québec, Septentrion, 1996, 511 pages.

Dictionnaire biographique du Canada, volume I (1000-1700), 1966 ; volume II (1701-1740), 1969 et volume III (1741-1770), 1974, Québec, Presses de l'Université Laval.

Dictionnaire biographique du Canada, volume II (1701-1740), 1969 ; volume III (1741-1770), 1974 et volume IV (1771-1800), Québec, Presses de l'Université Laval.

DIONNE, Raoul, « Journal d'un aumônier de la Guerre 1914 - Mgr Jean Gaudet », *Les Cahiers de la Société historique acadienne*, vol. 17, n° 2, avril-juin 1986, p. 36-51.

——, *La colonisation acadienne au Nouveau-Brunswick, 1760-1860*, Moncton, Chaire d'études acadiennes, 1984, 443 pages.

DOUCET, Jean R., *L'industrie forestière chez les Acadiens de la Baie Saint-Marie*, Thèse de maîtrise, Université Sainte-Anne, 1965, 99 pages.

DRAGON, Antonio S.J., *L'Acadie et ses 40 robes noires*, Montréal, Bellarmin, 1973, 244 pages.

DUGAS, Théodore, « Un Acadien à la Première Guerre mondiale », *La Revue de la Société historique Nicolas Denys*, vol. XX, n° 3, septembre-décembre 1992, p. 1-73.

DUGAS-LEBLANC, Betty, « Les Acadiennes de la Nouvelle-Écosse se rencontrent et s'organisent », *Égalité*, automne 1983, p. 53-56.

DUPUIS, Noël, « Complexe commercial à Bouctouche, 1844-1908 : l'industrie laitière », *Les Cahiers de la Société historique acadienne*, vol. 10, n° 1, mars 1979, p. 47-50.

DUROT, Laurent, « Les stratégies matrimoniales d'une famille canadienne dans la Péninsule acadienne au XIXe siècle : le cas de la famille Desjardins dit Losier de Tracadie », *Les Cahiers de la Société historique acadienne*, vol. 22, n° 1, janvier-mars 1991, p. 22-30.

EMONT, Bernard, « Témoins de l'Acadie aux XVIIe et XVIIIe siècles », *Études canadiennes*, vol. 13, 1992.

EVEN, Alain, « Domination et développement au Nouveau-Brunswick », *Recherches sociographiques*, vol. 12, n° 3, 1971, p. 271-318.

FINGARD, Judith, « The New England Company and the New Brunswick Indians, 1786-1826 : A Comment on Colonial Perversion of British Benevolence », *Acadiensis*, vol. I, nº 2, printemps 1972, p. 29-42.

FORTIN, Richard L. et Jean L. PELLERIN, « Un notable franco-américain, Louis A. Surette (1818-1897) », *Les Cahiers de la Société historique acadienne*, vol. 25, nº 1 (1994).

FOURNIER, Danielle, « Quelques jalons du mouvement des femmes en Acadie », *Égalité*, automne 1983, nº 10, p. 37-52.

GALLANT, Cécile, *Le mouvement coopératif chez les Acadiens dans la région Évangéline, 1862-1982*, Wellington, Conseil coopératif de l'Île-du-Prince-Édouard, 1982, 283 pages.

——, *Les femmes et la renaissance acadienne*, Moncton, Éditions d'Acadie, 1992, 24 pages.

GALLANT, Patrice, « Henri-P. Leblanc et l'Acadie », *Les Cahiers de la Société historique acadienne*, vol. 13, nº 2, juin 1982, p. 41-59.

——, « Les exilés acadiens en France », *Les Cahiers de la Société historique acadienne*, vol. 2, nº 10, 1968, p. 366-373.

GARLAND, Robert et Gregory MACHUM, *An Almanac of New Brunswick Elections, 1870-1980*, Social Science Monograph Series, nº 1, Saint John, N.-B., Keystone Printing, 1979, 222 pages.

GARVIE, Philippe, « La formation et la continuation des cercles d'études dans les milieux francophones du Nouveau-Brunswick (1930-1962) », *Les Cahiers de la Société historique acadienne*, vol. 22, nº 1, janvier-mars 1991, p. 4-21.

GAUDETTE, Jean, « Famille élargie et copropriété dans l'ancienne Acadie », *Les Cahiers de la Société historique acadienne*, vol. 25, nº 1, 1994, p. 15-26.

GODIN, Yvon et Réjean BELLEMARE, « Vers une concertation pour la reconstruction de l'industrie des pêches », *Égalité*, nº 31, printemps 1992, p. 157-172.

Gouvernement du Nouveau-Brunswick, *Elections in New Brunswick, 1784-1984 / Les élections au Nouveau-Brunswick, 1784-1984*, Bibliothèque de l'Assemblée législative du Nouveau-Brunswick, Fredericton, 1984, 311 pages.

GRIFFITHS, Naomi E.S., « Acadians in Exile : the Experiences of the Acadians in the British Seaports », *Acadiensis*, vol. IV, nº 1, automne 1974, p. 67-84.

——, « Perceptions of Acadians. The Importance of Tradition », *British Journal of Canadian Studies*, vol. 5, nº 1, 1990, p. 99-114.

——, « The Golden Age : Acadian Life, 1713-1748 », *Histoire sociale/Social History*, vol. 27, nº 33, 1984, p. 21-34.

——, *L'Acadie de 1686 à 1784. Contexte d'une histoire*, Moncton, Éditions d'Acadie, 1997, 134 pages.

——, *The Acadians : Creation of a People*, Montréal, McGraw-Hill Ryerson, 1973, 94 pages.

GUILFORD, Janet, « Separate Spheres : The Feminization of Public Teaching in Nova Scotia, 1838-1880 », dans Janet GUILFORD et Suzanne MORTON (sous la direction de), *Separate Spheres : Women's Worlds in the 19th Century Maritimes*, Fredericton, Acadiensis Press, 1994, p. 119-144.

GUITARD, Robert, « Le déclin de la Compagnie de la pêche sédentaire en Acadie de 1697 à 1702 », *Les Cahiers de la Société historique acadienne*, vol. 9, nº 1, mars 1978, p. 5-21.

HAINES, Cedric, *The Acadian Settlement of Northeastern New Brunswick*, Thèse de maîtrise, University of New Brunswick, 1979, 112 pages.

HARRIS, R. Cole (directeur), *Atlas historique du Canada*, vol. 1, *Des origines à 1800*, Montréal, Presses de l'Université de Montréal, 1987, planches 29, 30.

HARVEY, D.C., *The French Régime in Prince Edward Island*, New Haven, Yale University Press, 1926, 265 pages.

HICKEY, Daniel (sous la direction de), *Moncton, 1871-1929. Changements socio-économiques dans une ville ferroviaire*, Moncton, Éditions d'Acadie, 1990, 172 pages.

HUTTON, Elizabeth Ann, « Indian Affairs in Nova Scotia, 1760-1834 », *Nova Scotia Historical Society Collections*, 1963, p. 33-54.

HYNES, Gisa, « Some Aspects of the Demography of Port Royal, 1650-1755 », *Acadiensis*, vol. 3, nº 1, 1973, p. 3-17.

INNIS, Harold A., *The Cod Fisheries : The History of an international Economy*, University of Toronto Press, 1978.

JAENEN, Cornelius J., *Les relations franco-amérindiennes en Nouvelle-France et en Acadie*, Ottawa, Affaires indiennes et du Nord, 1985, 175 pages.

JOHNSTON, A.J.B., *La religion dans la vie à Louisbourg, 1713-1758*, Ottawa, Direction des lieux et des parcs historiques nationaux, Service canadien des parcs et Environnement Canada, 1988, 267 pages.

KENNEDY, Earle, « Direction Ottawa : les élections fédérales à l'Île-du-Prince-Édouard, 1873-1997 », *The Island Magazine*, nº 44, automne-hiver 1998, p. 14-34.

LABELLE, Ronald, « La vie acadienne à Chezzetcook, Nouvelle-Écosse », *Les Cahiers de la Société historique acadienne*, vol. 22, nºs 2-3, avril-septembre 1991, p. 11-95.

——, « Les débuts du mouvement coopératif chez les Acadiens du comté d'Inverness en Nouvelle-Écosse », *Les Cahiers de la Société historique acadienne*, vol. 18, nº 4, octobre-décembre 1987, p. 196-209.

LALIBERTÉ, Micheline et René LEBLANC, *Sainte-Anne : Collège et université, 1890-1990*, Pointe-de-l'Église, Chaire d'étude en civilisation acadienne de la Nouvelle-Écosse, Université Sainte-Anne, 1990, 499 pages.

LANDRY, D.V., *Agricultural Commission of the Province of New Brunswick*, Report, Fredericton, Legislature of New Brunswick, 1909, 224 pages.

LANDRY, Dollard, « Les circonstances économiques des provinces maritimes et des régions acadiennes », *Revue de l'Université Sainte-Anne*, 1977, p. 34-43.

LANDRY, Irène, « Saint-Quentin et le retour à la terre : analyse socio-économique 1910-1960 », *La Revue de la Société historique du Madawaska*, vol. XIV, nº 4, octobre-décembre 1986, p. 1-49.

LANDRY, Nicolas, « Acadian Fisheries of Southwest Nova Scotia in the Nineteenth Century », dans Dorothy E. MOORE et James H. MORRISON, *Work, Ethnicity and Oral History*, Halifax, Saint Mary's University, 1988, p. 55-61.

——, « L'Évangéline et l'émigration acadienne vers les États-Unis durant l'entre-deux-guerres, 1920-1940 », dans Gérard Beaulieu (sous la direction de), *L'Évangéline 1887-1982 : entre l'élite et le peuple*, Moncton, Éditions d'Acadie et Chaire d'études acadiennes, 1997, p. 261-282.

——, « L'exploitation agricole à Caraquet : étude basée sur le recensement de 1861 », *Acadiensis*, vol. XX, n° 2, printemps 1991, p. 145-157.

——, « La Gloucester Navigation Company, 1907-1936 », *La Revue de la Société historique Nicolas Denys*, vol. 18, n° 3, septembre-décembre 1990, p. 5-35.

——, « La pêche aux huîtres dans les Maritimes au XIXe siècle », *Revue de l'Université Saint-Anne*, 1986, p.3-13.

——, « Les sociétés agricoles du comté de Gloucester : le cas de la Péninsule acadienne, 1850-1900 », *Les Cahiers de la Société historique acadienne*, vol. 21, n° 4, octobre-décembre 1990, p. 61-72.

——, « Niveaux de richesse chez les pêcheurs de Plaisance et de l'île Royale, 1700-1758 », *Revue d'histoire de la culture matérielle*, n° 49, octobre 1998, p. 101-122.

——, *L'industrie des pêches dans la Péninsule acadienne, 1850-1900*, Thèse de doctorat, Université Laval, 1990, 435 pages.

——, *Les pêches dans la Péninsule acadienne, 1850-1900*, Moncton, Éditions d'Acadie, 1994, 192 pages.

Lang, Nicole, « De l'entreprise familiale à la compagnie moderne : la Fraser Companies Limited de 1918 à 1974 », *Acadiensis*, vol. XXV, n° 2, printemps 1996, p. 42-61.

——, « Gestion et travail : le cas de l'usine Fraser d'Edmundston au Nouveau-Brunswick, 1918-1946 », dans Jacques Paul Couturier et Phyllis E. LeBlanc, *Économie et société en Acadie. Nouvelles études d'histoire acadienne, 1850-1950*, Moncton, Éditions d'Acadie, 1996, p. 153-184.

——, « Les conséquences des changements administratifs et techniques sur l'organisation du travail à l'usine Fraser d'Edmundston au Nouveau-Brunswick, 1947-1974 », *Labour/Le travail*, vol. 43, printemps 1999, p. 121-146.

——, *L'impact d'une industrie : les effets sociaux de l'arrivée de la compagnie Fraser Limited à Edmundston, N.-B., 1900-1950*, Thèse de maîtrise, Université de Montréal, 1985, 174 pages.

——, *La compagnie Fraser Limited, 1918-1974. Étude de l'évolution des stratégies économiques, des structures administratives et de l'organisation du travail à l'usine d'Edmundston au Nouveau-Brunswick*, Thèse de doctorat, Université de Montréal, 1994, 402 pages.

Lapierre, Jean William et Muriel Kent Roy, *Les Acadiens*, Paris, PUF, 1983, 127 pages (Que sais-je ? 2078).

Laplante, Corinne, « Pourquoi les Acadiens sont-ils demeurés en Acadie ? (1713-1720) », *Les Cahiers de la Société historique acadienne*, vol. 21, 1968, p. 4-17.

——, *Le traité d'Utrecht et l'Acadie : une étude de la correspondance secrète et officielle qui a entouré la signature du traité d'Utrecht*, 1972, Thèse de maîtrise, Université de Moncton, 125 pages.

LAPOINTE, Jacques, *Grande-Rivière, une page d'histoire acadienne*, Moncton, Éditions d'Acadie, 1989, 361 pages.

LAUVRIÈRE, Émile, *La tragédie d'un peuple : histoire du peuple acadien de ses origines à nos jours*, Paris, 1922, 2 volumes, 1115 pages.

LEBLANC, Barbara, « Tête à tête et Charivari à Moncton : rencontre inter-culturelle entre les Acadiens et les anglophones de Moncton », *Les Cahiers de la Société historique acadienne*, vol. 27, n° 1, janvier-mars 1996, p. 4-18.

LEBLANC, Robert A., « Les migrations acadiennes », *Cahiers de géographie du Québec*, vol. 23, n° 58, avril 1979, p. 99-124.

LEBLANC, Ronnie-Gilles, « Les relations France-Acadie durant l'entre-deux guerres », *Égalité*, vol. 26, printemps 1990, p. 25-51.

—, « Menoudie, 1766-1805 : quarante années de vie acadienne en Nouvelle-Écosse », *Les Cahiers de la Société historique acadienne*, vol. 23, n°s 3-4, juillet-décembre 1992, p. 168-184.

LEBLANC-COUTURIER, Gilberte, Alcide GODIN et Aldéo RENAUD, « L'enseignement français dans les Maritimes, 1604-1992 », dans Jean DAIGLE (sous la direction de), *L'Acadie des Maritimes : études thématiques des débuts à nos jours*, Moncton, Chaire d'études acadiennes, Université de Moncton, 1993, p. 543-585.

LEBRETON, Clarence, *Le Caraquet Flyer : histoire de la « Caraquet Gulf Shore Railway Company », 1871-1920*, Montréal, Éditions du Fleuve, 1990, 182 pages.

——, *Le Collège de Caraquet, 1892-1916*, Hull, Éditions du Fleuve, 1991, 268 pages.

LECLERC, André *et al.*, *L'Acadie à l'heure des choix. L'avenir politique et économique de l'Acadie du Nouveau-Brunswick*, Moncton, Éditions d'Acadie, 1996, 376 pages.

LÉGER, Raymond, « L'évolution des syndicats au Nouveau-Brunswick de 1910 à 1950 », *Égalité*, n° 31, printemps 1992, p. 19-40.

——, « L'industrie du bois dans la Péninsule acadienne, 1875-1900 », *Revue de la Société historique Nicolas Denys*, vol. XVI, n° 2, mai-août 1988, p. 1-86.

LEJEUNE, Théodule J., « Document : Progrès en éducation française au Nouveau-Brunswick », *Les Cahiers de la Société historique acadienne*, vol. 20, n° 3, 1989, p. 132-139.

LEPAGE, André, *Le capitalisme marchand et la pêche à la morue en Gaspésie : la Charles Robin and Company dans la baie des Chaleurs, 1820-1870*, Thèse de doctorat, Université Laval, 1983, 438 pages.

LOCKERBY, Earle, « The Deportation of the Acadians from Ile St-Jean, 1758 », *Acadiensis*, vol. XXVII, n° 2, printemps 1998, p. 45-94.

LOWE, Richard G., « Massachusetts and the Acadians », *William and Mary Quaterly*, vol. XXV, n° 2, avril 1968, p. 212-229.

MACNUTT, W.S., *The Atlantic Provinces : The Emergence of Colonial Society, 1712-1857*, The Canadian Centenary Series, Toronto, McClelland and Stewart, 1965, 305 pages.

MAILHOT, Raymond, « Quelques éléments d'histoire économique de la prise de conscience acadienne (1850-1891) », *Les Cahiers de la Société historique acadienne*, vol. 7, n° 2, 1976, p. 49-74.

McGee, Harold Franklin Jr., *The Native Peoples of Atlantic Canada: A History of Ethnic Interaction*, The Carleton Library, n° 72, Toronto, McClelland and Stewart Limited, 1974, 211 pages.

McGee, Harold Franklin, « White Encroachment on Micmac Reserve Lands 1830-1867 », *Man in the Northeast*, vol. 8, 1974, p. 57-63.

Mckee-Allain, Isabelle, *Rapports ethniques et rapports de sexes en Acadie: les communautés religieuses de femmes et leurs collèges classiques*, Thèse de doctorat, Université de Montréal, 1995, 453 pages.

Morgan, Robert, « La vie sociale à Louisbourg au 18e siècle », *Les Cahiers de la Société historique acadienne*, vol. 7, n° 4, décembre 1976, p. 171-182.

Muise, Del, « The Industrial Context of Inequality: Female Participation in Nova Scotia Paid Labour Force, 1871-1921 », *Acadiensis*, vol. XX, n° 2, printemps 1991, p. 3-31.

Officer, E. Roy, « Crown land grants to Acadians in New Brunswick (1760-1848) », *Les Cahiers de la Société historique acadienne*, vol. 12, n° 4, 1981, p. 128-142.

Ommer, Rosemary, *From Outpost to Outport: A Structural Analysis of the Jersey-Gaspé Cod Fishery, 1767-1886*, Montréal-Kingston, McGill-Queen's university Press, 1991, 245 pages.

Ouellette, Roger, *Le Partie acadien: de la fondation à la disparition, 1972-1982*, Moncton, Chaire d'études acadiennes, Université de Moncton, 1992, 119 pages.

Patterson, Stephen E., « 1744-1763. Colonial Wars and Aboriginal Peoples », dans Philip A. Buckner et John G. Reid (sous la direction de), *The Atlantic Region to Confederation. A History*, Fredericton et Toronto, Acadiensis Press et University of Toronto Press, 1994, p. 125-155.

Perley, Moses H., *Report on the Indians of New Brunswick*, Journal of the Legislative Assembly, Fredericton, 1841, 31 pages.

Pichette, Robert, *L'Acadie par bonheur retrouvée: De Gaulle et l'Acadie*, Moncton, Éditions d'Acadie, 1994, 274 pages.

Pître, Marie-Claire et Denise Pelletier, *Les Pays-Bas. Histoire de la région Jemseg-Woodstock sur la rivière Saint-Jean pendant la période française (1604-1759)*, Fredericton, Société d'histoire de la rivière Saint-Jean, 1985, 165 pages.

Pître, Marie-Claire, « Hilarion Haché, marchand et juge de paix, 1825-1896 », *Revue de la Société historique Nicolas Denys*, vol. XVIII, n° 1, janvier-avril 1990, p. 65-69.

——, « Les Acadiens et les juges de paix: étude des relations entre les Acadiens du Gloucester et le monde de la justice, 1784-1867 », *Revue de droit de l'Université du Nouveau-Brunswick*, vol. 39, 1990, p. 171-184.

Plessis, Joseph-Octave, « Journal des visites pastorales en Acadie, 1811, 1812, 1815 », *Les Cahiers de la Société historique acadienne*, vol. 11, nos 1, 2, 3, mars, juin, septembre 1980, p. 1-215.

Pothier, Bernard, « Les Acadiens à l'île Royale, 1713-1734 », *Les Cahiers de la Société historique acadienne*, 23e cahier, 1969, p. 96-111.

Pouyez, Christian, « La population de l'île Royale en 1752 », *Histoire sociale/Social History*, vol. 6, n° 12, 1973, p. 147-180.

RAINVILLE, Maurice et Simone LEBLANC-RAINVILLE, *Le rassembleur: Léger Comeau (1920-1996)*, Moncton, Éditions d'Acadie, 2000, 415 pages.

RAMEAU DE SAINT-PÈRE, François-Edmé, *Une colonie féodale en Amérique: l'Acadie, 1604-1881,* Montréal, Granger, 1889, 2 volumes, 790 pages.

RAWLYK, George et Ruth HAFTER, *Acadian Education in Nova Scotia: An Historical Survey to 1965*, Studies of the Royal Commission on Bilinguism and Biculturalism, Information-Canada, 1970, 65 pages.

REID, Jennifer, *Myth, Symbol, and Colonial Encounter. British and Mi'kmaq in Acadia, 1700-1867*, Ottawa, University of Ottawa Press, 1995, 133 pages.

REID, John G., *Six Crucial Decades: Times of Change in the History of the Maritimes*, Halifax, Nimbus, 1987, 200 pages.

REID, John, « Styles of Colonisation and Social Disorders in Early Acadia and Maine: A Comparative Approach », *Les Cahiers de la Société historique acadienne*, vol. 7, n° 3, septembre 1976, p. 106-117.

——, *Acadia, Maine and New Scotland: Marginal Colonies in the 17th Century*, Toronto, University of Toronto Press, 1981, 293 pages.

RICHARD, Stephen, « Coureurs des bois, militaires ou colonisateurs? L'impact des frères Damours sur le développement de leurs seigneuries à la rivière saint-Jean à la fin du XVIIe siècle, 1684-1704 », mémoire de B.A. Université de Moncton, 1995, 69 pages.

ROBICHAUD, Armand G., « Les Acadiens dans la métropole », *Études canadiennes*, n° 19, 1985, p. 43-54.

ROBICHAUD, Deborah, « Les conventions nationales (1890-1913): la Société nationale L'Assomption et son discours », *Les Cahiers de la Société historique acadienne*, vol. 12, n° 1, 1981, p. 36-58.

ROBICHAUD, Donat, « Vétérans de Gloucester à la Première Guerre mondiale », *La Revue de la Société historique Nicolas Denys*, vol. XIV, n° 2, avril-juillet 1986, p. 3-28.

——, *Le Grand Chipagan*, chez l'auteur, Beresford, 1976, 454 pages.

ROSS, Sally, « Majorité ou minorité: le cas de l'Île Madame », *Les Cahiers de la Société historique acadienne*, vol. 23, nos 3-4, septembre-décembre 1992, p. 143-157.

ROY, Michel, *L'Acadie des origines à nos jours: essai de synthèse historique*, Montréal, Québec/Amérique, 1981, 335 pages.

ROY, Muriel, « Peuplement et croissance démographique en Acadie », dans Jean Daigle (sous la direction de), *Les Acadiens des Maritimes: études thématiques des débuts à nos jours*, Moncton, Centre d'études acadiennes, 1980, p. 135-207.

ROY, Raymond, *La croissance démographique en Acadie de 1671 à 1763*, 1975, Mémoire de maîtrise, Université de Montréal, 152 pages.

RUBINGER, Catherine, « Marriage and the Women of Louisbourg », *Dalhousie Review*, vol. 60, n° 3, 1980, p. 445-461.

RUMILLY, Robert, *L'Acadie anglaise, 1713-1755*, Montréal, Fides, 1983, 355 pages.

RUMILLY, Robert, *L'Acadie française, 1497-1713*, Montréal, Fides, 1981, 253 pages.

SAINT-VALLIER, Mgr Jean-Baptiste de la Croix Chevrières, *Estat present de l'Eglise et de la colonie françoise dans la Nouvelle-France (1688)*, London, S.R. Publishers, 1965, 102 pages.

SAMSON, Roch, *Pêcheurs et marchands de la baie de Gaspé au XIXe siècle. Les rapports de production entre la compagnie William Hyman and Sons et ses pêcheurs-clients, 1854-1863*, Thèse de maîtrise, Université Laval, 1987, 141 pages.

SAVOIE, Alexandre, « L'enseignement en Acadie de 1604 à 1990 », dans Jean DAIGLE (sous la direction de), *Les Acadiens des Maritimes: études thématiques des débuts à nos jours*, Moncton, Centre d'études acadiennes, 1980, p. 419-466.

SIROIS, Georges, « L'évolution historique de l'enseignement public au Madawaska pendant le XIXe siècle », *Le Brayon*, vol. 5, no 2, 1977, p. 3-29.

——, « Les Acadiens et la naissance du commerce du bois dans le Nord-Ouest du Nouveau-Brunswick, 1820-1840 », *Les Cahiers de la Société historique acadienne*, vol. 7, no 4, décembre 1976, p. 183-193.

SPIGELMAN, Martin S., « Les Acadiens et les Canadiens en temps de guerre; le jeu des alliances », *Les Cahiers de la Société historique acadienne*, vol. 8, no 1, 1977, p. 5-22.

STANLEY, Della M., *P.A. Landry: Au service de deux peuples*, Moncton, Éditions d'Acadie, 1977, 260 pages.

——, « Comment gagner une élection: la victoire de Louis Robichaud en 1960 », *Les Cahiers de la Société historique acadienne*, vol. 10, no 2, 1979, p. 102-124.

SURETTE, Paul, « Les Acadiens et l'élection provinciale de 1935 au Nouveau-Brunswick », *Les Cahiers de la Société historique acadienne*, vol. 5, no 5, octobre-décembre 1974, p. 200-224.

THÉRIAULT, Léon, « L'Acadie de 1763 à 1990, synthèse historique », dans Jean DAIGLE (sous la direction de), *L'Acadie des Maritimes: études thématiques des débuts à nos jours*, Moncton, Chaire d'études acadiennes, 1993, p. 45-92.

——, « Les examens dans les écoles du Nouveau-Brunswick: Lamèque 1880 », *Les cahiers de la Société historique acadienne*, vol. 10, no 1, mars 1979, p. 51-52.

——, « Les missionnaires et leurs paroissiens dans le Nord-Est du Nouveau-Brunswick, 1766-1830 », *Revue de l'Université de Moncton*, vol. 9, nos 1,2 et 3, octobre 1976, p. 31-51.

THORBURN, Hugh G., *Politics in New Brunswick*, Toronto, University of Toronto Press, 1961, 217 pages.

TREMBLAY, Marc-Adélard et G. GOLD (sous la direction de), *Communautés et culture. Élements pour une ethnologie du Canada français*, Montréal, Éditions HRW, 1973, 428 pages.

TRÉPANIER, Pierre, « Les Récollets et l'Acadie (1619-1759): plaidoyer pour l'histoire religieuse », *Les Cahiers de la Société historique acadienne*, vol. 10, no 1, mars 1979, p. 4-11.

TULLOCH, Elspeth, *Nous les soussignées: un aperçu historique des femmes du Nouveau-Brunswick, 1784-1984*, Conseil consultatif sur la condition de la femme du Nouveau-Brunswick, 1985, 151 pages.

UPTON, Leslie F.S., *Micmacs and Colonists: Indian-White Relations in the Maritimes, 1713-1867*, Vancouver, University of British Columbia Press, 1979, 243 pages.

VANDERLINDEN, Jacques, « La double colonisation juridique de l'Acadie aux XVIIe et XVIIIe siècles », *Bulletin des séances de l'Académie royale des sciences d'outre-mer*, vol. 39, n° 3, 1993, p. 361-384.

——, *Se marier en Acadie française, XVIIe et XVIIIe siècles*, Moncton, Éditions d'Acadie et Chaire d'études acadiennes, 1998, 264 pages.

WAGG, Phyllis, « Stratification in Acadian Society: Nineteenth Century Richmond County », *Les Cahiers de la Société historique acadienne*, vol. 23, n°s 3 et 4, septembre-décembre 1992, p. 158-167.

WICKEN, Bill, « 26 August 1726 : A Case Study in Mi'kmaq-New England Relations in the Early 18th Century », *Acadiensis*, vol. XXIII, n° 1, automne 1993, p. 5-22.

WIEN, Fred, *Rebuilding the Economic Base of Indian Communities: The Micmac in Nova Scotia*, Montréal, Institut de recherches politiques, 1986, 200 pages.

WYNN, Graeme, *Timber Colony: A Historical Geography of Early Nineteenth Century New Brunswick*, Toronto, University of Toronto Press, 1981, 224 pages.

Liste des cartes

Liste des tableaux

Table des matières

COMPOSÉ EN MINION CORPS 11,5
SELON UNE MAQUETTE RÉALISÉE PAR JOSÉE LALANCETTE
CE TROISIÈME TIRAGE A ÉTÉ ACHEVÉ D'IMPRIMER EN OCTOBRE 2003
SUR LES PRESSES DE AGMV-MARQUIS, À CAP-SAINT-IGNACE, QUÉBEC
POUR LE COMPTE DE DENIS VAUGEOIS
ÉDITEUR À L'ENSEIGNE DU SEPTENTRION